SOPHIE KINSELLA

Sag's nicht weiter, Liebling

Buch

Die Welt scheint sich gegen Emma Corrigan verschworen zu haben. Erst versagt sie bei einem wichtigen Kunden, mit dem ihre Firma eine Kooperation entwickeln wollte, und dann gerät ihr Flugzeug auf dem Heimflug nach London in so heftige Turbulenzen, dass Emma ihr letztes Stündlein gekommen sieht. Aber vor ihrem vermeintlichen Ableben macht sie noch reinen Tisch: Jedes Geheimnis, jede kleine Notlüge, jede Heimlichkeit, derer sie sich schuldig fühlt, bricht aus ihr heraus. Wenn sich je eine Seele komplett offenbarte, dann Emmas. Unfreiwilliger Adressat dieser Lebensbeichte ist ein äußerst attraktiver junger Mann, doch Emma ist viel zu angespannt, um ihn sich genauer anzusehen. Sie ist bei der Landung nur froh, dass sie ihrem Beichtvater nach diesem peinlichen Auftritt nie wieder begegnen wird. Verständlich, aber leider ein Irrtum...

Autorin

Sophie Kinsella ist Schriftstellerin und ehemalige Wirtschaftsjournalistin. Mit ihren Romanen um die liebenswerte Chaotin und Schnäppchenjägerin Rebecca Bloomwood wurde sie zur gefeierten Bestsellerautorin, auch »Sag`s nicht weiter, Liebling«, eroberte auf Anhieb die englischen Bestsellerlisten. Weitere Titel der Autorin sind bei Goldmann in Vorbereitung. Sophie Kinsella lebt in London.

Von Sophie Kinsella bereits erschienen:

Die Schnäppchenjägerin-Romane in chronologischer Reihenfolge:

Die Schnäppchenjägerin. Roman (45286)
Fast geschenkt. Neues von der Schnäppchenjägerin. Roman (45403)
Hochzeit zu verschenken. Neues von der Schnäppchenjägerin. Roman (45507)
Vom Umtausch ausgeschlossen. Roman (45690)

Außerdem lieferbar:

Sag`s nicht weiter, Liebling. Roman (45632)
Göttin in Gummistiefeln. Roman (46087)

Sophie Kinsella

Sag's nicht weiter, Liebling

Liebling

Roman

Aus dem Englischen
von Isabel Bogdan

GOLDMANN

Die Originalausgabe erschien 2003
unter dem Titel »Can You Keep a Secret«
bei Black Swan, London

FSC

Mix
Produktgruppe aus vorbildlich
bewirtschafteten Wäldern und
anderen kontrollierten Herkünften

Zert.-Nr. SGS-COC-1940
www.fsc.org
© 1996 Forest Stewardship Council

Verlagsgruppe Random House FSC-DEU-0100
Das FSC-zertifizierte Papier *München Super* für Taschenbücher aus dem
Goldmann-Verlag liefert Mochenwangen Papier.

11. Auflage
Deutsche Erstveröffentlichung Februar 2004
Copyright © der Originalausgabe 2003
by Sophie Kinsella
Copyright © der deutschsprachigen Ausgabe 2004
by Wilhelm Goldmann Verlag, München,
in der Verlagsgruppe Random House GmbH
Umschlaggestaltung: Design Team München
Umschlagbildvermerk: Natascha Römer/Die Kleinert
Satz: deutsch-türkischer fotosatz, Berlin
Druck und Bindung: GGP Media GmbH, Pößneck
Redaktion: Martina Klüver
AB · Herstellung: Str
Printed in Germany
ISBN-10: 3-442-45632-0
ISBN-13: 978-3-442-45632-1

www.goldmann-verlag.de

Für H.,
vor dem ich keine Geheimnisse habe.
Nun ja, jedenfalls nicht viele.

1

Natürlich habe ich Geheimnisse.

Klar. Hat doch jeder. Ist doch ganz normal. Ich habe bestimmt nicht mehr als andere auch.

Ich meine ja keine großen, weltbewegenden Geheimnisse. Nicht die von der Sorte Der-Präsident-will-Japan-bombardieren-und-nur-Will-Smith-kann-die-Welt-retten. Nur ganz normale, kleine Alltagsgeheimnisse.

Ganz spontan fallen mir zum Beispiel diese hier ein:

1. Meine Kate-Spade-Tasche ist nicht echt.
2. Ich liebe süßen Sherry, das uncoolste Getränk der Welt.
3. Ich habe keine Ahnung, wofür die Abkürzung NATO steht. Oder was das überhaupt ist.
4. Ich wiege 59 Kilo. Nicht 53, wie mein Freund Connor glaubt. (Zu meiner Verteidigung muss ich allerdings sagen, dass ich eine Diät anfangen wollte, als ich das behauptet habe. Und außerdem war ja nur die zweite Ziffer ein bisschen geflunkert.)
5. Ich finde, Connor sieht ein bisschen aus wie Barbies Ken.
6. Manchmal würde ich, wenn wir gerade so richtig leidenschaftlichen Sex haben, plötzlich gerne lachen.
7. Ich bin von Danny Nussbaum im Gästezimmer entjungfert worden, als Mum und Dad unten saßen und *Ben Hur* guckten.
8. Ich habe den Wein, von dem Dad gesagt hat, ich soll ihn zwanzig Jahre liegen lassen, schon längst getrunken.

9. Der Goldfisch Sammy bei meinen Eltern ist nicht der Goldfisch, den Mum und Dad bei mir in Pflege gegeben haben, als sie nach Ägypten fuhren.
10. Wenn meine Kollegin Artemis mir so richtig auf die Nerven geht, gieße ich ihre Pflanze mit Orangensaft. (Also so ziemlich täglich.)
11. Ich hatte mal einen komischen lesbischen Traum über meine Mitbewohnerin Lissy.
12. Mein Stringtanga zwickt.
13. Ganz tief in mir drin war ich schon immer davon überzeugt, dass ich anders bin als andere und dass schon hinter der nächsten Ecke ein unglaublich aufregendes neues Leben auf mich wartet.
14. Ich habe keinen Schimmer, wovon der Typ im grauen Anzug spricht.
15. Und seinen Namen habe ich auch schon wieder vergessen.

Dabei habe ich ihn erst vor zehn Minuten kennen gelernt.

»Wir halten viel von logistischen Allianzen«, leiert er mit näselnder Stimme, »auch über die eigene Branche hinaus.«

»Unbedingt!«, antworte ich strahlend, als ob ich sagen wollte: »Das tun wir doch alle.«

Logistisch. Was heißt das noch mal?

O Gott. Hoffentlich fragen sie mich das nicht.

Krieg dich wieder ein, Emma. Sie werden wohl kaum plötzlich fragen: »Was heißt eigentlich logistisch?« Ich bin schließlich auch Marketing-Profi. Natürlich kenne ich mich mit diesen Dingen aus.

Wenn sie wieder davon anfangen, wechsle ich einfach das Thema. Oder ich sage, ich bin postlogistisch oder so.

Vor allem muss ich mich weiterhin selbstsicher und souverän geben. Das kann ich. Das hier ist schließlich meine große

Chance, und die werde ich nicht ungenutzt verstreichen lassen.

Ich sitze in einem Büro der Zentrale von Glen Oil in Glasgow, und wenn ich mein Spiegelbild so im Fenster betrachte, sehe ich doch wirklich aus wie eine Top-Businessfrau. Meine Haare sind glattgeföhnt, ich trage dezente Ohrringe, wie es in den So-bekommen-Sie-Ihren-Traumjob-Artikeln immer geraten wird, und das raffinierte neue Jigsaw-Kostüm. (Jedenfalls ist es fast neu. Ich habe es aus dem Second-Hand-Laden der Krebshilfe und musste nur einen fehlenden Knopf ersetzen, fällt fast gar nicht auf.)

Ich vertrete die Panther Corporation, bei der ich angestellt bin. Bei dem Treffen soll eine gemeinsame Marketing-Aktion zwischen dem neuen Panther Prime Sportdrink mit Preiselbeergeschmack und Glen Oil zum Abschluss gebracht werden, und dafür bin ich heute Morgen extra aus London hierher geflogen. (Hat alles die Firma bezahlt!)

Als ich ankam, legten die Marketing-Typen von Glen Oil gleich mit einer langatmigen Wer-ist-am-weitesten-gereist-Angeberei los, über Flugmeilen und Transatlantikflüge – ich glaube, ich habe ganz überzeugend geblufft. (Außer als ich sagte, ich sei mit der Concorde nach Ottawa geflogen, und sich herausstellte, dass die Concorde gar nicht nach Ottawa fliegt.) Ehrlich gesagt bin ich jetzt überhaupt zum ersten Mal geschäftlich irgendwohin gereist.

Okay. Wenn ich *ganz* ehrlich sein soll: Dies ist mein erster Geschäftstermin überhaupt, Punkt. Ich bin seit elf Monaten als Marketing-Assistentin bei der Panther Corporation, und bisher durfte ich nur tippen und kopieren, die Meetings anderer Leute organisieren, Sandwiches besorgen und dem Chef die Kleider aus der Reinigung holen.

Das hier ist also der Durchbruch. Und insgeheim hoffe ich, dass ich vielleicht befördert werde, wenn es gut läuft. In der

Stellenanzeige stand damals »Beförderung nach einem Jahr möglich«. Am Montag findet das jährliche Beurteilungsgespräch mit meinem Chef Paul statt. Ich habe »Beurteilungsgespräch« im Personalhandbuch nachgeschlagen, und dort steht, das sei »die ideale Gelegenheit, über die nächsten Karriereschritte zu sprechen«.

Karriere! Bei dem Gedanken spüre ich gleich wieder dieses stechende Verlangen in der Brust. Dann würde Dad endlich mal sehen, dass ich keine Totalversagerin bin. Und Mum. Und Kerry. Ich könnte nach Hause fahren und beiläufig erwähnen, »ach, übrigens, ich bin zum Marketing Executive befördert worden«.

Emma Corrigan, Marketing Executive.
Emma Corrigan, Stellv. Geschäftsführerin (Marketing).

Wenn das heute bloß gut geht. Paul sagte, der Deal sei längst unter Dach und Fach, ich müsse nur noch nicken und ein paar Hände schütteln, und das könne selbst ich hinkriegen. Und ich würde sagen, bis jetzt läuft es richtig gut.

Na gut, neunzig Prozent von dem, was die reden, verstehe ich nicht. Aber in der mündlichen Französischprüfung habe ich damals auch nicht viel verstanden und trotzdem eine Zwei bekommen.

»Rebranding ... Analyse ... Rentabilität ...«

Der Mann im grauen Anzug schwafelt immer noch irgendwas. So unauffällig wie möglich ziehe ich seine Visitenkarte zu mir herüber, um sie lesen zu können.

Doug Hamilton. Ach ja, richtig. Okay, das kann ich mir merken. Doug klingt wie Dog, das ist einfach. Ich merke mir einen Hund. Mit *Ham*, einem Schinken. Das ... passt irgendwie nicht zusammen ...

Na gut, vergessen wir das. Ich schreibe es mir einfach auf.

Ich notiere mir »Rebranding« und »Doug Hamilton« und rutsche unbehaglich herum, weil es so zwickt. Herrgott, mein Slip ist vielleicht unbequem. Ich meine, selbst der tollste String ist nicht bequem, finde ich, aber dieser ist besonders schlimm. Was daran liegen könnte, dass er zwei Nummern zu klein ist.

Was möglicherweise daran liegen könnte, dass Connor ihn mir gekauft und der Wäscheverkäuferin erzählt hat, ich würde 53 Kilo wiegen. Weshalb sie ihm Größe sechsunddreißig verkauft hat. Größe sechsunddreißig!

(Ehrlich gesagt glaube ich, die Frau war einfach gemein. Sie *muss* doch gewusst haben, dass das geschwindelt war.)

Also packe ich bei der Bescherung an Heiligabend dieses entzückende zartrosa Seidenhöschen aus. Größe sechsunddreißig. Und habe nur zwei Möglichkeiten:

A: Beichten: »Ehrlich gesagt, das ist zu klein, ich brauche eher vierzig, und übrigens wiege ich auch nicht 53 Kilo, wenn wir schon mal dabei sind.« Oder …

B: Mich hineinzwängen.

Eigentlich ging es. Man konnte die roten Striemen auf der Haut nachher kaum sehen. Und außerdem brauchte ich dann nur noch schnell sämtliche Etiketten aus meiner Kleidung zu schneiden, damit Connor nichts merkt.

Seither habe ich dieses Wäschestück kaum je getragen, ist ja klar. Aber gelegentlich, wenn ich es da so hübsch und teuer in der Schublade liegen sehe, denke ich, ach, was soll's, *so* eng wird's schon nicht sein, und quetsche mich irgendwie hinein. So auch heute Morgen. Ich dachte sogar, ich hätte wohl abgenommen, weil es sich gar nicht so schlimm anfühlte.

Vollkommen idiotische Selbsttäuschung.

»… leider, wegen unseres Rebrandings noch mal gründlich überdenken … müssen alternative Synergien erwägen …«

Bislang saß ich nur da und nickte und fand so einen Geschäftstermin ziemlich locker. Aber jetzt dringt Doug Hamiltons Stimme plötzlich in mein Bewusstsein durch. Was redet der da?

»... zwei divergierende Produkte ... nicht mehr kompatibel ...«

Wie, nicht mehr kompatibel? Wieso noch mal gründlich überdenken? Plötzlich bin ich alarmiert. Möglicherweise ist das doch nicht nur Geschwätz. Möglicherweise *sagt* er tatsächlich etwas. Hör mal besser zu.

»Wir haben die effektive und synergetische Zusammenarbeit zwischen Panther und Glen Oil stets sehr zu schätzen gewusst«, sagt Doug Hamilton. »Aber Sie sehen ja selbst, dass wir unterschiedliche Richtungen einschlagen.«

Unterschiedliche Richtungen?

Darüber redet er die ganze Zeit?

Mir dreht sich der Magen um.

Er kann doch nicht ...

Will er den Deal platzen lassen?

»Entschuldigen Sie, Doug«, sage ich so lässig wie möglich. »Ich habe Ihnen natürlich sehr genau zugehört.« Ich schenke ihm ein irrsinnig professionelles Lächeln. »Aber können Sie das vielleicht noch mal ... äh, für uns alle zusammenfassen ...«

Und zwar in einfachen Worten, bitte ich still.

Doug Hamilton und der andere Typ werfen sich Blicke zu.

»Wir sind nicht ganz glücklich mit Ihren Brand Values«, sagt Doug Hamilton.

»Meinen Brand Values?« Langsam werde ich panisch.

»Den Brand Values des *Produkts*«, sagt er und sieht mich komisch an. »Wie ich bereits erklärt habe, stecken wir hier bei Glen Oil gerade mitten im Rebranding. Unser neues Image ist das eines fürsorglichen Brennstoffs, wie man am neuen Logo mit der Narzisse sehen kann. Und da finden wir Panther Prime, mit dem Schwerpunkt auf Sport und Wettbewerb, einfach zu aggressiv.«

12

»Aggressiv?« Völlig verwirrt starre ich ihn an. »Aber … wir reden hier von Fruchtsaft!«

Was soll das denn? Glen Oil ist qualmendes, umweltzerstörendes Benzin. Panther Prime ist ein harmloses Getränk mit Preiselbeergeschmack. Wie kann das zu aggressiv sein?

»Es geht um die Werte, die damit vermittelt werden.« Er zeigt auf die Werbebroschüren auf dem Tisch. »Panther ist dynamisch. Elitär. Maskulin. Schon der Slogan ›Don't Pause‹ zeigt das deutlich. Ehrlich gesagt, das ist doch überholt.« Er zuckt mit den Schultern. »Wir erachten eine gemeinsame Aktion einfach nicht mehr für sinnvoll.«

Nein. Nein. Das kann doch wohl nicht wahr sein. Der kann doch jetzt keinen Rückzieher machen.

Im Büro werden alle glauben, es wäre meine Schuld. Sie werden glauben, dass ich es vermasselt habe und total bescheuert bin.

Mein Herz hämmert. Mein Gesicht brennt. Das darf ich nicht zulassen. Aber was soll ich sagen? Ich bin überhaupt nicht vorbereitet. Paul hat schließlich gesagt, es sei alles geklärt und ich müsse denen bloß noch die Hände schütteln.

»Natürlich müssen wir noch mal darüber sprechen, bevor wir das endgültig entscheiden«, sagt Doug und lächelt mich kurz an. »Und wie gesagt würden wir die Zusammenarbeit mit der Panther Corporation gerne fortsetzen, sodass dieses Meeting auf jeden Fall seinen Zweck …«

Er schiebt seinen Stuhl zurück.

Das kann ich doch nicht so stehen lassen! Ich muss sie noch überzeugen. Ich muss versuchen, den Deal doch noch abzuschießen.

Abzuschließen. Das meine ich natürlich.

»Moment«, höre ich mich sagen. »Nur noch … einen Moment! Ich hätte dazu noch ein paar Anmerkungen zu machen.«

Was rede ich da eigentlich? Ich habe überhaupt keine Anmerkungen zu machen.

Auf dem Tisch steht eine Dose Panther Prime, nach der ich in der Hoffnung auf Inspiration greife. Um Zeit zu gewinnen, stehe ich auf, gehe in die Mitte des Raums und halte die Dose hoch, sodass alle sie sehen können.

»Panther Prime ist … ein Sportdrink.«

Ich breche ab. Höfliches Schweigen. Mein Gesicht kribbelt.

»Er … ähm … er ist sehr …«

O Gott. Was mache ich hier eigentlich?

Los, Emma. *Denk nach*. Denk an Panther Prime … denk an Panther Cola … denk an … denk nach …

Ja! Natürlich!

Okay, noch mal von vorne.

»Seit wir Ende der achtziger Jahre Panther Cola auf den Markt gebracht haben, stehen die Panther-Drinks für Power, Dynamik und Qualität«, bringe ich flüssig heraus.

Gott sei Dank. Das ist der Standardspruch aus dem Panther-Cola-Marketing. Ich habe ihn zig Millionen Mal getippt und hätte ihn im Schlaf herbeten können.

»Die Panther-Drinks sind ein Marketing-Phänomen«, fahre ich fort. »Der Panther ist weltweit eins der bekanntesten Logos, der Slogan ›Don't Pause‹ steht bereits in Wörterbüchern. Wir bieten Glen Oil nun exklusiv die Möglichkeit, mit dieser weltbekannten Qualitätsmarke zusammenzuarbeiten.«

Mein Selbstvertrauen wächst, ich laufe in dem Konferenzraum herum und gestikuliere mit der Dose in der Hand.

»Mit dem Erwerb eines Panther-Gesundheitsdrinks demonstriert der Kunde, dass für ihn nur das Beste gut genug ist.« Ich schlage mit der anderen Hand auf die Dose. »Er erwartet das Beste von seinem Energydrink, er erwartet das Beste von seinem Benzin, er erwartet das Beste von sich selbst.«

14

Ich kann fliegen! Ich bin fantastisch! Wenn Paul mich jetzt sehen könnte, er würde mich vom Fleck weg befördern!

Ich gehe wieder zum Tisch und schaue Doug Hamilton in die Augen. »Wenn der Panther-Kunde die Dose öffnet, trifft er eine bewusste Entscheidung. Er zeigt allen, wer er ist. Und Glen Oil kann jetzt dasselbe tun.«

Dann setze ich die Dose schwungvoll mitten auf den Tisch und ziehe mit überlegenem Lächeln an dem Ring.

Ein Vulkan bricht aus.

Preiselbeerlimonade spritzt laut zischend aus der Dose und platscht auf den Tisch, ertränkt Papiere und Schreibunterlagen in knallroter Flüssigkeit … und, nein, bitte nicht … landet auf Doug Hamiltons Hemd.

»Scheiße!«, japse ich, »ich meine, tut mir wirklich Leid …«

»Herr im Himmel«, flucht Doug Hamilton gereizt, steht auf und zieht ein Taschentuch heraus. »Geht das Zeug wieder raus?«

»Äh …«, ich greife hilflos nach der Dose. »Ich weiß nicht.«

»Ich hole mal einen Lappen«, sagt der andere und springt auf.

Die Tür schließt sich hinter ihm, und es ist still, nur das langsame Tröpfeln des Preiselbeerdrinks auf den Boden ist zu hören.

Ich starre Doug Hamilton an, mein Gesicht glüht, und in den Ohren rauscht mir das Blut.

»Bitte …«, sage ich und muss mich erst mal räuspern, »erzählen Sie das nicht meinem Chef.«

Jetzt habe ich es doch noch vermasselt.

Ich lungere in der Wartehalle des Glasgower Flughafens herum und bin völlig niedergeschlagen. Doug Hamilton war dann eigentlich noch ganz süß. Er sagte, der Fleck würde bestimmt rausgehen, und er hat versprochen, dass er es Paul nicht erzählt. Aber seine Meinung über den Deal hat er trotzdem nicht mehr geändert.

Mein erstes wichtiges Meeting. Meine erste große Chance – und dann so was. Am liebsten würde ich gleich alles hinschmeißen. Am liebsten würde ich im Büro anrufen und sagen: »Das war's, ich komme nicht mehr, und übrigens war ich das damals mit dem Papierstau im Kopierer.«

Geht aber nicht. Das ist meine dritte Stelle in vier Jahren. Diesmal muss es funktionieren. Schon für mein Selbstwertgefühl. Für mein Selbstbewusstsein. Und außerdem, weil ich meinem Dad viertausend Pfund schulde.

»Was darf's denn sein?«, fragt ein Australier, und ich schaue benommen zu ihm auf. Ich war eine Stunde zu früh am Flughafen und habe schnurstracks die Bar angesteuert.

»Ähm …«, mein Kopf ist ganz leer. »Äh … ein Weißwein. Oder halt, einen Wodka-Tonic, bitte.«

Als er geht, sacke ich wieder auf dem Barhocker zusammen. Zwei Plätze weiter setzt sich eine Stewardess mit Mozartzopf. Sie lächelt mich an, und ich lächle schwach zurück.

Ich habe keine Ahnung, wie andere Leute ihr Berufsleben auf die Reihe kriegen, echt nicht. Zum Beispiel meine alte Freundin Lissy. Sie wollte schon immer Rechtsanwältin werden – und jetzt, ta-daah! ist sie Fachanwältin für Betrugsangelegenheiten. Ich hatte nach der Schule keine Ahnung, was ich werden wollte. Zuerst habe ich bei einem Immobilienmakler gearbeitet. Aber nur, weil ich schon immer gerne Häuser angeguckt habe, und außerdem hatte ich auf einer Jobbörse eine Frau mit rot lackierten Fingernägeln kennen gelernt, die mir erzählte, dass sie so viel Geld verdient, dass sie sich mit vierzig zur Ruhe setzen könnte.

Aber dann fand ich es vom ersten Moment an schrecklich. Es war furchtbar, solche Floskeln zu benutzen wie »in reizvoller Lage«. Und es war furchtbar, dass wir, wenn jemand nach eigenen Angaben 300.000 Pfund zahlen konnte, ihm Häuser ab 400.000 Pfund vorstellen und ihn schräg angucken sollten, wie um zu sagen: »Sie haben nur 300.000? Ach Gott, wie armselig.«

Also habe ich nach sechs Monaten verkündet, dass ich lieber Fotografin werden wollte. Das war *so* ein toller Moment, wie im Film oder so. Mein Dad lieh mir das Geld für den Kurs und die Kamera, und ich schlug diesen großartigen neuen, kreativen Weg ein, der der Beginn eines neuen Lebens werden sollte …

Nur hat das nicht ganz geklappt.

Ich meine, haben Sie eine Ahnung, was man als Foto-Assistentin so verdient?

Nichts. Echt nichts.

Was mir sogar egal gewesen wäre, wenn man mir nur eine Stelle als Foto-Assistentin *angeboten* hätte.

Ich seufze tief und starre mein trauriges Spiegelbild hinter der Bar an. Zu allem Überfluss ist mein Haar, das ich heute Morgen so sorgsam glatt gegelt habe, ganz kraus. Typisch.

Wenigstens war ich nicht die Einzige, aus der nichts geworden ist. Von den acht Leuten aus meinem Kurs hatte eine sofort Erfolg und macht jetzt Fotos für *Vogue* und so, einer knipst auf Hochzeiten, eine hatte ein Verhältnis mit dem Kursleiter, eine ist auf Reisen gegangen, eine hat ein Baby bekommen, einer arbeitet bei Snappy Snaps und einer bei Morgan Stanley.

Ich habe mich im Laufe der Zeit immer mehr verschuldet, habe Zeitarbeit gemacht und mich auf Stellen beworben, die einfach nur bezahlt wurden. Und vor elf Monaten habe ich schließlich als Marketing-Assistentin bei der Panther Corporation angefangen.

Der Barkeeper stellt mir den Wodka-Tonic hin und sieht mich fragend an. »Kopf hoch«, sagt er, »so schlimm kann es doch gar nicht sein.«

»Danke«, sage ich aufatmend und trinke einen Schluck. Fühlt sich schon besser an. Beim zweiten Schluck klingelt mein Handy.

Mein Magen macht einen nervösen Hüpfer. Wenn es das Büro ist, tue ich einfach so, als hätte ich es nicht gehört.

Ist es aber nicht, das Display zeigt unsere eigene Nummer.

»Hi«, sage ich, als ich auf den grünen Knopf drücke.

»Hallo!«, ruft Lissys Stimme. »Ich bin's nur. Und, wie war's?«

Lissy ist meine Mitbewohnerin und meine älteste Freundin. Sie hat wuscheliges dunkles Haar und einen IQ von ungefähr 600 und ist der süßeste Mensch, den ich kenne.

»Es war die Hölle«, jammere ich.

»Was ist denn passiert? Ist der Deal geplatzt?«

»Der Deal ist nicht nur geplatzt, sondern ich habe außerdem noch den Marketingchef von Glen Oil in Johannisbeerlimo ertränkt.«

Die Stewardess an der Bar unterdrückt ein Lächeln, und ich merke, wie ich rot werde. Na toll. Dann weiß es ja jetzt die ganze Welt.

»Du Arme.« Ich kann förmlich *spüren*, wie Lissy nach einem positiven Aspekt daran sucht. »Na, dann hast du ja wenigstens Aufsehen erregt«, sagt sie schließlich. »Jedenfalls werden sie dich nicht so schnell vergessen.«

»Wohl kaum«, sagte ich mürrisch. »Und, irgendwelche Nachrichten für mich?«

»Oh! Ähm … nein. Na ja, dein Vater hat angerufen, aber … also … es war nicht …«, windet sie sich.

»Lissy. Was wollte er?«

»Anscheinend hat deine Cousine irgend so einen Wirtschaftspreis gewonnen«, sagt sie entschuldigend. »Das wollen sie am Samstag feiern, zusammen mit dem Geburtstag deiner Mutter.«

»Oh. Toll.«

Ich sacke noch tiefer zusammen. Das hat mir gerade noch gefehlt. Meine Cousine Kerry, die mit einem silbernen Bestes-Reisebüro-der-Welt-oder-besser-des-Universums-Pokal triumphiert.

»Und Connor hat auch angerufen, er wollte wissen, wie es war«, fügt Lissy schnell hinzu. »Er war echt süß, er wollte dich nicht während des Meetings auf dem Handy anrufen, um dich nicht zu stören.«

»Ehrlich?«

Zum ersten Mal heute hebt sich meine Laune.

Connor. Mein Freund. Mein wunderbarer, rücksichtsvoller Freund.

»Er ist wirklich ein Schatz!«, sagt Lissy. »Er sagt, er steckt noch den ganzen Nachmittag in einem wichtigen Meeting, aber er hat sein Squash-Spiel heute Abend extra abgesagt und fragt, ob du mit ihm ausgehen willst.«

»Oh«, sage ich freudig erregt. »Oh, ja, das wäre schön. Danke, Lissy.«

Ich lege auf, trinke noch einen Schluck Wodka und fühle mich schon deutlich besser.

Mein Freund.

Es ist, wie Julie Andrews singt: *When the dog bites, when the bee stings* … dann muss ich nur dran denken, dass ich einen Freund habe – und schon ist alles nicht mehr ganz so beschissen.

Oder so ähnlich jedenfalls.

Und nicht einfach irgendeinen Freund. Einen großen, gut aussehenden, intelligenten Freund, über den die *Marketing Week* schrieb: »Einer der klügsten Köpfe in der heutigen Marktforschung.«

Ich sitze hier mit meinem Wodka und lasse mich von den Gedanken an Connor trösten. Wie sein blondes Haar im

Sonnenlicht glänzt und wie er immer lächelt. Und wie er neulich die ganze Software auf meinem Computer aktualisiert hat, ohne dass ich ihn darum gebeten hatte, und wie er ... er ...

Mir fällt nichts mehr ein. Das ist ja lachhaft. Ich meine, an Connor ist so vieles wunderbar, angefangen mit seinen ... seinen langen Beinen. Genau. Und seinen breiten Schultern. Und wie er sich um mich gekümmert hat, als ich die Grippe hatte. Welcher Mann tut, das schon? Eben.

Ich bin so glücklich, wirklich.

Ich lege das Telefon beiseite, streiche mir durchs Haar und gucke auf die Uhr hinter der Bar. Noch vierzig Minuten bis zum Abflug. Nicht mehr lange. Meine Nerven fangen an zu prickeln, als würden lauter kleine Insekten über mich krabbeln, und ich leere mein Glas mit einem großen Schluck.

Wird schon gehen, sage ich mir zum tausendsten Mal. Wird schon gut gehen.

Ich habe doch keine Angst. Ich habe nur ... ich habe nur ...

Okay. Ich habe Angst.

16. Ich habe Flugangst.

Ich habe noch nie jemandem erzählt, dass ich Flugangst habe. Das klingt einfach zu blöd. Und ich habe ja schließlich keine Phobie oder so was. Es ist nicht so, dass ich nicht in Flugzeuge *einsteigen* könnte. Es ist nur ... wenn ich die Wahl hätte, würde ich lieber am Boden bleiben.

Früher hatte ich keine Angst. Aber in den letzten Jahren bin ich immer nervöser geworden. Ich weiß, dass das total unlogisch ist. Ich weiß, dass täglich Tausende von Leuten fliegen und dass es fast sicherer ist, als im Bett zu liegen. Mit dem Flugzeug abzustürzen ist weniger wahrscheinlich, als ... als in London einen Mann zu finden oder so.

Trotzdem. Ich mag es einfach nicht.
Vielleicht trinke ich einfach schnell noch einen Wodka.

Als mein Flug aufgerufen wird, habe ich noch zwei Wodkas getrunken und bin schon viel besser drauf. Lissy hat schließlich Recht. Immerhin habe ich Eindruck gemacht, oder? Sie werden sich auf jeden Fall an mich erinnern. Auf dem Weg zum Gate klammere ich mich an meiner Aktentasche fest und fühle mich fast schon wieder wie eine souveräne Businessfrau. Ein paar Leute lächeln mich an, als sie an mir vorübergehen, und ich lächle voller Herzlichkeit und Freundlichkeit zurück. Na also. Die Welt ist doch gar nicht so schlecht. Man muss nur positiv denken. Schließlich kann ja im Leben alles Mögliche passieren. Man weiß nie, was einen hinter der nächsten Ecke erwartet.

Am Eingang zum Flugzeug steht die Stewardess mit dem Mozartzopf, die vorhin an der Bar saß, und kontrolliert die Boarding Passes.

»Ach, hallo«, sage ich und lächle, »was für ein Zufall!«

Die Stewardess starrt mich an. »Hi. Ähm …«

»Ja?«

Warum guckt sie so betreten?

»Verzeihung. Es ist nur … wissen Sie, dass …« Sie deutet hilflos auf meine Seidenbluse.

»Was denn?«, frage ich freundlich, schaue an mir herunter und erstarre vor Schreck.

Irgendwie sind mir unterwegs Knöpfe aufgegangen. Drei Knöpfe stehen offen, und die Bluse klafft vorne auseinander.

Mein BH guckt heraus. Mein rosa Spitzen-BH. Der, der in der Wäsche ein bisschen scheckig geworden ist.

Deswegen haben die Leute mich angegrinst. Nicht weil die Welt so schön ist, sondern weil ich die Rosa-Flecken-BH-Frau bin.

»Danke«, murmle ich und knöpfe mir mit zitternden Fingern und vor Scham brennendem Gesicht die Bluse zu.

»Es war nicht Ihr Tag heute, oder?«, fragt die Stewardess mitfühlend und nimmt mir den Boarding Pass ab. »Tut mir Leid, ich habe das vorhin zufällig mitgehört.«

»Ist schon okay.« Ich versuche ein Lächeln zustande zu bringen. »Nein, es war nicht gerade der beste Tag in meinem Leben.« Sie schweigt kurz, als sie meinen Boarding Pass überprüft.

»Wissen Sie was?«, sagt sie dann leise. »Soll ich Sie nicht eine Klasse hochstufen?«

»Bitte?« Ich bin ganz perplex.

»Das täte Ihnen doch heute sicher gut.«

»Echt? Aber … können Sie mich denn so einfach umsetzen?«

»Wenn Plätze frei sind, schon. Wir machen das ganz diskret. Und es ist ja nur ein kurzer Flug.« Sie lächelt mich verschwörerisch an. »Aber erzählen Sie es nicht weiter, ja?«

Sie führt mich in den vorderen Teil des Flugzeugs und zeigt auf einen großen, breiten, bequemen Sitz. Ich bin noch nie hochgestuft worden! Ich kann es noch gar nicht glauben, dass sie das wirklich für mich tut.

»Ist das die erste Klasse?«, flüstere ich und lasse die gedämpfte, luxuriöse Atmosphäre auf mich wirken. Rechts klappert ein Mann im eleganten Anzug auf einem Laptop, und in der Ecke stöpseln zwei ältere Damen Kopfhörer ein.

»Business Class. Auf diesem Flug gibt es keine erste Klasse.« Sie spricht in normaler Lautstärke weiter. »Ist alles zu Ihrer Zufriedenheit?«

»Es ist perfekt. Vielen Dank.«

»Gern geschehen.« Sie lächelt mich an und geht weg, und ich schiebe meine Aktentasche unter den Vordersitz.

Wow. Das ist wirklich herrlich. Große, breite Sitze und

Fußstützen und all so was. Das wird von Anfang bis Ende eine höchst angenehme Erfahrung, sage ich mir fest. Ich greife nach dem Gurt, schnalle mich lässig an und versuche, das besorgte Flattern meines Magens zu ignorieren.

»Möchten Sie ein Glas Champagner?«

Meine Freundin, die Stewardess, strahlt mich an.

»Das wäre wunderbar«, sage ich. »Danke!«

Champagner!

»Und Sie, Sir? Champagner?«

Der Mann neben mir hat bisher nicht einmal aufgesehen. Er trägt Jeans und ein altes Sweatshirt und guckt aus dem Fenster. Als er sich umdreht, um zu antworten, sehe ich kurz dunkle Augen, Bartstoppeln und tiefe Sorgenfalten auf seiner Stirn.

»Nein, danke. Nur einen Brandy. Danke.«

Seine Stimme ist trocken, und er hat einen amerikanischen Akzent. Fast hätte ich ihn höflich gefragt, wo er herkommt, aber er wendet sich sofort wieder ab und starrt weiter aus dem Fenster.

Was völlig in Ordnung ist, denn ehrlich gesagt ist mir auch nicht gerade nach Konversation zumute.

2

Okay. In Wirklichkeit gefällt mir das hier alles nicht.

Ich weiß, das ist die Business Class, ich weiß, es ist der reinste Luxus. Aber mein Magen ist immer noch ein einziger Angstklumpen.

Beim Abheben habe ich mit geschlossenen Augen ganz langsam gezählt, was auch irgendwie funktioniert hat, aber ungefähr bei dreihundertfünfzig konnte ich nicht mehr. Also sitze ich jetzt einfach hier, nippe Champagner und lese einen Artikel über »30 Dinge, die man tun muss, bevor man 30 wird«

in der *Cosmopolitan*. Ich gebe mir mächtig Mühe, wie eine entspannte Business-Class-Top-Marketing-Managerin auszusehen. Aber du lieber Gott. Jedes kleinste Geräusch erschreckt mich; bei jedem Rattern schnappe ich nach Luft.

Betont unbeteiligt nehme ich mir die laminierten Sicherheitshinweise und lasse meinen Blick darüberwandern. Notausgänge. Sitzposition bei Notlandung. Wenn Schwimmwesten benötigt werden, helfen Sie bitte zunächst älteren Menschen und Kindern. O Gott.

Warum sehe ich mir das überhaupt *an*? Was habe ich davon, mir kleine Strichmännchen anzugucken, die ins Meer springen, während hinter ihnen das Flugzeug explodiert? Schnell stopfe ich die Sicherheitshinweise wieder in die Tasche und trinke noch einen Schluck Champagner.

»Entschuldigen Sie bitte.« Eine Stewardess mit roten Locken ist neben mir aufgetaucht. »Reisen Sie geschäftlich?«

»Ja«, sage ich und streiche mir mit einem stolzen Prickeln das Haar glatt. »Ja, das tue ich.«

Sie reicht mir eine Broschüre mit dem Titel »Executive Facilities«, mit einem Foto von Geschäftsleuten darauf, die sich vor einem Kurvendiagramm auf einem Flipchart angeregt unterhalten.

»Ich habe hier einige Informationen über unsere neue Business Class Lounge in Gatwick. Sie können dort im Bedarfsfall modernste Telefonkonferenztechnik sowie unsere Tagungsräume nutzen. Wäre das für Sie von Interesse?«

Okay. Ich bin eine Top-Businessfrau. Ich bin eine ehrgeizige Top-Business-Managerin.

»Ja, möglicherweise«, sage ich und schaue mir herablassend die Broschüre an. »Ja, so einen Raum könnte ich brauchen, um … mein Team zu briefen. Mein Team ist ziemlich groß und muss natürlich häufig gebrieft werden. Geschäftlich.« Ich räuspere mich. »Es geht da hauptsächlich um … Logistik.«

»Möchten Sie gleich etwas buchen?«, bietet die Stewardess hilfsbereit an.

»Ähm, nein danke«, sage ich nach einer Pause. »Mein Team ist im Moment … zu Hause. Ich habe ihnen heute frei gegeben.«

»Ach so.« Die Stewardess wirkt erstaunt.

»Ein anderes Mal vielleicht«, sage ich schnell. »Aber wo Sie gerade da sind – ich meine ja nur. Ist das Geräusch normal?«

»Welches Geräusch?« Die Stewardess lauscht.

»Dieses Geräusch. Dieses Jaulen, da am Flügel?«

»Ich höre nichts.« Sie sieht mich mitfühlend an. »Haben Sie Flugangst?«

»Nein!«, platze ich heraus und lache ein bisschen. »Nein, ich habe keine *Angst*. Ich habe … mich nur gefragt. Einfach so aus Interesse.«

»Ich frage mal für Sie nach«, sagt sie freundlich. »Bitte sehr, Sir. Informationen über unsere Executive Facilities in Gatwick.«

Der Amerikaner nimmt seine Broschüre wortlos in Empfang und legt sie beiseite, ohne auch nur einen Blick darauf zu werfen. Die Stewardess geht weiter und stolpert ein bisschen, als das Flugzeug ruckelt.

Warum ruckelt das Flugzeug so?

O Gott. Völlig unvorbereitet überkommt mich plötzlich die Angst. Das ist doch Wahnsinn. Wahnsinn! In diesem großen, schweren Ding zu sitzen, ohne jede Fluchtmöglichkeit, Tausende und Abertausende von Metern über der Erde …

Das kann ich nicht alleine. Ich habe das überwältigende Bedürfnis, mit jemandem zu sprechen. Jemand Beruhigendem. Jemand Sicherem.

Connor.

Instinktiv angle ich nach meinem Handy, aber sofort stürzt die Stewardess auf mich zu.

»Tut mir Leid, aber das dürfen Sie an Bord nicht benutzen«, sagt sie mit breitem Lächeln. »Wenn Sie es bitte ausschalten würden?«

»Oh. Äh … Entschuldigung.«

Natürlich kann ich das Handy nicht benutzen. Das haben sie ja nur ungefähr fünfundfünfzig Milliarden Mal gesagt. Ich bin echt eine Dumpfbacke. Na ja, auch egal. Macht ja nichts. Mir geht's gut. Ich stecke das Handy in die Tasche und versuche, mich auf eine alte Folge von *Fawlty Towers* zu konzentrieren, die auf den Monitoren gezeigt wird.

Vielleicht sollte ich einfach wieder zählen. Dreihundertneunundvierzig. Dreihundertfünfzig. Dreihundert …

Scheiße. Mein Kopf ruckt hoch. Was war das für ein Stoß? Sind wir *getroffen* worden?

Okay, keine Panik. Es war nur ein Ruckeln. Es ist bestimmt alles in Ordnung. Wahrscheinlich sind wir nur gegen eine Taube geflogen oder so. Wo war ich?

Dreihunderteinundfünfzig.   Dreihundertzweiundfünfzig. Dreihundertdrei …

Und das war's.

Es ist so weit.

Alles scheint zu bersten.

Fast noch bevor ich merke, was geschieht, höre ich die Schreie über meinem Kopf zusammenschlagen.

O Gott. O Gott o Gott o Gott o … O … NEIN. NEIN. NEIN.

Wir stürzen ab. O Gott, wir stürzen ab.

Wir fallen in die Tiefe. Das Flugzeug plumpst durch die Luft wie ein Stein. Da drüben ist ein Mann von seinem Sitz hochgeflogen und hat sich den Kopf an der Decke gestoßen. Er blutet. Ich schnappe nach Luft, kralle mich am Sitz fest, damit mir das nicht auch passiert, aber ich spüre, wie ich hochgerissen werde, als wenn jemand an mir zieht oder die Schwerkraft plötzlich in die andere Richtung wirkt. Ich habe keine Zeit zum Nachdenken. Mein Gehirn kann gar nicht … Taschen fliegen herum, Getränke spritzen durch die Gegend, eine Stewardess ist hingefallen und klammert sich an einem Sitz fest …

O Gott. O Gott. Okay, es beruhigt sich. Es … es geht wieder.

Scheiße. Ich kann … ich kann nicht … ich …

Ich sehe den Amerikaner an, er klammert sich ebenso fest wie ich.

Mir ist schlecht. Ich glaube, ich muss mich übergeben. O Gott.

Okay. Es ist … es ist irgendwie … alles wieder normal.

»Sehr geehrte Fluggäste«, dringt eine Stimme aus dem Lautsprecher, und alle heben den Kopf, »hier spricht der Kapitän.«

Mir hämmert das Herz in der Brust. Ich kann nicht zuhören. Ich kann nicht denken.

»Wir erleben soeben Clear-Air-Turbulenzen, möglicherweise bleibt es weiterhin etwas unruhig. Wir haben die ›Anschnallen‹-Schilder wieder angeschaltet und bitten Sie, sich schnellstmöglich zu Ihren Sitzen zu …«

Es ruckelt wieder ganz schrecklich, und seine Stimme geht im allgemeinen Schreien und Stöhnen unter.

Das ist wie ein Alptraum. Ein Achterbahn-Alptraum.

Die Stewardessen schnallen sich ebenfalls auf ihren Sitzen an. Eine wischt sich Blut vom Gesicht. Noch vor einer Minute haben sie fröhlich Erdnüsse verteilt.

So etwas passiert doch nur anderen Leuten in anderen Flugzeugen. Den Leuten auf den Sicherheitsvideos. Aber mir doch nicht.

»Bitte bewahren Sie Ruhe«, lässt sich der Kapitän vernehmen. »Sobald wir über weitere Informationen verfügen …«

Ruhe bewahren? Ich kann nicht mal atmen, geschweige denn Ruhe bewahren. Was sollen wir tun? Etwa einfach *still-sitzen*, wenn das Flugzeug buckelt wie ein widerspenstiges Pferd?

Hinter mir höre ich jemanden »Gegrüßet seist du, Maria, voll der Gnade …«, aufsagen, und eine neue Welle von Panik schnürt mir die Kehle zu. Die Leute beten. Das hier ist ernst.

Wir sterben.

Wir sterben.

»Wie bitte?« Der Amerikaner im Sitz neben mir sieht mich mit verkrampftem, weißem Gesicht an.

Habe ich das gerade laut gesagt?

»Wir sterben.« Ich starre ihn an. Dies könnte der letzte Mensch sein, den ich lebend sehe. Ich bemerke die Fältchen um seine dunklen Augen, den kräftigen Kiefer und die Bartstoppeln darauf.

Plötzlich sackt das Flugzeug schon wieder ab, und ich schreie unwillkürlich auf.

»Ich glaube nicht, dass wir sterben«, sagt er. Aber er klammert sich auch an den Armlehnen fest. »Sie haben doch gesagt, dass es nur Turbulenzen sind …«

»Natürlich sagen die das!« Meine Stimme klingt hysterisch. »Sie werden ja nicht gerade sagen: ›Okay, Leute, das war's, ihr habt die längste Zeit gelebt.‹« Das Flugzeug sackt schon wieder ab, und ich greife in Panik nach der Hand des Mannes. »Das schaffen wir nicht. Ich weiß es. Das war's. Ich bin erst fünfundzwanzig, verdammter Mist. Ich bin noch nicht bereit. Ich habe überhaupt noch nichts erreicht. Ich habe keine Kinder, ich habe noch niemandem das Leben gerettet …« Mein Blick fällt auf den Artikel »30 Dinge, die man tun muss, bevor man 30 wird«. »Ich habe noch keinen Berg bestiegen, ich bin nicht tätowiert, ich *weiß* nicht mal, ob ich einen G-Punkt habe …«

28

»Wie bitte?«, sagt der Mann, etwas erstaunt, aber ich höre ihn kaum.

»Meine Karriere ist ein Witz. Ich bin überhaupt keine tolle Businessfrau.« Mit Tränen in den Augen zeige ich auf mein Kostüm. »Ich habe überhaupt kein Team! Ich bin bloß eine blöde Assistentin, und ich hatte gerade mein allererstes wichtiges Meeting, und es war die totale Katastrophe. Die meiste Zeit habe ich überhaupt keine Ahnung, wovon die Leute reden, ich weiß nicht, was logistisch heißt, ich werde bestimmt nie befördert, und ich schulde meinem Dad viertausend Pfund, und ich war noch nie so richtig verliebt …«

Schlagartig reiße ich mich zusammen. »Tut mir Leid«, sage ich und atme scharf aus. »Das interessiert Sie natürlich überhaupt nicht.«

»Ist schon in Ordnung«, sagt der Mann.

Herrgott. Ich habe mich überhaupt nicht mehr unter Kontrolle.

Und überhaupt, was ich da gerade gesagt habe, stimmt ja gar nicht. Weil ich in Connor verliebt bin. Muss wohl die Höhe sein oder so, die mich ganz wirr macht.

Völlig durcheinander streiche ich mir das Haar aus dem Gesicht und versuche, mich wieder in den Griff zu bekommen. Okay, dann versuche ich es einfach noch einmal mit Zählen. Dreihundert … sechsundfünfzig. Dreihundert …

O Gott. O Gott. Nein. Bitte. Das Flugzeug schlingert schon wieder. Wir stürzen ab.

»Ich habe noch nie etwas getan, das meine Eltern stolz auf mich gemacht hätte.« Die Worte purzeln einfach aus meinem Mund, ich kann sie nicht aufhalten. »Nichts.«

»Das kann doch gar nicht sein«, sagt der Mann freundlich.

»Ist aber so. Vielleicht waren sie früher mal stolz auf mich. Aber dann ist meine Cousine Kerry zu uns gezogen und plötzlich hatten meine Eltern gar keine Augen mehr für mich. Sie haben nur noch sie gesehen. Sie war vierzehn, als sie zu uns kam, und ich war zehn und habe mich richtig auf sie gefreut. Als wenn ich plötzlich eine große Schwester hätte. Aber dann war alles ganz anders …«

Ich kann nicht aufhören zu reden. Ich kann einfach nicht mehr aufhören.

Jedes Mal, wenn das Flugzeug einen Hüpfer macht oder schlingert, platzt wieder ein Redeschwall aus mir heraus wie ein Wasserfall.

Ich kann nur reden oder schreien.

»… sie war Schwimm-Meisterin und Alles-Meisterin, und ich war nur … nichts, im Vergleich …«

»… Fotokurs, und ich habe wirklich gedacht, das würde mein ganzes Leben umkrempeln …«

»… 53 Kilo, aber ich wollte sowieso abnehmen …«

»Ich habe mich auf jede einzelne Stelle auf der ganzen Welt beworben. Ich war so verzweifelt, dass ich mich sogar bei …«

»… schreckliche Kollegin Artemis. Neulich wurde ein neuer Schreibtisch geliefert, und sie hat ihn sich sofort unter den Nagel gerissen, obwohl ich so einen schäbigen kleinen Tisch …«

»… manchmal gieße ich ihre blöde Grünlilie mit Orangensaft, das hat sie dann davon …«

»… eine ganz Süße, Katie, aus der Personalabteilung. Wir haben eine Art Geheimcode, wenn sie reinkommt und fragt, ob sie ein paar Zahlen mit mir durchgehen kann, bedeutet das, ob ich kurz mit ihr zu Starbucks gehe …«

»… grauenhafte Geschenke, und dann muss ich so tun, als ob sie mir gefallen …«

»… Kaffee auf der Arbeit ist das Ekelhafteste, was ich je getrunken habe, das reinste Gift …«

»… habe ›Abschlussnote Mathematik: 1‹ auf meinen Lebenslauf geschrieben, dabei hatte ich eine Drei. Klar war das unaufrichtig. Ich weiß, dass ich das nicht hätte tun dürfen, aber ich *wollte* die Stelle unbedingt ...«

Was ist denn mit mir los? Normalerweise gibt es da doch eine Art Filter, der mich davon abhält, alles auszuposaunen, was mir gerade durchs Hirn schießt; der mich in Schach hält.

Aber der Filter ist außer Funktion. In einem unaufhaltsamen Strom fließt alles aus mir heraus, und ich kann nichts dagegen tun.

»Manchmal denke ich, ich glaube an Gott, denn wieso wären wir sonst alle hier? Aber dann denke ich, was ist mit Krieg und so ...«

»... Stringtangas trage, weil sich da der Slip nicht abzeichnet, aber die Dinger sind *dermaßen* unbequem ...«

»... Größe sechsunddreißig, und ich wusste nicht, wie ich reagieren soll, und da hab ich einfach gesagt, ›wow, ist der schön ...‹«

»... gebratene Paprika, mein absolutes Lieblingsessen ...«

»... in einen Lesekreis gegangen, aber ich bin durch Dickens' *Große Erwartungen* einfach nicht durchgekommen. Also habe ich nur den Klappentext überflogen und so getan, als hätte ich es gelesen ...«

»... ihm das ganze Goldfischfutter gegeben, ich weiß wirklich nicht, was da passiert ist ...«

»... muss ›Close to you‹ von den Carpenters nur *hören*, dann fange ich schon an zu heulen ...«

»... wünsche ich mir *wirklich* größere Brüste. Also nicht so riesige, blöde, aber einfach ein bisschen größer. Nur, um zu wissen, wie das ist ...«

»... perfektes Date würde mit Champagner anfangen, der wie von Zauberhand einfach auf dem Tisch *auftaucht* ...«

»… einfach versagt, ich hatte heimlich eine Riesenpackung Häagen-Dazs gekauft, und habe alles ganz alleine verputzt und es Lissy nicht erzählt …«

Ich nehme meine Umgebung überhaupt nicht mehr wahr. Die Welt besteht nur noch aus mir und diesem Fremden und meinem Mund, der all meine intimsten Gedanken und Geheimnisse ausplaudert.

Ich merke kaum noch, was ich da rede. Ich merke nur, dass es sich gut anfühlt.

So muss es beim Psychiater sein.

»… hieß Danny Nussbaum. Mum und Dad haben unten *Ben Hur* geguckt, und ich weiß noch genau, dass ich gedacht habe, wenn es das ist, worüber sich alle Welt so aufregt, dann ist die Welt wohl verrückt …«

»… auf der Seite liegen, weil dann das Dekolleté größer wirkt …«

»… arbeitet in der Marktforschung. Ich weiß noch, als ich ihn das erste Mal sah, dachte ich gleich, wow, sieht der gut aus. Er ist sehr groß und blond, weil er Halbschwede ist, und hat wunderschöne blaue Augen. Er hat also gefragt, ob ich mit ihm ausgehe …«

»… trinke vor einem Date immer ein Glas süßen Sherry, das beruhigt die Nerven …«

»Er ist toll. Connor ist wirklich toll. Ich habe wirklich ein Riesenglück. Alle sagen, wie wunderbar er ist. Er ist süß, und er ist lieb und erfolgreich, und alle sagen, wir sind ein Traumpaar …«

»… würde ich in tausend Jahren keinem erzählen. Aber manchmal finde ich, er sieht fast *zu* gut aus. Wie diese Puppen! Wie Ken. Wie ein blonder Ken.«

Und wo ich gerade bei Connor bin, erzähle ich plötzlich Dinge, die ich noch niemandem gesagt habe. Dinge, von denen ich nicht mal wusste, dass sie in meinem Kopf sind.

»… ihm zu Weihnachten so eine schöne Uhr mit Lederarmband geschenkt, aber er trägt immer diese orange Digitaluhr, weil die auch die Temperatur in Polen anzeigt oder so einen Quatsch …«

»… mich zu lauter Jazz-Konzerten geschleppt, und ich habe aus Höflichkeit so getan, als ob mir das gefällt, und jetzt denkt er, ich mag Jazz …«

»… jeden einzelnen Woody-Allen-Film auswendig und spricht jede Zeile mit, kurz bevor sie dran ist, das macht mich ganz verrückt …«

»… guckt mich dann nur an, als ob ich Chinesisch rede …«

»… unbedingt meinen G-Punkt finden, also haben wir es das ganze Wochenende über in allen möglichen Stellungen probiert, und am Ende war ich total fertig und wollte nur noch eine Pizza essen und *Friends* gucken …«

»… immer wieder gefragt, wie war's, wie war's? Also habe ich mir am Ende einfach was ausgedacht, habe gesagt, dass es einfach sensationell war und dass es sich angefühlt hat, als ob mein ganzer Körper sich öffnet wie eine Blume, und er fragte, was für eine Blume, und da habe ich gesagt, eine Begonie …«

»… kann ja nicht erwarten, dass es so leidenschaftlich bleibt. Aber woher soll man denn wissen, ob es gut ist, wenn man zusammen bleibt. Oder ob man sich lieber trennen sollte, weil man einfach nicht mehr auf den anderen steht?«

»… Ritter in schimmernder Rüstung ist ja nun nicht realistisch. Aber ein Teil von mir wünscht sich eine große, sensationelle Liebesgeschichte. Ich will Leidenschaft. Es soll mich richtig vom Hocker hauen. Ich will ein Erdbeben oder ein … ich weiß nicht, einen Wirbelsturm … was *Aufregendes*.

Manchmal habe ich das Gefühl, dass irgendwo da draußen ein spannendes, neues Leben auf mich wartet, ich müsste nur …«

»Entschuldigen Sie bitte.«

»Was?« Ich blicke verwirrt hoch. »Was ist denn?« Die Stewardess mit dem Mozartzopf lächelt auf mich herab.

»Wir sind gelandet.« Ich starre sie an.

»Wir sind *gelandet*?«

Das kann ja nun nicht sein. Wie sollen wir denn gelandet sein? Ich schaue mich um, und tatsächlich, das Flugzeug steht still. Wir sind auf dem Boden.

Ich fühle mich wie Dorothy. Vor einer Sekunde bin ich noch durch Oz gewirbelt, aber jetzt habe ich die Hacken zusammengeschlagen, und alles ist wieder eben und ruhig und normal.

»Es ruckelt ja gar nicht mehr«, sage ich blöd.

»Es ruckelt schon eine ganze Weile nicht mehr«, sagt der Amerikaner.

»Wir … wir sterben doch nicht.«

»Nein, wir sterben nicht«, stimmt er mir zu.

Ich sehe ihn an, als sähe ich ihn zum ersten Mal – und mich trifft der Schlag. Ich habe eine Stunde lang ohne Pause auf einen völlig Fremden eingequasselt. Weiß der Geier, was ich ihm alles erzählt habe.

Ich glaube, ich sollte jetzt ganz schnell aus diesem Flugzeug aussteigen.

»Es tut mir Leid«, presse ich heraus, »Sie hätten mich bremsen sollen.«

»Das wäre schwierig gewesen.« Er lächelt ein bisschen. »Sie waren ja wie im Rausch.«

»Wie peinlich!« Ich versuche zu lächeln, aber ich kann ihm nicht einmal in die Augen schauen. Immerhin habe ich ihm alles über meine Unterwäsche erzählt. Ich habe ihm von meinem *G-Punkt* erzählt.

»Machen Sie sich keine Gedanken. Wir haben doch alle Stress. Das war aber auch ein Flug!«

Er greift nach seinem Rucksack und steht auf – dann schaut er mich wieder an. »Wissen Sie, wie Sie nach Hause kommen?«

»Ja, ist alles geregelt. Danke. Schönen Aufenthalt noch!«, rufe ich ihm hinterher, aber ich glaube, das hört er schon gar nicht mehr.

Gemächlich suche ich meine Sachen zusammen und begebe mich aus dem Flugzeug. Ich bin verschwitzt, mein Haar ist wirr, und mir dröhnt der Kopf.

Der Flughafen ist so hell und ruhig und friedlich nach der angespannten Atmosphäre im Flugzeug. Der Boden kommt mir so unerschütterlich vor. Ich setze mich für eine Weile still auf einen Plastikstuhl und versuche, mich zu sammeln, aber als ich schließlich wieder aufstehe, bin ich immer noch benommen. Alles verschwimmt ein bisschen, ich kann kaum glauben, dass ich hier bin. Ich lebe. Ich habe wirklich nicht daran geglaubt, dass ich heil wieder auf dem Boden landen würde.

»Emma!«, höre ich jemanden rufen, als ich durch die »Ankunft«-Tür komme, aber ich sehe nicht einmal auf. Es gibt so viele Emmas auf der Welt.

»Emma! Hier bin ich!«

Ungläubig hebe ich den Kopf. Ist das …

Nein. Das kann doch nicht sein, das kann nicht …

Es ist Connor.

Er sieht herzergreifend gut aus. Seine Haut hat diesen skandinavischen Braunton, seine Augen sind blauer denn je, und er kommt auf mich zu. Ich verstehe das nicht. Was macht er hier? Als wir einander erreichen, zieht er mich ganz fest an sich.

»Gott sei Dank«, sagt er heiser. »Gott sei Dank. Ist alles in Ordnung?«

»Connor, was – was machst du denn hier?«

»Ich habe am Flughafen angerufen, um zu fragen, wann ihr landet, und sie haben mir gesagt, dass ihr schreckliche Turbulenzen hattet. Da musste ich einfach herkommen.« Er sieht mich an. »Emma, ich habe das Flugzeug landen sehen. Sie haben sofort einen Rettungswagen hingeschickt. Und dann bist du nicht aufgetaucht. Ich dachte …« Er schluckt. »Ich weiß nicht genau, was ich dachte.«

»Mir geht's gut. Ich musste mich … nur erst mal sammeln. O Gott, Connor, es war furchtbar.« Plötzlich zittert meine Stimme, was lächerlich ist, denn jetzt bin ich ja in Sicherheit. »Zwischendurch habe ich wirklich geglaubt, ich müsste sterben.«

»Als du nicht durch die Tür gekommen bist …« Connor unterbricht sich und starrt mich ein paar Sekunden lang an. »Ich glaube, ich habe jetzt erst begriffen, was du mir bedeutest.«

»Ehrlich?«, stammle ich.

Ich bekomme Herzklopfen. Ich glaube, ich kippe jeden Moment um.

»Emma, ich finde, wir sollten …«

Heiraten? Mein Herz hat vor Angst einen Aussetzer. Ach du lieber Gott. Er fragt mich mitten auf dem Flughafen, ob ich ihn heiraten will. Was soll ich antworten? Ich will noch nicht heiraten. Aber wenn ich nein sage, wird er beleidigt abziehen. Scheiße. Okay, ich sage einfach, herrje, Connor, ich brauche etwas Zeit zum …

»… zusammenziehen«, beendet er den Satz.

Ich bin so eine bescheuerte Kuh. Er wollte überhaupt nicht fragen, ob ich ihn *heirate*.

»Was meinst du?« Er streichelt mir sanft übers Haar.

»Ähm …« Ich reibe mir das Gesicht, schinde Zeit, ich kann nicht klar denken. Mit Connor zusammenziehen. Bietet sich ja irgendwie an. Warum auch nicht? Ich bin total durcheinander. Irgendwas rüttelt an meinem Gehirn und versucht, mir etwas mitzuteilen …

Ein paar Dinge, die ich im Flugzeug gesagt habe, fallen mir wieder ein. Darüber, dass ich noch nie richtig verliebt gewesen sei. Darüber, dass Connor mich gar nicht richtig versteht.

Andererseits … das war ja nur so dahingesagt, oder? Ich meine, immerhin dachte ich, ich müsste sterben. Ja, du liebe Güte, ich war ja überhaupt nicht klar im Kopf.

»Connor, was ist mit deinem Meeting?«, fällt mir plötzlich ein.

»Habe ich abgesagt.«

»Abgesagt?« Ich starre ihn an. »Meinetwegen?«

Ich bin jetzt ganz wackelig. Meine Beine tragen mich kaum noch. Ich weiß noch nicht mal, ob das eine Nachwirkung des Flugs ist oder die Liebe.

O Gott, guck ihn doch nur mal an. Er ist groß, er sieht gut aus, er hat ein wichtiges Meeting abgesagt, und er ist mich retten gekommen.

Es ist Liebe. Es muss Liebe sein.

»Es wäre toll, wenn wir zusammenziehen, Connor«, flüstere ich und breche zu meinem Erstaunen in Tränen aus.

3

Als ich am nächsten Morgen aufwache, kitzelt die Sonne mich an den Lidern, und es duftet herrlich nach Kaffee.

»Morgen!«, ertönt Connors Stimme über mir.

»Morgen«, murmele ich, ohne die Augen zu öffnen.

»Willst du einen Kaffee?«

»Au ja, bitte.«

Ich drehe mich um und vergrabe das Gesicht im Kissen, um noch ein paar Minuten weiterzuschlafen. Was mir normalerweise ausgesprochen leicht fällt. Aber heute nagt etwas an mir. Habe ich irgendwas vergessen?

Ich höre mit halbem Ohr Connor in der Küche mit Geschirr klappern und im Hintergrund den Fernseher dudeln, und mein Gehirn tastet verschlafen nach Anhaltspunkten. Es ist Samstagmorgen. Ich liege in Connors Bett. Wir waren essen – o Gott, dieser schreckliche Flug … er war am Flughafen, und er hat gesagt …

Wir ziehen zusammen!

Ich setze mich gerade auf, als Connor mit zwei großen Bechern und der Kaffeekanne hereinkommt. Er trägt einen weißen Waffelpikee-Bademantel und sieht umwerfend aus. Ich spüre ein stolzes Prickeln und ziehe ihn zu mir heran, um ihn zu küssen.

»Hi«, sagt er und lacht, »Vorsicht.« Er reicht mir einen Kaffee. »Wie fühlst du dich?«

»Geht schon.« Ich streiche mir das Haar zurück. »Ein bisschen kaputt.«

»Kein Wunder.« Connor zieht die Augenbrauen hoch. »Nach so einem Tag.«

»Allerdings«, nicke ich und trinke einen Schluck Kaffee. »Tja. Dann … ziehen wir wohl zusammen!«

»Wenn du immer noch willst?«

»Natürlich! Klar will ich!« Ich lächle breit.

Und das stimmt. Ich will. Ich habe das Gefühl, ich bin über Nacht erwachsen geworden. Ich ziehe mit meinem Freund zusammen. Endlich läuft mein Leben so, wie es soll!

»Ich muss Andrew Bescheid sagen …« Connor zeigt auf die Wand, auf deren anderer Seite sein Mitbewohner wohnt.

»Und ich muss es Lissy und Jemima sagen.«

»Und wir müssen eine schöne Wohnung finden. Und du musst versprechen, sie immer ordentlich zu halten.« Er grinst mich frech an.

»Na, du bist mir ja einer!« Ich simuliere Empörung. »Du bist doch der mit den fünfzig Millionen CDs.«

»Das ist was anderes.«

»Ach, und inwiefern, wenn man fragen darf?« Ich stemme die Hand in die Hüfte, wie in einer Sitcom, und Connor lacht.

Es entsteht eine Pause, als hätten wir beide keinen Dampf mehr, und wir trinken unseren Kaffee.

»Jedenfalls«, sagt Connor, »muss ich langsam los.« Er besucht dieses Wochenende einen Computerkurs. »Schade, dass ich nicht mit zu deinen Eltern kann«, fügt er hinzu.

Und das findet er wirklich. Als wenn er nicht ohnehin schon der perfekte Freund wäre, besucht er auch noch *gerne* meine Eltern.

»Schon okay«, sage ich wohlwollend. »Macht doch nichts.«

»Ach ja, das hätte ich fast vergessen.« Connor grinst mich geheimnisvoll an. »Rat mal, wofür ich Tickets habe!«

»Ooh!«, sage ich aufgeregt. »Ähm …«

Fast hätte ich »Paris« gesagt.

»Für das Jazz-Festival!« Connor strahlt. »Das Dennisson Quartet! Es ist ihr letztes Konzert in diesem Jahr. Weißt du noch, wie sie im Ronnie Scott's waren?«

Für einen Moment verschlägt es mir die Sprache.

»Wow«, bringe ich schließlich heraus. »Das … Dennisson Quartet! Klar erinnere ich mich.«

Sie haben Klarinette gespielt. Immer weiter und weiter und weiter, zwei Stunden lang, ohne einmal Luft zu holen.

»Ich wusste, dass du dich freust.« Connor berührt liebevoll meinen Arm, und ich lächle schwach.

»Oh, klar freue ich mich!«

Wahrscheinlich werde ich irgendwann wirklich gern Jazzmusik hören. Bestimmt sogar.

Ich beobachte ihn zärtlich, als er sich anzieht, sich die Zähne putzt und nach der Aktentasche greift.

»Du hast mein Geschenk getragen«, sagt er mit einem geschmeichelten Lächeln, als er meine herumliegende Unterwäsche auf dem Boden sieht.

»Ich … das trage ich oft«, behaupte ich und kreuze die Finger hinter dem Rücken. »Es ist wirklich hübsch!«

»Mach dir einen schönen Tag mit deiner Familie.« Connor kommt zum Bett herüber, um mich zu küssen, dann zögert er. »Emma?«

»Ja?«

Er setzt sich aufs Bett und schaut mich ernst an. Mann, was für blaue Augen.

»Ich wollte dir noch etwas sagen.« Er beißt sich auf die Lippe. »Wir sprechen doch immer ehrlich miteinander über unsere Beziehung.«

»Ähm … ja«, sage ich etwas beklommen.

»Das ist nur so eine Idee. Vielleicht gefällt sie dir nicht. Ich meine … du musst es nur sagen.«

Völlig verwirrt starre ich Connor an. Er wird knallrot im Gesicht und sieht richtig verlegen aus.

Ach du lieber Gott. Er wird doch jetzt nicht mit perversen Ideen kommen? Soll ich mich irgendwie verkleiden oder so?

Eigentlich fände ich mich als Krankenschwester ganz hübsch. Oder als Catwoman, so wie in *Batman*. Das wäre cool. Ich könnte ein Paar glänzende Stiefel …

»Ich dachte, dass … vielleicht … wir könnten ja …« Er bricht betreten ab.

»Ja?« Ich lege ihm ermutigend die Hand auf den Arm.

»Wir könnten …« Er unterbricht sich schon wieder.

»Ja?«

Er schweigt. Ich kann kaum atmen. Was will er? Was?

»Wollen wir uns nicht gegenseitig ›Schatz‹ nennen?«, stößt er peinlich berührt hervor.

»Was?«, frage ich verdutzt.

40

»Na ja, es ist nur, weil …« Connor wird noch roter. »Wir wollen zusammen leben. Das ist ja schon eine enge Bindung. Und mir ist neulich mal aufgefallen, dass wir nie irgendwelche … Kosenamen benutzen.«

Ich starre ihn an und fühle mich ertappt.

»Echt nicht?«

»Nein.«

»Oh.« Ich trinke noch einen Schluck Kaffee. Wenn ich es recht bedenke, stimmt das wohl. Tun wir nicht. Warum eigentlich nicht?

»Und, was meinst du? Nur, wenn du willst.«

»Na klar!«, sage ich schnell. »Du hast Recht. Das sollten wir tun.« Ich räuspere mich. »Schatz!«

»Danke, Schatz«, sagt er mit einem lieben Lächeln. Ich lächle zurück und versuche, die kleinen Proteste in meinem Kopf zu ignorieren.

Ich komme mir komisch vor.

Ich bin doch kein Schatz.

Schatz ist verheiratet und besitzt Perlen und Allradantrieb.

»Emma?« Connor sieht mich an. »Alles klar?«

»Ich weiß nicht!«, lache ich unsicher. »Ich fühle mich irgendwie gar nicht wie ein Schatz. Aber … du weißt schon. Ich gewöhne mich bestimmt daran.«

»Ehrlich? Na, wir können natürlich auch etwas anderes nehmen, wie findest du denn ›Liebes‹?«

Liebes? Das meint er ja wohl nicht ernst!

»Nein«, sage ich schnell. »Ich glaube, ›Schatz‹ ist schon okay.«

»Oder ›Hasi‹ … ›Liebling‹ … ›Engelchen‹ …«

»Vielleicht. Sag mal, können wir es nicht einfach bleiben lassen?«

Connors Kinnlade klappt herunter, und ich kriege ein schlechtes Gewissen. Ach, was soll's. Ich kann meinen Freund ja wohl »Schatz« nennen, du liebe Güte. Das ist nun mal so, wenn man erwachsen ist. Ich muss mich nur daran gewöhnen.

»Connor, es tut mir Leid«, sage ich. »Ich weiß auch nicht, was mit mir los ist. Vielleicht bin ich einfach noch angespannt von dem Flug.« Ich greife nach seiner Hand. »Schatz.«

»Ist schon in Ordnung, Schatz.« Er lächelt mich an, sein sonniger Gesichtsausdruck ist wieder da, und er küsst mich. »Bis später.«

Na also. Geht doch.

O Gott.

Egal. Macht doch nichts. Ich nehme an, irgendwann kommt dieser peinliche Moment bei allen Paaren. Das ist wahrscheinlich völlig normal.

Ich brauche ungefähr eine halbe Stunde von Connors Wohnung in Maida Vale bis Islington, wo ich wohne. Zu Hause finde ich Lissy auf dem Sofa vor, inmitten von Zetteln, mit konzentriert gerunzelter Stirn. Lissy ist immer so fleißig. Manchmal übertreibt sie es wirklich.

»Woran arbeitest du?«, frage ich mitfühlend. »An diesem Betrugsfall?«

»Nein, das ist nur so ein Artikel«, antwortet sie kryptisch und hebt ein Hochglanzmagazin hoch. »Da steht, dass die als schön empfundenen Proportionen sich seit Kleopatras Zeiten nicht verändert haben und dass man wissenschaftlich feststellen kann, wie schön man ist. Man muss nur alles Mögliche nachmessen …«

»Oh, toll!«, sage ich interessiert. »Und, wie schön bist du?«

»Ich rechne noch.« Sie runzelt wieder die Stirn. »Das macht 53 … minus 20 … macht … O Gott!« Sie starrt ganz bestürzt auf die Seite. »Ich habe nur 33!«

»Von wie viel?«

»Von hundert! 33 von hundert!«

»O Lissy. Was für ein Mist.«

»Ich weiß«, sagt Lissy ernst. »Ich bin hässlich. Ich wusste es. Weißt du, insgeheim habe ich es ja mein ganzes Leben lang *gewusst*, aber …«

»Nein!«, sage ich und versuche, nicht zu lachen. »Ich meine, die Zeitschrift ist Mist! Man kann Schönheit doch nicht mit einer dämlichen Tabelle berechnen. Guck dich doch mal an!« Ich zeige auf Lissy, die die größten grauen Augen auf der ganzen Welt hat und hinreißende, reine, blasse Haut, und die überhaupt einfach umwerfend aussieht, selbst wenn ihr aktueller Haarschnitt ein bisschen streng geraten ist. »Also, wem glaubst du? Dem Spiegel oder einem dummen, bescheuerten Zeitschriftenartikel?«

»Einem dummen, bescheuerten Zeitschriftenartikel«, sagt Lissy, als sei das doch offensichtlich.

Ich weiß, dass sie das halb scherzhaft meint. Aber seit Simon mit ihr Schluss gemacht hat, ist Lissys Selbstbewusstsein nicht gerade das beste. Ich mache mir wirklich schon ein bisschen Sorgen.

»Sind das die goldenen Proportionen der Schönheit?«, fragt unsere dritte Mitbewohnerin Jemima und kommt auf Pfennigabsätzen ins Zimmer gestöckelt. Sie trägt zartrosa Jeans und ein enges, weißes Top und ist, wie üblich, perfekt gebräunt und gestylt. Theoretisch hat Jemima einen Job in einer Skulpturengalerie. Aber tatsächlich scheint sie immer nur Teile ihres Körpers heißwachsen, zupfen oder massieren zu lassen und mit Bankern auszugehen, deren Gehälter sie vorher überprüft.

Ich komme mit Jemima ganz gut klar. Irgendwie. Nur, dass sie jeden Satz mit »*Wenn* du einen Diamanten am Finger haben willst« anfängt, oder mit »*Wenn* du eine Adresse in SW 3 haben willst«, oder »*Wenn* du als tolle Gastgeberin gelten willst«.

Ich meine, ich fände es natürlich *nett*, wenn mir der Ruf vorauseilen würde, eine tolle Gastgeberin zu sein. Ist ja klar. Aber es steht auf meiner Prioritätenliste im Moment nicht gerade ganz oben.

Außerdem stellt Jemima sich unter einer tollen Gastgeberin vor, dass man einen Haufen reiche Leute einlädt, die ganze Wohnung mit Krimskrams dekoriert, einen Catering-Service mengenweise Köstlichkeiten liefern lässt, seine Mitbewohnerinnen (Lissy und mich) für den Abend ins Kino schickt und gekränkt guckt, wenn sie es wagen, gegen Mitternacht hereinzuschleichen und sich einen Kakao zu kochen.

»Ich habe den Test auch gemacht«, sagt sie jetzt und schnappt sich ihre rosa Louis-Vuitton-Tasche. Ihr Vater hat sie ihr geschenkt, als sie nach dem dritten Date mit einem Typen Schluss gemacht hat. Als hätte er ihr das Herz gebrochen.

Obwohl, er hatte eine Yacht, wahrscheinlich hat es ihr tatsächlich das Herz gebrochen.

»Und, auf wie viel bist du gekommen?«, fragt Lissy.

»Neunundachtzig.« Sie sprüht sich mit Parfum ein, wirft ihr langes, blondes Haar zurück und lächelt sich im Spiegel an. »So, Emma, und du ziehst also mit Connor zusammen?« Mir klappt die Kinnlade herunter.

»Woher weißt du das denn?«

»Ach, das pfeifen schon die Spatzen von den Dächern. Andrew hat Rupes heute Morgen wegen Kricket angerufen, und der hat es ihm erzählt.«

»Du ziehst mit Connor zusammen?«, fragt Lissy ungläubig. »Warum hast du mir das nicht erzählt?«

»Wollte ich ja, echt. Ist das nicht toll?«

»Ganz schlechter Schachzug, Emma.« Jemima schüttelt den Kopf. »Ganz falsche Taktik.«

»Taktik?«, fragt Lissy und verdreht die Augen. »*Taktik*? Jemima, die beiden führen eine Beziehung, sie spielen nicht Schach!«

44

»Eine Beziehung *ist* ein Schachspiel«, entgegnet Jemima und tuscht sich die Wimpern. »Mummy sagt immer, man muss vorausschauend denken. Man muss strategisch planen. Ein falscher Zug, und das war's.«

»So ein Blödsinn!«, trotzt Lissy. »In einer Beziehung geht es darum, dass zwei Gleichgesinnte sich finden. Um Seelenverwandtschaft.«

»Seelenverwandtschaft!«, sagt Jemima abschätzig und schaut mich an. »Denk dran, Emma, *wenn* du einen Diamanten am Finger willst, zieh nicht mit Connor zusammen.«

Ihr Blick wandert in einem pawlowschen Reflex kurz zu dem Foto auf dem Kaminsims, das sie bei einem Wohltätigkeits-Polospiel mit Prince William zusammen zeigt.

»Wartest du immer noch auf deinen Einzug ins Königshaus?«, fragt Lissy. »Wie viel jünger als du ist er noch mal, Jemima?«

»Ach, Quatsch«, zischt sie, und eine zarte Farbe tönt ihre Wangen. »Du bist manchmal so unreif, Lissy.«

»Ich *will* übrigens gar keinen Diamanten am Finger«, merke ich an.

Jemima zieht ihre perfekt geschwungene Augenbraue hoch, als wollte sie sagen »du arme, dämliche Idiotin«.

»Ach ja«, fügt sie plötzlich hinzu, und ihre Augen verengen sich. »Hat eine von euch sich meinen Joseph-Pulli geliehen?«

Einen Moment lang herrscht Stille.

»Nein«, sage ich unschuldig.

»Ich weiß nicht einmal, welcher das ist«, behauptet Lissy mit einem Achselzucken.

Ich kann Lissy nicht angucken. Ich bin ziemlich sicher, dass sie ihn neulich abends anhatte.

Jemimas blaue Augen fahren an Lissy und mir auf und ab wie ein Scanner.

»Ich habe nämlich sehr schlanke Arme«, sagt sie warnend,

»und ich will nicht, dass die Ärmel ausleiern. Und glaubt bloß nicht, ich würde das nicht merken. Tschüss.«

Sobald sie weg ist, sehen Lissy und ich uns an.

»Scheiße«, sagt Lissy, »ich glaube, ich habe ihn im Büro liegen gelassen. Na ja, dann bringe ich ihn eben am Montag wieder mit.« Sie zuckt mit den Schultern und wendet sich wieder der Zeitschrift zu.

Okay. Die Wahrheit ist, wir borgen beide gelegentlich Jemimas Kleider aus. Ohne zu fragen. Aber zu unserer Verteidigung muss ich sagen, dass sie so viele Klamotten hat, dass sie es meistens gar nicht merkt. Und außerdem, sagt Lissy, ist es ein Grundrecht, dass Mitbewohner sich untereinander Kleider leihen dürfen. Sie sagt, das sei praktisch Teil der ungeschriebenen britischen Verfassung.

»Und überhaupt«, fügt Lissy hinzu, »ist sie mir das schuldig, für diesen Brief an die Stadt, den ich wegen der ganzen Knöllchen für sie geschrieben habe. Dafür hat sie sich nämlich noch nicht mal bedankt.« Sie sieht von einem Artikel über Nicole Kidman auf. »Was machst du denn heute Abend? Hast du Lust auf einen Film?«

»Ich kann nicht«, sage ich widerwillig. »Ich muss zu Mums Geburtstagsessen.«

»Ach, stimmt ja.« Sie zieht ein mitleidiges Gesicht. »Viel Spaß. Hoffentlich wird's nicht zu schlimm.«

Lissy ist der einzige Mensch auf der Welt, der weiß, wie ich mich fühle, wenn ich nach Hause fahre. Und selbst sie weiß nicht alles.

4

Als ich im Zug sitze, bin ich entschlossen, dass es diesmal besser wird. Neulich hat Cindy Blaine in einer Sendung lang verschollene Töchter wieder mit ihren Müttern zusammengebracht, und es war so rührend, dass mir die Tränen kamen. Am Ende hat Cindy eine kleine Moralpredigt darüber gehalten, wie leicht man seine Familie für selbstverständlich hält, obwohl sie uns doch das Leben schenkt, und dass wir sie ehren und achten sollen. Da habe ich mich richtig ertappt gefühlt.

Deswegen sind meine guten Vorsätze für heute:

Ich werde nicht:

Von meiner Familie genervt sein.

Eifersüchtig auf Kerry sein oder mich von Nev ärgern lassen.

Auf die Uhr gucken und überlegen, wann ich gehen kann.

Ich werde:

Gelassen und liebenswürdig bleiben und daran denken, dass wir alle durch gesegnete Bande im ewigen Kreislauf des Lebens miteinander verknüpft sind.

(Das habe ich auch von Cindy Blaine.)

Früher haben Mum und Dad in Twickenham gewohnt, da bin ich auch aufgewachsen. Aber jetzt sind sie aus London herausgezogen in ein Dorf in Hampshire. Ich komme um kurz nach zwölf dort an und finde Mum in der Küche, zusammen mit meiner Cousine Kerry. Sie und ihr Mann Nev sind auch aufs Land gezogen, in ein Dorf nur fünf Minuten von Mum und Dad entfernt, deswegen sehen sie sich ständig.

Ich spüre den gewohnten Stich, als ich die beiden Seite an Seite am Herd stehen sehe. Sie wirken eher wie Mutter und Tochter als wie Tante und Nichte. Sie tragen den gleichen fransigen Kurzhaarschnitt – wobei Kerrys Strähnchen etwas kräftiger sind –, sie tragen beide bunte Tops, die viel gebräuntes Dekolleté zeigen, und sie lachen beide. Auf der Arbeitsplatte steht eine halb leere Flasche Weißwein.

»Herzlichen Glückwunsch!« Ich umarme Mum. Auf dem Küchentisch entdecke ich ein Geschenkpäckchen und bin freudig erregt. Ich habe das *allerbeste* Geburtstagsgeschenk für Mum. Am liebsten würde ich es ihr gleich geben!

»Hal*lohoo*!«, sagt Kerry und dreht sich um, in einer Schürze. Ihre blauen Augen sind dick geschminkt, und um den Hals trägt sie ein Kreuz mit Diamanten, das ich noch nie gesehen habe. Jedes Mal, wenn ich Kerry sehe, trägt sie neuen Schmuck. »Wie schön, dich zu sehen, Emma! Du bist viel zu selten hier. Oder, Tante Rachel?«

»Allerdings«, sagt Mum und drückt mich.

»Soll ich dir den Mantel abnehmen?«, fragt Kerry, als ich den Sekt, den ich mitgebracht habe, in den Kühlschrank stelle. »Und möchtest du etwas trinken?«

So spricht Kerry immer mit mir. Als wäre ich ein Gast.

Aber egal. Das wird mir heute nicht auf den Keks gehen. Gesegnete Bande im ewigen Kreislauf des Lebens.

»Schon okay«, sage ich und bemühe mich, nett zu klingen. »Ich nehme mir selbst etwas.« Ich öffne den Schrank, in dem die Gläser stehen, und finde dort Dosentomaten vor.

»Die Gläser sind hier«, sagt Kerry auf der anderen Seite der Küche. »Wir haben alles ein bisschen umgeräumt, ist viel praktischer so.«

»Ach so. Danke.« Ich nehme das Glas an, das sie mir reicht, und trinke einen Schluck Wein. »Kann ich irgendwie helfen?«

»Ich *glaube* nicht …«, sagt Kerry und sieht sich kritisch in der Küche um. »Eigentlich ist alles so gut wie fertig. Also habe ich zu Elaine gesagt«, wendet sie sich an Mum, »›Woher hast du diese Schuhe?‹ Und sie sagt, von M&S! Ich konnte es ja gar nicht glauben!«

»Wer ist denn Elaine?«, frage ich, um mich am Gespräch zu beteiligen.

»Aus dem Golfclub«, sagt Kerry.

Früher hat Mum nicht Golf gespielt. Aber als sie nach Hampshire gezogen sind, haben sie und Kerry zusammen damit angefangen. Und jetzt reden sie nur noch über Golfspiele, Golfclub-Dinners und endlose Partys mit den Bekannten aus dem Golfclub.

Einmal bin ich mitgegangen, um mir das anzugucken. Aber erstens haben die da lauter bescheuerte Kleiderregeln, die ich nicht kannte, und irgend so ein Opa hat fast einen Herzinfarkt bekommen, weil ich Jeans trug. Also mussten sie mir einen Rock suchen und ein Paar von diesen klobigen Schuhen mit Spikes. Und dann, als wir auf den Platz kamen, habe ich den Ball nicht getroffen. Nicht, dass ich den Ball *nicht gut* getroffen hätte; ich habe ihn nicht mal berührt. Also haben sich am Ende alle viel sagend angeschaut und mir vorgeschlagen, im Clubhaus zu warten.

»Tschuldigung, Emma, darf ich gerade mal ...« Kerry greift irgendwo über mir nach einer Servierplatte.

»Tschuldigung«, antworte ich. »Kann ich wirklich nichts tun, Mum?«

»Du könntest Sammy füttern«, sagt sie und drückt mir die Dose mit dem Goldfischfutter in die Hand. Dabei runzelt sie besorgt die Stirn. »Irgendwie mache ich mir Sorgen um Sammy.«

»Oh«, sage ich alarmiert. »Äh ... wieso?«

»Er wirkt so *anders*.« Sie sieht ihn sich ganz genau an. »Was meinst du? Findest du, er sieht normal aus?«

Ich folge ihrem Blick und ziehe ein nachdenkliches Gesicht, als ob ich Sammy genauestens studiere.

O Gott. Ich hätte nicht gedacht, dass sie es merkt. Ich habe mir wirklich Mühe gegeben, einen Fisch zu finden, der genauso aussieht wie Sammy. Ich meine, er ist orange, er hat zwei Flossen, er schwimmt herum … Wo ist da der Unterschied?

»Vielleicht ist er einfach ein bisschen schlecht drauf«, sage ich schließlich. »Das wird schon wieder.«

Mach, dass sie ihn nicht zum Tierarzt schleppt oder so was, bete ich still. Ich habe noch nicht einmal darauf geachtet, dass ich das richtige Geschlecht erwische. *Haben* Goldfische überhaupt unterschiedliche Geschlechter?

»Kann ich sonst noch was tun?«, frage ich und streue großzügig Fischfutter auf die Wasseroberfläche, damit sie ihn nicht so genau sehen kann.

»Eigentlich sind wir fast fertig«, sagt Kerry freundlich.

»Geh doch einfach Dad begrüßen«, sagt Mum und gießt Erbsen ab. »In zehn Minuten gibt es Essen.«

Dad und Nev sitzen im Wohnzimmer vor einem Kricketspiel. Dads angegrauter Bart ist so sorgfältig gepflegt wie immer, und er trinkt Bier aus einem Silberkrug. Das Zimmer ist renoviert worden, aber an der Wand stehen immer noch Kerrys gesammelte Schwimmpokale. Mum poliert sie regelmäßig, jede Woche.

Und meine paar Rosetten vom Reiten. Ich glaube, da fuchtelt sie immer nur kurz mit einem Staubwedel drüber.

»Hi, Dad«, sage ich und gebe ihm einen Kuss.

»Emma!« Er schlägt in gespielter Überraschung die Hände über dem Kopf zusammen. »Du hast es geschafft! Ohne Umwege! Ohne Ausflüge in historische Städte!«

»Heute mal nicht«, kichere ich. »Ich bin sicher und wohlbehalten angekommen.«

Einmal, kurz nachdem Mum und Dad hierher gezogen waren, habe ich den falschen Zug erwischt und bin in Salisbury gelandet, und damit zieht Dad mich immer noch auf.

»Hi, Nev.« Ich hauche ihm einen Schmatzer auf die Wange und versuche, nicht an seinem Aftershave zu ersticken. Er trägt beige Baumwollhosen und einen weißen Rolli, ein schweres goldenes Armband und seinen Ehering mit eingelassenem Diamanten. Nev leitet die Firma seiner Familie, die das ganze Land mit Büroausstattung beliefert, und hat Kerry bei irgendeiner Veranstaltung für Jungunternehmer kennen gelernt. Sie sind dort anscheinend ins Gespräch gekommen, indem sie gegenseitig ihre Rolex-Uhren bestaunten.

»Hi, Emma«, sagt er. »Hast du den neuen Wagen gesehen?«

»Was?« Erst bin ich verblüfft – dann fällt mir das glänzende neue Auto wieder ein, das ich vorhin in der Einfahrt bemerkt habe. »Ach ja! Hübsch.«

»500er Mercedes.« Er trinkt einen Schluck Bier. »Listenpreis zweiundvierzigtausend.«

»Boah.«

»Habe ich aber nicht bezahlt.« Er zwinkert mir viel sagend zu. »Schätz mal.«

»Ähm, vierzig?«

»Noch mal.«

»Neununddreißig?«

»Siebenunddreißig-zweifünfzig«, triumphiert Nev. »Plus CD-Wechsler. Kann ich voll von der Steuer absetzen«, fügt er hinzu.

»Klar. Toll.«

Ich weiß wirklich nicht, was ich noch sagen soll, also setze ich mich aufs Sofa und esse eine Erdnuss.

»Das wäre doch mal ein Ziel, Emma!«, sagt Dad. »Glaubst du, du schaffst das irgendwann?«

»Ich … keine Ahnung. Ach … Dad, bevor ich's vergesse, ich habe einen Scheck für dich.« Verlegen ziehe ich einen Scheck über 300 Pfund aus der Tasche.

»Gut«, sagt Dad. »Das können wir schon mal verbuchen.«

Seine grünen Augen funkeln, als er ihn einsteckt. »Man nennt es ›mit Geld umgehen lernen‹. Oder auch ›auf eigenen Beinen stehen‹.«

»Wichtige Lektion«, sagt Nev und nickt. Er trinkt einen Schluck Bier und grinst Dad an. »Hilf mir noch mal schnell auf die Sprünge, Emma – was für einen Job hast du diese Woche?«

Als ich Nev kennen lernte, hatte ich gerade bei dem Immobilienmakler aufgehört und mit der Fotografie-Ausbildung angefangen. Vor zweieinhalb Jahren. Und jedes Mal, wenn wir uns sehen, macht er den gleichen Witz. Den gleichen bescheuerten Scheiß…

Okay, reg dich ab. Denk an was Schönes. Du sollst die Familie ehren. Du sollst Nev ehren.

»Immer noch Marketing!«, sage ich strahlend. »Bereits seit über einem Jahr.«

»Ah, Marketing. Prima, prima!«

Ein paar Minuten lang schweigen wir alle, bis auf den Kricket-Kommentator. Plötzlich stöhnen Dad und Nev gleichzeitig auf, weil auf dem Kricketfeld irgendwas passiert. Einen Moment später stöhnen sie schon wieder.

»Okay«, sage ich, »ich werd dann mal …«

Als ich aufstehe, heben sie nicht mal den Kopf.

Ich gehe in den Flur, klemme mir den Karton, den ich mitgebracht habe, unter den Arm, gehe durch die Seitentür hinüber zum Anbau, klopfe kurz an und mache vorsichtig die Tür auf.

»Grandpa?«

Grandpa ist Mums Vater, der seit einer Herzoperation vor zehn Jahren bei uns wohnt. Im alten Haus in Twickenham hatte er nur ein Zimmer, aber dieses Haus ist größer, hier hat er eine kleine Einliegerwohnung im Anbau mit zwei Zimmern und einer winzigen Küche. Er sitzt in seinem geliebten Ledersessel, im Radio läuft klassische Musik, und auf dem Boden vor ihm stehen ungefähr sechs Umzugskartons voller Kram.

»Hi, Grandpa«, sage ich.

»Emma!« Er sieht auf und sein Gesicht erhellt sich. »Mein liebes Mädchen! Komm her.« Ich beuge mich zu ihm hinunter und gebe ihm einen Kuss, und er drückt mir die Hand. Seine Haut ist trocken und kühl, und sein Haar ist noch weißer als letztes Mal.

»Ich habe dir ein paar Panther-Riegel mitgebracht«, sage ich und nicke zu meinem Karton hin. Grandpa ist richtig süchtig nach den Panther-Energieriegeln, ebenso wie seine ganzen Freunde im Bowling-Club. Also schöpfe ich meinen Personalrabatt aus und bringe ihm jedes Mal eine Kiste mit.

»Danke, Liebes«, strahlt Grandpa. »Du bist wundervoll, Emma.«

»Wo soll ich sie hinstellen?«

Hilflos sehen wir uns in dem Durcheinander um.

»Vielleicht da hinten, hinter dem Fernseher?«, schlägt Grandpa schließlich vor. Ich bahne mir einen Weg durch das Zimmer, stelle den Karton ab und bemühe mich, beim Zurückstaksen nicht irgendwo draufzutreten.

»Übrigens, Emma, ich habe da neulich einen Besorgnis erregenden Artikel gelesen«, sagt Grandpa, als ich mich auf einen der Kartons setze. »Über die Sicherheit in London.« Er sieht mich wachsam an. »Du fährst doch abends nicht mit öffentlichen Verkehrsmitteln, oder?«

»Ähm … fast nie«, behaupte ich und kreuze die Finger hinter dem Rücken. »Nur gelegentlich, wenn es gar nicht anders geht …«

»Aber Liebes, das darfst du nicht!«, sagt Grandpa ganz erregt. »Da stand, dass dort vermummte Jugendliche mit Springmessern herumlungern. Betrunkene Rüpel, die sich mit abgebrochenen Flaschen gegenseitig die Augen rausschneiden …«

»*So* schlimm ist es nun wirklich nicht.«

»Emma, das Risiko ist es nicht wert! Nur wegen ein-, zweimal Taxigeld.«

Wenn ich Grandpa schätzen lassen würde, was ein Taxi in London durchschnittlich kostet, würde er bestimmt auf etwa fünf Shilling tippen.

»Ehrlich, Grandpa, ich bin wirklich vorsichtig«, versichere ich ihm. »Und ich fahre durchaus Taxi.«

Manchmal. Ungefähr einmal im Jahr.

»Na ja. Was ist das hier eigentlich alles?«, frage ich, um das Thema zu wechseln, und Grandpa seufzt.

»Deine Mutter hat letzte Woche den Dachboden entrümpelt. Und ich sortiere jetzt aus, was weg kann und was ich behalten will.«

»Das ist doch eine gute Idee.« Ich betrachte den Müllhaufen auf dem Boden. »Und das hier wirfst du weg?«

»Nein! Das behalte ich alles.« Er deckt schützend die Hand darüber.

»Und wo ist der Haufen zum Wegwerfen?«

Schweigen. Grandpa weicht meinem Blick aus.

»Grandpa! Du musst doch *irgendwas* davon wegschmeißen!«, rufe ich und bemühe mich, nicht zu lachen. »Diese ganzen alten Zeitungsschnipsel brauchst du doch nicht mehr. Und was ist das hier?« Ich fische ein altes Jo-Jo zwischen den Zeitungsausschnitten heraus. »Das ist doch nun wirklich Müll.«

»Jims Jo-Jo.« Grandpa greift nach dem Jo-Jo, sein Blick wird ganz weich. »Ach ja, der gute Jim.«

»Wer ist Jim?«, frage ich ganz erstaunt. Von einem Jim habe ich noch nie gehört. »War er ein guter Freund von dir?«

»Wir haben uns auf dem Festplatz kennen gelernt und den Nachmittag zusammen verbracht. Da war ich neun.« Grandpa spielt mit dem Jo-Jo herum.

»Seid ihr Freunde geworden?«

»Ich habe ihn nie wieder gesehen.« Er schüttelt gedankenverloren den Kopf. »Aber ich habe es nicht vergessen.«

Das Problem bei Grandpa ist, er vergisst nie irgendwas.

»Gut, und was ist mit den ganzen Karten?« Ich ziehe einen Stapel alte Weihnachtskarten heraus.

»Karten schmeiße ich nie weg.« Grandpa sieht mich lange an. »Wenn du erst mal in meinem Alter bist; wenn die Leute, die du dein ganzes Leben lang kanntest und mochtest, einer nach dem anderen sterben … da hängt man an jedem Erinnerungsstück. Wie klein es auch sei.«

»Das verstehe ich«, sage ich und bin gerührt. Ich schlage die nächstbeste Karte auf, und mein Gesichtsausdruck verändert sich. »Grandpa! Die ist von Smith's Elektrogeschäft, 1965.«

»Frank Smith war ein guter Mann …«, fängt Grandpa an.

»Nein!« Bestimmt lege ich die Karte auf den Boden. »Die kommt weg. Genauso wenig brauchst du die von …« Ich öffne die nächste Karte. »Southwestern-Gaswerke. Und du brauchst auch keine zwanzig alten *Punch*-Hefte.« Ich lege sie auf den Stapel. »Und was ist das?« Ich greife wieder in den Karton und ziehe einen Umschlag voller Fotos heraus. »Ist da irgendwas drauf, was du wirklich …«

Etwas trifft mich plötzlich ins Herz, und ich breche mitten im Satz ab.

Ich betrachte ein Foto von mir und Dad und Mum auf einer Parkbank. Mum trägt ein geblümtes Kleid, Dad einen albernen Sonnenhut, und ich sitze auf seinem Schoß, ungefähr neun Jahre alt, und esse ein Eis. Wir sehen so glücklich zusammen aus.

Wortlos nehme ich ein anderes Foto heraus. Ich habe Dads Hut auf und wir lachen uns über irgendwas kaputt. Nur wir drei.

Nur wir. Bevor Kerry in unser Leben trat.

Ich erinnere mich noch genau an den Tag, an dem sie ankam. Ein roter Koffer im Flur, eine neue Stimme in der Küche und ein ungewohnter Parfumduft in der Luft. Ich ging hinein, und da war sie, eine Fremde, und trank Tee. Sie trug Schuluniform, kam mir aber trotzdem vor wie eine Erwachsene. Sie hatte schon einen ziemlich großen Busen, trug goldene Ohrstecker und hatte Strähnchen im Haar. Und zum Abendbrot durfte sie ein Glas Wein trinken. Mum hat mir immer wieder gesagt, dass ich sehr nett zu ihr sein müsse, weil ihre Mutter gestorben war. Wir mussten alle besonders nett zu Kerry sein. Deswegen bekam sie auch mein Zimmer.

Ich sehe die Fotos durch und versuche, den Kloß im Hals hinunterzuschlucken. Jetzt erinnere ich mich auch wieder, wo das war. Wir sind öfter in diesen Park gegangen, es gab dort Schaukeln und Rutschen. Aber Kerry war das zu langweilig, und ich wollte unbedingt so sein wie sie, also sagte ich, dass ich das auch langweilig fände, und wir sind nie wieder hingegangen.

»Klopf, klopf!« Ich schrecke hoch, da steht Kerry an der Tür, mit dem Weinglas in der Hand. »Essen ist fertig!«

»Danke«, sage ich. »Wir kommen sofort.«

»Und, Gramps!« Kerry fuchtelt tadelnd mit dem Finger und zeigt auf die Kartons. »Bist du mit dem Kram immer noch nicht weiter?«

»Das ist auch schwierig«, höre ich mich Grandpa verteidigen. »Da hängen eine Menge Erinnerungen dran. Die kann man nicht einfach wegwerfen.«

»Wenn du meinst.« Kerry verdreht die Augen. »Wenn das meins wäre, würde ich einfach alles in die Tonne kippen.«

Ich kann sie nicht ehren. Ich kann einfach nicht. Ich würde ihr am liebsten meinen Nachtisch ins Gesicht werfen.

Wir sitzen jetzt seit vierzig Minuten am Tisch, und die einzige Stimme, die wir gehört haben, ist Kerrys.

»Es geht doch nur ums Image«, sagt sie jetzt. »Es geht um

die richtigen Klamotten, den richtigen Look, den richtigen Gang. Wenn ich über die Straße gehe, signalisiere ich der Welt, dass ich eine erfolgreiche Frau bin.«

»Mach mal vor«, sagt Mum bewundernd.

»Okay.« Kerry lächelt in falscher Bescheidenheit. »So geht das.« Sie schiebt den Stuhl zurück und wischt sich den Mund ab.

»Guck dir das gut an, Emma«, sagt Mum, »da kannst du noch etwas lernen.«

Wir schauen alle zu, wie Kerry durchs Zimmer schreitet. Sie hat das Kinn angehoben, streckt die Brust heraus, stiert in eine mittlere Entfernung und wackelt mit dem Hintern.

Sie sieht aus wie eine Kreuzung zwischen einem Vogel Strauß und einem der Androiden aus *Angriff der Klonkrieger.*

»Dazu müsste ich natürlich hohe Absätze tragen«, sagt sie, ohne stehen zu bleiben.

»Wenn Kerry einen Konferenzraum betritt, ich kann euch sagen, da recken sie alle die Hälse«, steuert Nev stolz bei und trinkt einen Schluck Wein. »Die Leute unterbrechen die Arbeit und glotzen sie an.«

Darauf würde ich wetten.

O Gott. Ich muss gleich kichern. Ich darf nicht. Ich darf nicht.

»Willst du es nicht auch mal versuchen, Emma?«, fragt Kerry. »Es mir nachmachen?«

»Äh … lieber nicht«, sage ich. »Ich denke, ich … habe es ungefähr verstanden.«

Plötzlich pruste ich los und verwandle es gerade noch in ein Husten.

»Kerry will dir doch nur helfen!«, sagt Mum. »Du solltest ihr dankbar sein! Kerry, du bist immer so lieb zu Emma.«

Sie strahlt Kerry liebevoll an, und die lächelt gekünstelt zurück. Und ich trinke einen ordentlichen Schluck Wein.

Ja, klar. Natürlich will Kerry mir helfen.

Zum Beispiel als ich damals wirklich dringend einen Job brauchte und ein Praktikum in ihrer Firma machen wollte und sie nein gesagt hat. Ich habe ihr einen langen, sorgfältig ausformulierten Brief geschrieben, in dem ich erklärt habe, es sei mir bewusst, dass ich sie in eine schwierige Situation bringe, dass ich aber sehr dankbar für jede Chance wäre, und seien es nur ein paar Tage Botengänge.

Sie hat mit einem Standard-Ablehnungsschreiben geantwortet. Ich war so tief gekränkt, dass ich es nie jemandem erzählt habe. Vor allem nicht Mum und Dad.

»Du solltest dir Kerrys geschäftliche Tipps ruhig anhören, Emma«, sagt Dad scharf. »Wenn du sie dir ein bisschen mehr zu Herzen nehmen würdest, hättest du dein Leben vielleicht auch besser im Griff.«

»Es ist doch nur der Gang«, witzelt Nev glucksend. »Kein Wundermittel.«

»Nev!«, sagt Mum halb tadelnd.

»Emma weiß doch, dass ich nur Spaß mache, oder, Emma?«, sagt Nev leichthin und schenkt sich Wein nach.

»Na klar«, behaupte ich und zwinge mich zu einem fröhlichen Lächeln. Wartet nur, bis ich befördert werde.

Wartet's nur ab. Wartet's nur ab.

»Emma! Erde an Emma!« Kerry wedelt mir mit der Hand vor der Nase herum. »Aufwachen, Dummerchen! Jetzt gibt's Geschenke!«

»Ach ja«, sage ich und komme wieder zu mir. »Ich hole meins eben.«

Als Mum einen Fotoapparat von Dad und ein Portemonnaie von Grandpa auspackt, werde ich ganz aufgeregt. Ich hoffe *so*, dass ihr mein Geschenk gefällt.

»Es sieht nicht nach viel aus«, sage ich, als ich ihr den rosa Umschlag reiche. »Aber wenn du es aufmachst …«

»Was kann das denn sein?«, fragt Mum gespannt. Sie öffnet den Umschlag, schlägt die geblümte Karte auf und schaut sie mit staunenden Augen an. »Oh, Emma!«

»Was ist es denn?«, fragt Dad.

»Ein Tag im Wellnesscenter!«, sagt Mum freudig. »Ein ganzer Verwöhntag.«

»Was für eine tolle Idee«, sagt Grandpa und tätschelt meine Hand. »Du hast immer so liebe Geschenkideen, Emma.«

»Danke, Schatz. Das ist wirklich süß!« Mum lehnt sich herüber, um mich zu küssen, und mir wird ganz warm ums Herz. Die Idee hatte ich schon vor ein paar Monaten. Es ist ein wirklich schönes Angebot, mit allen möglichen Behandlungen, einen ganzen Tag lang.

»Du bekommst dort sogar einen Champagner-Lunch«, sage ich eifrig. »Und die Pantoffeln darfst du behalten.«

»Wunderbar!«, sagt Mum. »Da freue ich mich richtig drauf. Emma, das ist ein tolles Geschenk.«

»Oje«, sagt Kerry mit einem kleinen Lachen. Sie sieht den großen, cremefarbenen Umschlag in ihrer Hand an. »Ich fürchte, jetzt hast du meinem Geschenk die Schau gestohlen. Na, macht ja nichts, ich tausche es um.«

Ich bin alarmiert. Da ist so etwas in Kerrys Stimme. Ich weiß, dass da etwas im Busch ist. Ich weiß es einfach.

»Wieso das denn?«, fragt Mum.

»Ist ja egal«, sagt Kerry. »Ich … überlege mir einfach etwas anderes. Mach dir keine Gedanken.« Sie steckt den Umschlag wieder ein.

»Kerry, Liebes!«, ruft Mum. »Hör doch auf! Sei nicht albern. Was ist es denn?«

»Na ja«, sagt Kerry. »Es ist nur, dass Emma und ich offensichtlich die gleiche Idee hatten.« Sie reicht Mum den Umschlag und lacht wieder auf diese komische Art. »Unglaublich, oder?«

Mein ganzer Körper ist plötzlich angespannt.

Nein.

Nein. Sie kann nicht das getan haben, was ich ahne.

Als Mum den Umschlag öffnet, herrscht absolute Stille.

»Oh, mein Gott!«, sagt sie und zieht eine goldgeprägte Broschüre heraus. »Was ist das denn? Le Spa Meridien?« Dann fällt ihr noch etwas direkt in die Hände. »Tickets nach *Paris*? Kerry!«

Sie hat es getan. Sie hat mein Geschenk ruiniert.

»Für euch beide«, fügt Kerry selbstgefällig hinzu. »Für Onkel Brian mit.«

»Kerry!«, freut sich Dad. »Du bist ein Schatz!«

»Es soll ziemlich gut sein«, sagt Kerry mit herablassendem Lächeln. »Fünf-Sterne-Hotel, der Koch hat drei Sterne im Michelin …«

»Ich kann's gar nicht glauben«, sagt Mum und blättert aufgeregt durch die Broschüre. »Guck dir mal den Pool an! Und hier, die Gärten!«

Meine geblümte Karte liegt vergessen zwischen dem Geschenkpapier herum.

Plötzlich bin ich den Tränen nahe. Sie wusste es. Sie *wusste* es.

»Kerry, das hast du doch gewusst«, platze ich plötzlich heraus, ich kann mich nicht mehr beherrschen. »Ich habe dir doch erzählt, dass ich Mum einen Wellnesstag schenke. Ich habe es dir *erzählt*! Wir haben schon vor Monaten darüber gesprochen! Im Garten!«

»Ehrlich?«, fragt Kerry lässig. »Kann ich mich gar nicht dran erinnern.«

»O doch! Natürlich erinnerst du dich!«

»Emma«, sagt Mum scharf. »Das war einfach ein Versehen. Nicht wahr, Kerry?«

»Natürlich!«, sagt Kerry und reißt unschuldig die Augen

auf. »Emma, wenn ich dir das jetzt vermasselt habe, tut es mir Leid …«

»Es braucht dir doch nicht Leid zu tun, Kerry, Liebes«, sagt Mum. »So was passiert eben mal. Und es sind *beides* wunderbare Geschenke. Alle *beide*.« Sie schaut wieder auf meine Karte. »Und jetzt vertragt euch wieder! Ich will nicht, dass ihr euch streitet. Schon gar nicht an meinem Geburtstag.«

Mum lächelt mich an, und ich versuche, zurückzulächeln. Aber tief innen drin fühle ich mich wieder wie mit zehn Jahren. Kerry trifft mich immer wieder unvorbereitet. Das tut sie schon, seit sie bei uns eingezogen ist. Was auch immer sie tat, alle waren auf ihrer Seite. Schließlich war sie diejenige, deren Mutter gestorben war. Wir mussten alle nett zu ihr sein. Ich kam nie, nie gegen sie an.

Ich versuche, mich zusammenzureißen, greife nach dem Weinglas und trinke einen großen Schluck. Dann erwische ich mich dabei, wie ich immer wieder auf die Uhr schaue. Um vier kann ich gehen, wenn ich mich damit entschuldige, dass die Züge oft Verspätung haben. Bleiben nur noch anderthalb Stunden zu überstehen. Vielleicht können wir ja noch ein bisschen fernsehen oder so …

»Einen Penny für deine Gedanken, Emma«, sagt Grandpa und tätschelt lächelnd meine Hand, und ich sehe schuldbewusst zu ihm auf.

»Äh … nichts«, sage ich und zwinge mich zu einem Lächeln. »Ich denke eigentlich an gar nichts.«

5

Na ja. Es ist auch egal, weil ich ja befördert werde. Dann hört Nev auf, dumme Bemerkungen über meinen Werdegang zu machen, und ich kann Dad meine Schulden zurückzahlen. Sie werden alle schwer beeindruckt sein – das wird toll!

Als ich am Montagmorgen aufwache, bin ich munter und guter Dinge und ziehe meine übliche Arbeitskleidung an, Jeans und ein hübsches Oberteil, heute eins von French Connection.

Na ja, nicht direkt von French Connection. Ehrlich gesagt habe ich es Secondhand bei Oxfam gekauft. Aber auf dem *Etikett* steht French Connection. Und solange ich an Dad zurückzahle, kann ich mir nicht aussuchen, wo ich einkaufe. Ein neues Top von French Connection kostet um die fünfzig Pfund, für dies hier habe ich nur 7,50 bezahlt. Und es ist so gut wie neu!

Als ich die Treppen der U-Bahn hinaufhüpfe, scheint die Sonne, und ich bin optimistisch. Mir vorzustellen, dass ich befördert werde! Mir vorzustellen, wie ich es allen erzähle! Mum wird fragen: »Wie war die Woche?«, und ich werde sagen, »Ach, weißt du ...«

Nein, ich warte einfach, bis ich wieder nach Hause fahre, und dann überreiche ich ganz cool meine neue Visitenkarte.

Oder vielleicht fahre ich gleich mit meinem neuen Firmenwagen hin, denke ich aufgeregt! Also, ich bin nicht mal sicher, ob einer der leitenden Angestellten einen Wagen hat – aber man kann ja nie wissen, oder? Sie könnten das als Neuerung einführen. Oder sie sagen: »Emma, wir haben Sie ausgewählt ...«

»Emma!«

Ich drehe mich um und sehe Katie, meine Freundin aus der

Personalabteilung, die leicht keuchend hinter mir die U-Bahn-Treppe heraufkommt. Ihr lockiges, rotes Haar ist ganz zerzaust, und sie hat einen Schuh in der Hand.

»Was ist dir denn passiert?«, frage ich, als sie oben ankommt.

»Mein blöder Schuh«, sagt sie geknickt. »Ich habe ihn gerade erst reparieren lassen, und jetzt ist mir der Absatz abgebrochen.« Sie schlägt damit nach mir. »Dieser Absatz hat sechs Pfund gekostet! Mann, was für ein Scheißtag. Der Milchmann hat mich heute Morgen schon nicht beliefert, und das ganze Wochenende war so *furchtbar* …«

»Wolltest du es nicht mit Charlie verbringen?«, frage ich überrascht. »Was ist passiert?«

Charlie ist Katies Neuer. Sie kennen sich seit ein paar Wochen, und sie wollte ihn in seinem Cottage auf dem Land besuchen, das er an den Wochenenden renoviert.

»Es war schrecklich! Wir waren gerade erst angekommen, da sagt er, er geht jetzt golfen.«

»Oh, tja.« Ich versuche, es positiv zu sehen. »Na ja, jedenfalls scheint er sich mit dir wohl zu fühlen. Er benimmt sich ganz normal.«

»Vielleicht.« Sie sieht mich zweifelnd an. »Dann hat er vorgeschlagen, ich könnte ihm ja ein bisschen helfen, solange er weg ist. Na klar, habe ich gesagt – und da hat er mir einen Pinsel in die Hand gedrückt und drei Töpfe Farbe und gesagt, wenn ich mich etwas beeile, könnte ich das Wohnzimmer schaffen.«

»*Was?*«

»Und dann war er so gegen sechs wieder da – und hat gesagt, ich hätte schlampig gestrichen!« Ihre Stimme schwillt zu einem Jammern an. »Dabei habe ich mir solche Mühe gegeben! Es ist nur an einer Stelle ein bisschen verschmiert, weil die Leiter nicht lang genug war!«

Ich glotze sie an.

»Katie, du willst mir doch wohl nicht erzählen, dass du tatsächlich das Zimmer gestrichen hast!«

»Doch … ja.« Sie sieht mich mit großen blauen Augen an. »Du weißt schon, ich wollte ihm helfen. Aber jetzt glaube ich fast … meinst du, er benutzt mich nur?«

Ich bin so fassungslos, dass es mir die Sprache verschlägt.

»Katie, natürlich benutzt er dich«, bringe ich schließlich heraus. »Er will eine kostenlose Anstreicherin. Schick ihn zum Teufel. Sofort. Jetzt!«

Katie ist ein paar Sekunden lang still, und ich beobachte sie nervös. Ihr Gesicht ist ausdruckslos, aber ich weiß, dass unter der Oberfläche alles Mögliche abläuft. Es ist, wie wenn der weiße Hai unter der gekräuselten Wasseroberfläche verschwindet, und man genau weiß, dass er jederzeit …

»Verdammt, du hast Recht«, platzt es plötzlich aus ihr heraus. »Du hast Recht. Er hat mich nur benutzt! Ich bin aber auch selbst schuld. Ich hätte es schon merken müssen, als er mich fragte, ob ich Erfahrung mit Installations- oder Dachdeckerarbeiten habe.«

»Wann hat er das denn gefragt?«, frage ich ungläubig.

»Bei unserem ersten Date! Ich dachte, er würde nur, na ja, halt Konversation machen.«

»Katie, du kannst nichts dafür.« Ich drücke ihren Arm. »Das konntest du doch nicht wissen.«

»Aber was stimmt denn mit mir nicht?« Katie bleibt plötzlich einfach stehen. »Warum falle ich immer nur auf Arschlöcher rein?«

»Tust du doch gar nicht.«

»Doch! Mit wem war ich denn in letzter Zeit zusammen?« Sie zählt sie an den Fingern ab. »Daniel hat sich eine Menge Geld von mir geliehen und ist nach Mexiko verschwunden. Gary hat mich fallen gelassen, sobald ich ihm einen Job besorgt hatte. David ist fremdgegangen. Erkennst du da kein Muster?«

»Ich … ähm …«, stammle ich hilflos. »Vielleicht …«

»Ich glaube, ich sollte es einfach aufgeben.« Sie macht ein langes Gesicht. »Wahrscheinlich finde ich nie jemand Nettes.«

»Quatsch«, sage ich sofort. »Gib nicht auf! Katie, ich weiß genau, dass alles gut wird. Du wirst einen reizenden, lieben, wunderbaren Mann kennen lernen …«

»Aber wo?«, fragt sie ohne Hoffnung.

»Ich … weiß nicht.« Ich kreuze die Finger hinter dem Rücken. »Aber ich weiß, dass es so sein wird. Das spüre ich ganz deutlich.«

»Echt?« Sie stiert mich an. »Wirklich?«

»Absolut!« Ich denke kurz nach. »Ich hab eine Idee. Geh doch mal … heute Mittag zum Essen irgendwo anders hin. Irgendwo ganz anders. Vielleicht triffst du da ja jemanden.«

»Meinst du?« Sie sieht mich an. »Okay. Ich versuch's.«

Sie seufzt tief, und wir gehen weiter. »Das *einzig* Gute an dem Wochenende war«, fügt sie hinzu, als wir an der Ecke sind, »dass ich mit meinem neuen Top fertig geworden bin. Wie findest du es?«

Stolz zieht sie die Jacke aus und dreht sich herum, und ich starre sie einige Sekunden lang an und weiß nicht, was ich sagen soll.

Es ist ja nicht so, dass ich Gehäkeltes nicht *leiden* könnte …

Okay. Ich kann Gehäkeltes nicht leiden.

Vor allem keine grobmaschigen, rosafarbenen Rundhals-Tops. Man sieht den BH durch.

»Es ist … Wahnsinn«, bringe ich schließlich heraus. »Sensationell!«

»Ist das nicht toll?« Sie lächelt zufrieden. »Und es ging ganz schnell! Als Nächstes mache ich den passenden Rock dazu.«

»Tolle Idee«, sage ich schwach. »Du hast es echt drauf.«

»Ach, das ist ganz einfach. Und es macht Spaß.«

Sie lächelt bescheiden und zieht die Jacke wieder an. »Und

du?«, fragt sie, als wir die Straße überqueren. »Hattest du ein schönes Wochenende? Bestimmt. Ich wette, Connor war supersüß und romantisch. Ich wette, er hat dich zum Essen eingeladen oder so.«

»Er hat sogar vorgeschlagen, dass wir zusammenziehen«, sage ich ungeschickt.

»Echt?« Katie sieht mich wehmütig an. »Mensch, Emma, ihr beiden seid wirklich ein Traumpaar. Das lässt mich hoffen, dass es doch funktionieren kann. Bei euch wirkt alles so einfach.«

Das schmeichelt mir natürlich. Ich und Connor. Das Traumpaar. Vorbilder für andere.

»*So* einfach ist es auch wieder nicht«, sage ich bescheiden. »Ich meine, natürlich streiten wir uns auch mal, wie alle anderen auch.«

»Ehrlich?« Katie wirkt überrascht. »Ich habe euch noch nie streiten gesehen.«

»Natürlich streiten wir!«

Ich zerbreche mir kurz den Kopf, wann wir uns das letzte Mal richtig gezofft haben. Ich meine, natürlich *streiten* wir uns mal. Andauernd. Wie alle Paare. Das gehört doch dazu.

Komm schon, das ist doch Quatsch. Wir müssen doch …

Ach ja. Einmal am Fluss, da dachte ich, die großen weißen Vögel seien Gänse, und Connor meinte, es seien Schwäne. Genau. Wir sind normal. Ich wusste es.

Wir nähern uns dem Panther Building, und als wir die blassen Steinstufen mit den Granitpanthern darauf hinaufsteigen, werde ich ein bisschen nervös. Paul wird einen vollständigen Bericht über das Meeting mit Glen Oil erwarten.

Was soll ich sagen?

Nun ja, ich werde natürlich völlig offen und ehrlich sein. Ohne ihm unbedingt die ganze Wahrheit zu erzählen …

»He, guck mal.« Katie unterbricht meine Gedanken, und ich folge ihrem Blick. Durch die Glastür des Gebäudes sehe ich einen Menschenauflauf im Foyer. Das ist doch nicht normal. Was ist denn da los?

Um Himmels willen, hat es gebrannt oder so?

Als wir durch die schwere, gläserne Drehtür gehen, sehen wir uns erstaunt an. Es herrscht ein richtiger Aufruhr. Leute wuseln herum, jemand poliert das Messinggeländer, jemand anders staubt die Plastikpflanzen ab, und Cyril, der Senior Office Manager, scheucht die Leute zu den Aufzügen.

»Gehen Sie doch bitte in Ihre Büros! Wir möchten nicht, dass Sie sich alle hier am Empfang aufhalten. Sie sollten alle längst am Schreibtisch sitzen!« Er klingt total gestresst. »Es gibt hier überhaupt nichts zu sehen! Gehen Sie doch bitte an die Arbeit.«

»Was ist denn hier los?«, frage ich den Wachmann Dave, der mit einer Tasse Tee in der Hand an der Wand lehnt, wie immer. Er trinkt einen Schluck, schiebt ihn im Mund herum und grinst uns an.

»Jack Harper kommt.«

»*Was*?« Wir glotzen ihn an.

»Heute?«

»Im *Ernst*?«

In der Welt der Panther Corporation ist das, als wenn der Papst käme. Oder der Weihnachtsmann. Jack Harper ist einer der beiden Gründer der Panther Corporation. Er hat Panther Cola *erfunden*. Das weiß ich, weil ich ungefähr eine Million Waschzettel über ihn getippt habe. »1987 kauften die dynamischen Jungunternehmer Jack Harper und Pete Laidler die kränkelnde Softdrink-Firma Zoot auf, benannten Zootcola in Panther Cola um und schrieben mit dem neuen Slogan ›Don't Pause‹ Marketing-Geschichte.«

Kein Wunder, dass Cyril so aus dem Häuschen ist.

»Ungefähr in fünf Minuten.« Dave sieht auf die Uhr. »Mehr oder weniger.«

»Aber … wieso das denn?«, fragt Katie. »Ich meine, warum so plötzlich?«

Daves Augen blitzen. Er hat offensichtlich heute Morgen schon allen die Neuigkeit übermittelt und fühlt sich ausgesprochen wohl in seiner Rolle.

»Er will sich wohl mal den Betrieb hier in Großbritannien ansehen.«

»Ich dachte, er sei gar nicht mehr aktiv im Geschäft«, sagt Jane aus der Buchhaltung, die im Mantel zu uns gestoßen ist und ganz gespannt zugehört hat. »Ich dachte, seit Pete Laidlers Tod sei er untröstlich und hätte sich zurückgezogen. Auf seine Ranch oder was immer er da hat.«

»Das war vor drei Jahren«, wiegelt Katie ab. »Vielleicht geht es ihm jetzt besser.«

»Vielleicht will er uns auch verkaufen, das ist wohl wahrscheinlicher«, meint Jane düster.

»Warum sollte er das tun?«

»Weiß man's?«

»Meine Theorie«, sagt Dave, und wir stecken alle die Köpfe zusammen, »ist, dass er sich nur vergewissern will, ob die Pflanzen auch ordentlich glänzen.« Er nickt Richtung Cyril, und wir kichern alle.

»Passen Sie bloß auf!«, faucht Cyril. »Knicken Sie die Triebe nicht ab.« Er sieht auf. »Was machen Sie hier eigentlich noch?«

»Sind schon weg!«, sagt Katie, und wir gehen zur Treppe. Ich nehme immer die Treppe, dann muss ich nicht ins Fitnessstudio, und außerdem ist die Marketingabteilung glücklicherweise im ersten Stock. Auf dem Treppenabsatz quiekt Jane plötzlich: »Guckt mal! Ach du lieber Gott! Da ist er!«

Draußen ist eine Limousine vorgefahren und hält unmittelbar vor der Glastür.

Was haben manche Autos nur an sich? Sie wirken so glänzend und poliert, als bestünden sie aus einem anderen Metall als normale Autos.

Wie auf Kommando öffnen sich die Aufzugtüren auf der anderen Seite des Foyers, und Graham Hillingdon tritt heraus, unser Chief Executive, mit dem Managing Director und ungefähr sechs anderen im Schlepptau, die in ihren dunklen Anzügen allesamt makellos aussehen.

»Das reicht!«, zischt Cyril die armen Putzfrauen im Foyer an. »Geht! Hört auf!«

Gebannt wie Kinder sehen wir drei zu, wie die Tür der Limousine geöffnet wird. Einen Moment später steigt ein blonder Mann im dunkelblauen Mantel aus. Er trägt eine Sonnenbrille und hat eine sehr teuer wirkende Aktentasche dabei.

Wow. Er sieht nach einer Million Dollar aus.

Graham Hillingdon und die anderen sind inzwischen draußen und stellen sich auf den Treppenstufen auf. Sie schütteln ihm nacheinander die Hand und geleiten ihn dann hinein, wo Cyril sie in Empfang nimmt.

»Herzlich willkommen bei der Panther Corporation UK«, sagt Cyril geschwollen. »Ich hoffe, Sie hatten eine angenehme Reise.«

»Danke, es ging«, sagt der Mann mit amerikanischem Akzent.

»Wie Sie sehen, ist für uns heute ein *ganz normaler* Arbeitstag ...«

»He, guck mal«, flüstert Katie. »Kenny ist vor der Tür stecken geblieben.«

Kenny Davey, einer der Designer, drückt sich unsicher in Jeans und Turnschuhen auf der Treppe herum und kann sich nicht entschließen hereinzukommen. Er legt die Hand an die Tür, zieht sich dann wieder zurück, geht wieder zur Tür und späht vorsichtig herein.

»Kommen Sie rein, Kenny!«, sagt Cyril und öffnet die Tür mit einem ziemlich bösartigen Lächeln. »Einer unserer Designer, Kenny Davey. Sie hätten schon vor zehn Minuten hier sein sollen, Kenny. Nun ja.« Er schiebt Kenny zu den Aufzügen, dann sieht er hoch und scheucht uns gereizt weg.

»Denn man los«, sagt Katie, »wir gehen wohl besser.« Wir eilen die Treppe hoch und versuchen, nicht zu kichern.

Die Atmosphäre in der Marketingabteilung erinnert mich an das Gewusel in meinem Zimmer, kurz bevor wir früher zu Partys aufbrachen. Leute kämmen sich, besprühen sich mit Parfum, schieben Papier herum und schnattern aufgeregt. Als ich am Büro von Neil Gregg vorbeikomme, der für Medienstrategien zuständig ist, arrangiert er gerade seine Marketing-Preise auf dem Schreibtisch, und seine Assistentin Fiona poliert die gerahmten Fotos, die ihn mit Prominenten zusammen zeigen. Als ich meinen Mantel aufhänge, zieht mein Abteilungsleiter Paul mich beiseite.

»Was zum Teufel ist denn bei Glen Oil passiert? Ich habe heute Morgen eine sehr seltsame Mail von Doug Hamilton bekommen. Sie haben Limo über ihn geschüttet?«

Völlig schockiert starre ich ihn an. Doug Hamilton hat es ihm *gesagt*? Aber er hatte doch versprochen, das nicht zu tun!

»So war das nicht«, sage ich schnell. »Ich wollte nur die zahlreichen Qualitäten von Panther Prime demonstrieren, und da … da ist es einfach irgendwie übergelaufen.« Paul zieht die Augenbrauen hoch, und zwar nicht gerade freundlich.

»Okay. War vielleicht ein bisschen viel von Ihnen verlangt.«

»War es nicht«, sage ich schnell. »Ich meine, es wäre ja alles gut gelaufen, wenn … was ich sagen will, wenn Sie mir noch eine Chance geben, mache ich es besser. Versprochen.«

»Mal sehen.« Er guckt auf die Uhr. »Jetzt gehen Sie erst mal an die Arbeit. Ihr Schreibtisch ist ein einziges Chaos.«

»Okay. Ähm, wann ist mein Beurteilungsgespräch?«

»Emma, falls Sie es noch nicht mitgekriegt haben, Jack Harper ist heute im Hause«, sagt Paul sarkastisch. »Aber wenn Sie glauben, dass Ihr Beurteilungsgespräch wichtiger ist als der Mann, der die Firma *gegründet* hat ...«

»Ich meinte doch nicht ... ich wollte nur ...«

»Gehen Sie Ihren Schreibtisch aufräumen«, sagt Paul gelangweilt. »Und wenn Sie beschissenes Panther Prime über Harper schütten, fliegen Sie raus.«

Als ich zu meinem Schreibtisch flitze, kommt Cyril herein und sieht gereizt aus.

»Alle mal herhören!«, sagt er und klatscht in die Hände. »Hören Sie mir bitte kurz zu. Es handelt sich hier um einen ganz informellen Besuch, sonst nichts. Mr. Harper wird hereinkommen, vielleicht mit dem einen oder anderen kurz sprechen, sich anschauen, was Sie hier tun. Also verhalten Sie sich bitte alle ganz normal, aber natürlich auf höchstem Niveau ... Was sind das hier für Zettel?«, bellt er plötzlich, als er einen ordentlichen Stapel Abzüge in der Ecke neben Fergus Gradys Tisch entdeckt.

»Das sind ... äh ... die Abzüge für die neue Panther-Kaugummi-Kampagne«, sagt Fergus, der sehr schüchtern und kreativ ist. »Auf meinem Schreibtisch ist kein Platz dafür.«

»Na, hier können sie aber auch nicht liegen bleiben!« Cyril hebt sie auf und schiebt sie ihm hin. »Räumen Sie sie weg. Also, wenn er jemanden von Ihnen etwas fragt, seien Sie einfach freundlich und natürlich. Wenn er kommt, sind Sie bitte alle beschäftigt. Mit den typischen Arbeiten, die an einem ganz normalen Tag eben anfallen.« Er sieht sich geschäftig um. »Einige von Ihnen könnten telefonieren, andere am Computer arbeiten ... ein paar machen vielleicht ein kreatives Brainstorming ... Denken Sie daran, diese Abteilung ist das Herz der Firma. Die Panther Corporation ist für ihr brillantes Marketing berühmt!«

Er bricht ab, und wir glotzen ihn doof an.

»Auf geht's!« Er klatscht wieder in die Hände. »Stehen Sie nicht einfach herum. Sie!« Er zeigt auf mich. »Auf! Bewegen Sie sich!«

O Gott. Mein Schreibtisch sieht wirklich wüst aus. Ich ziehe eine Schublade auf, fege einen Haufen Papier einfach hinein und sortiere dann in einem Anflug leichter Panik meine Stifte in der Stiftebox. Am Schreibtisch nebenan zieht Artemis Harrison sich den Lippenstift nach.

»Das wird bestimmt anregend, ihn kennen zu lernen«, sagt sie und bewundert sich im Handspiegel. »Weißt du, eine Menge Leute glauben, dass er im Alleingang das Marketing revolutioniert hat.« Dann sieht sie mich an. »Neues Top, Emma? Woher?«

»Äh, French Connection«, sage ich nach einer Pause.

»Ich war am Wochenende bei French Connection.« Sie kneift die Augen zusammen. »Da habe ich es gar nicht gesehen.«

»Na ja, dann ist es wohl ausverkauft.« Ich wende mich ab und beschäftige mich mit meiner obersten Schublade.

»Wie sprechen wir ihn an?«, fragt Caroline. »Mr. Harper oder Jack?«

»Fünf Minuten mit ihm allein«, spricht Nick, einer der Marketing Executives, eifrig in sein Telefon. »Mehr brauche ich nicht. Fünf Minuten, um ihm die Idee für die Website kurz zu umreißen. Mensch, wenn er sich dafür begeistern könnte …«

Himmel, diese Aufregung ist ansteckend. Mit einem Adrenalinstoß greife ich nach dem Kamm und überprüfe mein Lipgloss. Man kann ja nie wissen. Vielleicht entdeckt er irgendwie mein verborgenes Potenzial. Vielleicht reißt er mich aus der Anonymität!

»Okay, Leute«, sagt Paul und kommt in die Abteilung geschritten. »Er ist auf diesem Stockwerk. Zuerst geht er in die Verwaltung ...«

»Erledigen Sie Ihre ganz normale Alltagsarbeit!«, befielt Cyril. »Jetzt!«

Verdammt. Was ist meine ganz normale Alltagsarbeit?

Ich nehme den Hörer ab und gebe meinen Voice-Mail-Code ein. Ich kann ja meine Nachrichten abhören.

Dabei sehe ich mich in der Abteilung um – und stelle fest, dass alle das Gleiche tun.

Wir können doch nicht *alle* telefonieren. Das ist doch bekloppt. Okay, dann schalte ich meinen Computer an und sehe ihm beim Hochfahren zu. Als der Monitor die Farbe wechselt, fängt Artemis plötzlich an, laut zu sprechen.

»Ich denke, der Kernpunkt des Konzepts ist die *Vitalität*«, und ihr Blick flackert immer wieder nervös Richtung Tür. »Verstehen Sie, was ich meine?«

»Äh, ja«, sagt Nick. »Ich meine, in einem modernen Marketing-Kontext müssen wir auf eine ... ähm ... Allianz von Strategie und zukunftsträchtiger Vision hinarbeiten ...«

Herrje, ist mein Computer heute langsam. Wenn Jack Harper kommt, starre ich bestimmt immer noch wie eine Blöde auf den Monitor.

Ich weiß, was ich mache. Ich bin einfach die, die sich gerade einen Kaffee holt. Das ist ja wohl das allernatürlichste.

»Ich gehe mir einen Kaffee holen«, sage ich selbstbewusst und stehe auf.

»Bringst du mir einen mit?«, fragt Artemis und sieht kurz auf. »Also jedenfalls, in meinem MBA-Kurs ...«

Die Kaffeemaschine steht in einer kleinen Nische neben der Tür zur Abteilung. Während ich darauf warte, dass die eklige Brühe in die Tasse rinnt, blicke ich auf und sehe Graham Hillingdon aus der Verwaltung kommen, gefolgt von ein paar anderen. Mist! Er kommt!

Okay. Locker bleiben. Warten, bis die zweite Tasse voll ist, ganz normal und natürlich.

Da ist er! Mit blondem Haar und teurem Anzug und Sonnenbrille. Zu meiner Überraschung tritt er beiseite.

Tatsächlich sieht niemand ihn an. Die Aufmerksamkeit richtet sich auf einen anderen. Einen Typen in Jeans und schwarzem Stehbundpulli, der jetzt herauskommt.

Ich bin fasziniert. Er dreht sich um, und als ich sein Gesicht sehe, spüre ich einen enormen Schlag, als ob mir eine Bowlingkugel mit voller Wucht in den Bauch prallt.

Ach du lieber Gott.

Das ist er.

Dieselben dunklen Augen. Dieselben Fältchen um sie herum. Die Bartstoppeln sind ab, aber er ist es eindeutig.

Der Mann aus dem Flugzeug.

Was macht der denn hier?

Und warum konzentrieren sie sich alle auf ihn? Er spricht jetzt, und sie hängen begierig an seinen Lippen.

Er dreht sich wieder herum, und ich ducke mich instinktiv, damit er mich nicht sieht. Was will er hier? Er kann doch nicht …

Das kann nicht …

Das kann doch unmöglich …

Mit wackligen Knien gehe ich an den Schreibtisch zurück und bemühe mich, keinen Kaffee zu verschütten.

»Hey«, sage ich mit leicht überschnappender Stimme zu Artemis. »Ähm … weißt du, wie Jack Harper aussieht?«

»Nein«, sagt sie und nimmt ihren Kaffee in Empfang. »Danke.«

»Dunkelhaarig«, sagt irgendwer.

»Dunkel?« Ich schlucke. »Nicht blond?«

»Er kommt in unsere Richtung!«, zischt jemand. »Er kommt!«

Ganz schwach sinke ich auf meinem Stuhl zusammen und nippe Kaffee, ohne etwas zu schmecken.

»… Paul Fletcher, der Chef der Abteilung für Marketing und Werbung«, höre ich Graham sagen.

»Schön, Sie kennen zu lernen, Paul«, sagt die bekannte, trockene amerikanische Stimme.

Er ist es. Definitiv. Okay, ganz ruhig bleiben. Vielleicht erinnert er sich gar nicht an mich. Es war ja nur ein einziger, kurzer Flug. Er fliegt bestimmt andauernd.

»Leute!« Paul führt ihn mitten ins Büro. »Ich freue mich, Ihnen unseren Gründungsvater vorstellen zu dürfen, den Mann, der eine ganze Generation von Marketing-Fachleuten beeinflusst und inspiriert hat – Jack Harper!«

Applaus bricht aus, und Jack Harper schüttelt lächelnd den Kopf. »Bitte«, sagt er. »Keine Aufregung. Fahren Sie einfach mit Ihrer normalen Arbeit fort.«

Er geht durchs Büro und bleibt hier und da stehen, um mit jemandem zu sprechen. Paul führt ihn herum, stellt ihm die Kollegen vor, und der blonde Mann folgt ihnen schweigend.

»Jetzt kommt er«, zischt Artemis, und in unserem Teil des Büros sind plötzlich alle ganz angespannt.

Ich bekomme Herzklopfen, ich schrumpfe auf dem Stuhl zusammen und versuche, mich hinter dem Computer zu verstecken. Vielleicht erkennt er mich nicht. Vielleicht erinnert er sich nicht. Vielleicht …

Mist. Er guckt mich an. In seinen Augen blitzt Überraschung auf, und er zieht die Brauen hoch.

Er hat mich wieder erkannt.

Bitte nicht hierher kommen, bete ich still. Bitte nicht herkommen.

»Und wer ist das?«, fragt er Paul.

»Das ist Emma Corrigan, eine unserer Junior Marketing Assistants.«

Er kommt auf mich zu. Artemis hat aufgehört zu reden. Alle gucken. Ich werde rot vor Scham.

»Hallo«, sagt er freundlich.

»Hallo«, bringe ich heraus. »Mr. Harper.«

Na gut, dann erkennt er mich eben. Aber das muss ja nicht heißen, dass er sich an irgendwas erinnert, was ich gesagt habe. Beliebiges Gequassel von einer, die zufällig neben ihm saß. Wer merkt sich so was schon? Vielleicht hat er nicht mal *zugehört*.

»Und was ist Ihre Aufgabe?«

»Ich, äh, gehe der Marketingabteilung zur Hand und arbeite an der Entwicklung von Werbekonzepten mit«, murmele ich.

»Emma war erst letzte Woche geschäftlich in Glasgow«, wirft Paul ein und grinst mich süffisant an. »Wir legen Wert darauf, auch jungen Mitarbeitern möglichst früh Verantwortung zu übertragen.«

»Das ist klug«, sagt Jack Harper und nickt. Er guckt auf meinem Schreibtisch herum und bleibt an dem Styroporbecher hängen. Dann sieht er auf und guckt mich an. »Wie ist der Kaffee?«, fragt er freundlich. »Schmeckt er?«

Plötzlich höre ich im Kopf wie vom Tonband wieder meine eigene, blöde Stimme plappern.

»*Der Kaffee auf der Arbeit ist das Ekelhafteste, was ich je getrunken habe, das reinste Gift ...*«

»Wunderbar«, sage ich. »Der Kaffee ist ... richtig toll.«

»Das freut mich zu hören.« Seine Augen blitzen vergnügt, und ich spüre, wie ich rot werde.

Er erinnert sich. Scheiße. Er erinnert sich.

»Und dies ist Artemis Harrison«, sagt Paul, »eine unserer begabtesten jungen Marketing Executives.«

»Artemis«, sagt Jack nachdenklich. Er geht auf ihren Arbeitsplatz zu. »Einen schönen, großen Schreibtisch haben Sie, Artemis.« Er lächelt sie an. »Neu?«

»… Neulich wurde ein neuer Schreibtisch geliefert, und sie hat ihn sich sofort unter den Nagel gerissen …«

Er weiß alles noch ganz genau. Alles.

O Gott. Was um Himmels willen habe ich sonst noch gesagt?

Ich bin mucksmäuschenstill, während Artemis irgendeine angeberische Antwort gibt, und setze mein freundlichstes Brave-Angestellte-Gesicht auf. Aber mein Gehirn spult hektisch zurück und versucht zu rekonstruieren, was ich alles gesagt habe. Schöner Mist, ich habe diesem Mann alles über mich erzählt. *Alles.* Ich habe ihm erzählt, was für Unterwäsche ich trage, und welche Eissorte ich am liebsten mag, und wie ich entjungfert wurde, und …

Mir gefriert das Blut.

Mir fällt etwas ein, was ich ihm besser nicht erzählt hätte.

Was ich besser niemandem erzählt hätte.

»… Ich weiß, dass ich das nicht hätte tun dürfen, aber ich wollte die Stelle unbedingt …«

Ich habe ihm erzählt, dass die Eins in meinem Lebenslauf gefälscht war.

Das war's dann wohl. Ich bin tot.

Er wird mich feuern. Auf meinem Zeugnis wird stehen, dass ich unredlich bin, und niemand wird mich je wieder einstellen, ich werde in einer Fernsehsendung über »Englands schlimmste Jobs« landen, Kuhfladen aufsammeln und gut gelaunt behaupten, »so schlimm ist das gar nicht, ehrlich«.

Luftholen. Keine Panik. Ich muss irgendwas tun können. Mich entschuldigen. Genau. Ich sage, es war ein Fehler, den ich zutiefst bedaure, und es war keineswegs meine Absicht, die Firma zu täuschen, und …

Quatsch. Ich sage einfach: »Doch, natürlich, ich hatte eine Eins, das hatte ich nur vergessen, ich Dummerchen!« Und dann fälsche ich ein ganzes Abschlusszeugnis mit so einem

Kalligraphie-Set. Er ist schließlich Amerikaner, das wird er gar nicht merken.

Nein. Er bekommt es heraus. Ogottogott.

Na ja, vielleicht reagiere ich über. Man muss das Ganze relativieren. Jack Harper ist ein wahnsinnig wichtiger Mann. Das sieht man ja schon. Er hat Limousinen und Lakaien und eine riesige Firma, die jedes Jahr Millionen macht. Da kann es ihm doch egal sein, ob eine seiner Angestellten eine popelige Eins hat oder nicht. Ist doch wahr.

Vor lauter Nervosität lache ich laut auf, und Artemis guckt mich strafend an.

»Ich freue mich wirklich sehr, Sie alle kennen zu lernen«, sagt Jack Harper und sieht sich im stillen Büro um, »und möchte Ihnen meinen Assistenten Sven Petersen vorstellen.« Er deutet auf den blonden Mann. »Ich bleibe ein paar Tage hier und hoffe, dass ich einige von Ihnen etwas besser kennen lernen kann. Sie wissen ja sicher, dass Pete Laidler, der mit mir zusammen die Firma gegründet hat, Engländer war. Aus diesem Grund, aber nicht nur deswegen, hatte dieses Land immer eine besondere Bedeutung für mich.«

Ein wohlwollendes Murmeln geht durch das Büro. Er hebt die Hand, nickt und geht hinaus, gefolgt von Sven und den ganzen Managern. Es herrscht Schweigen, bis er weg ist, dann bricht aufgeregtes Geplapper los.

Vor Erleichterung sacke ich in mir zusammen. Gott sei Dank. *Gott sei Dank.*

Also ehrlich, ich bin ja so bescheuert. Mir auch nur einen Moment lang einzubilden, dass Jack Harper sich an mein Gequatsche erinnern würde. Oder sich auch noch dafür interessieren! Mir einzubilden, dass er auch nur eine Sekunde seiner kostbaren, ausgefüllten Zeit auf so eine banale Kleinigkeit wie meinen getürkten Lebenslauf verschwendet! Als ich nach der Maus greife und ein neues Dokument öffne, lächle ich sogar.

»Emma.« Paul steht an meinem Schreibtisch. »Jack Harper will Sie sprechen«, sagt er knapp.

»Was?« Mein Lächeln schwindet. »Mich?«

»In fünf Minuten im Konferenzraum.«

»Hat er gesagt, warum?«

»Nein.«

Paul marschiert hinaus. Ich starre auf meinen Monitor, ohne etwas zu sehen, und mir wird schlecht.

Ich hatte doch Recht.

Ich werde gefeuert.

Ich verliere meinen Job wegen einer einzigen blöden Bemerkung auf einem einzigen blöden Flug.

Warum musste ich in die Business Class hochgestuft werden? Warum konnte ich nicht einfach meine dumme Klappe halten? Ich bin so ein *dämliches* Plappermaul.

»Warum will Jack Harper dich denn sprechen?«, fragt Artemis beleidigt.

»Keine Ahnung«, sage ich.

»Will er noch andere sprechen?«

»Weiß ich doch nicht!«, sage ich nervös.

Damit sie nicht noch mehr Fragen stellt, tippe ich mit wirrem Kreiseln im Kopf irgendeinen Unsinn in den Computer.

Ich darf diesen Job nicht verlieren. Ich kann nicht schon wieder eine Stelle in den Sand setzen.

Er kann mich nicht feuern. Das kann er einfach nicht machen. Es ist nicht fair. Ich wusste ja gar nicht, wer er ist. Es ist doch klar, wenn er mir *gesagt* hätte, dass er mein Arbeitgeber ist, hätte ich doch nichts von meinem Lebenslauf erzählt. Oder … irgendwas von alldem.

Und überhaupt, ich habe ja schließlich nicht mein *ganzes Zeugnis* gefälscht. Ich bin ja nicht vorbestraft oder so. Ich bin eine gute Angestellte. Ich gebe mir wirklich Mühe, und ich mache nicht *so* oft blau, *und* ich habe die ganzen Überstunden für die Sportswear-Promotion gemacht, *und* ich habe die Weihnachtstombola organisiert …

Ich tippe immer energischer, und mein Gesicht wird immer roter vor Erregung.

»Emma.« Paul sieht demonstrativ auf die Uhr.

»Ja, ja.« Ich atme tief ein und stehe auf.

Ich lasse mich nicht feuern. Das lasse ich einfach nicht zu.

Ich gehe durch das Büro und den Flur entlang zum Konferenzraum, klopfe an und öffne die Tür.

Jack Harper sitzt am Konferenztisch und kritzelt etwas in ein Notizbuch. Als ich hereinkomme, sieht er auf, und sein ernster Gesichtsausdruck dreht mir den Magen um.

Aber ich muss mich verteidigen. Ich *muss* diesen Job behalten.

»Hi«, sagt er. »Machen Sie bitte die Tür zu.« Er wartet, bis ich das erledigt habe, dann sieht er mich an. »Emma, wir müssen mal etwas besprechen.«

»Das ist mir klar«, sage ich und versuche, meine Stimme unter Kontrolle zu halten. »Ich würde gerne anfangen, wenn es geht.«

Einen Moment lang wirkt Jack Harper erstaunt – dann zieht er die Augenbrauen hoch.

»Natürlich. Nur zu.«

Ich gehe ein Stück auf ihn zu, hole tief Luft und sehe ihm direkt in die Augen.

»Mr. Harper, ich weiß, warum Sie mich sprechen wollen. Ich weiß, dass es falsch war. Ich war offensichtlich nicht ganz zurechnungsfähig, und das bedaure ich sehr. Ich möchte mich dafür aufrichtig entschuldigen, es wird nie wieder vorkommen. Aber zu meiner Verteidigung …« Ich merke, dass meine Stimme überzuschnappen droht. »Zu meiner Verteidigung kann ich nur sagen, ich hatte ja im Flugzeug keine Ahnung, wer Sie sind. Und ich finde, ich sollte nicht für etwas bestraft werden, was einfach ein dummer Fehler war.«

Pause.

»Sie denken, ich will Sie bestrafen?«, sagt Jack Harper schließlich stirnrunzelnd.

Wie kann er so herzlos sein?

»Natürlich! Ihnen muss doch klar sein, dass ich meinen Lebenslauf gar nicht erwähnt hätte, wenn ich gewusst hätte, wer Sie sind! Das war ja … eine richtige Falle! Vor Gericht würde die Anklage wahrscheinlich fallen gelassen. Da würden Sie nicht mal …«

»Ihr Lebenslauf?« Jack Harpers Gesicht entspannt sich. »Ach so! Die Eins in Mathe!« Sein Blick durchbohrt mich. »Das heißt, die falsche Eins.«

Es so laut ausgesprochen zu hören bringt mich zum Schweigen.

»Man könnte das wohl Betrug nennen«, sagt Jack Harper und lehnt sich zurück.

»Ich weiß. Ich weiß, dass ich einen Fehler gemacht habe. Ich hätte das nicht … Aber es hat ja nichts damit zu tun, ob ich gut arbeite. Es hat ja gar nichts zu *bedeuten*.«

»Finden Sie?« Er schüttelt gedankenvoll seinen Kopf. »Ich weiß nicht. Von einer Drei auf eine Eins … das ist schon ein ganz schöner Sprung. Was ist, wenn Sie hier etwas rechnen müssen?«

»Ich kann rechnen«, sage ich verzweifelt. »Fragen Sie mich doch etwas. Stellen Sie mir einfach eine Rechenaufgabe.«

»Okay.« Seine Mundwinkel zucken. »Acht mal neun.«

Ich starre ihn an, mit rasendem Herzen und leerem Kopf. Acht mal neun. Ich habe keine Ahnung. Mist. Also, einmal neun ist neun. Zweimal neun ist … Quatsch. Andersrum. Acht mal zehn ist achtzig. Also muss acht mal neun …

»Zweiundsiebzig!«, rufe ich und zucke zusammen, als er ein Lächeln andeutet. »Das macht zweiundsiebzig«, füge ich ruhiger hinzu.

»Sehr gut.« Er deutet höflich auf einen Stuhl. »War das alles, was Sie sagen wollten, oder gibt es noch mehr?«

Verwirrt reibe ich mir das Gesicht. »Sie … Sie feuern mich nicht?«

»Nein«, sagt Jack Harper geduldig. »Ich entlasse Sie nicht. Können wir jetzt miteinander reden?«

Als ich mich setze, kommt mir ein furchtbarer Verdacht.

»Wollten …« Ich muss mich räuspern. »Wollten Sie mich überhaupt wegen des Lebenslaufs sprechen?«

»Nein«, sagt er sanft. »Deswegen wollte ich Sie nicht sprechen.«

Ich will sterben.

Ich will genau jetzt und genau hier sterben.

»Ach so.« Ich streiche mir das Haar glatt, versuche, mich zusammenzunehmen und geschäftlich auszusehen. »Aha. Nun ja. Also, äh, was wollten Sie denn … worum …«

»Ich wollte Sie um einen kleinen Gefallen bitten.«

»Ach so!« Na, jetzt bin ich aber gespannt. »Was immer Sie wollen! Ich meine … worum geht es denn?«

»Aus verschiedenen Gründen«, sagt Jack Harper langsam, »wäre es mir lieb, wenn niemand erfährt, dass ich letzte Woche in Schottland war.« Er sieht mir in die Augen. »Deswegen möchte ich gern, dass Sie unsere kleine Begegnung für sich behalten.«

»Natürlich«, sage ich nach einer Pause. »Selbstverständlich. Absolut. Das kann ich ja tun.«

»Sie haben es noch niemandem erzählt?«

»Nein. Niemandem. Nicht mal meinem … ich meine, niemandem. Ich habe es wirklich noch keinem erzählt.«

»Gut. Vielen Dank, ich weiß das sehr zu schätzen.« Er lächelt und steht auf. »Es war nett, Sie wiederzusehen, Emma. Wir sehen uns sicher noch.«

»War das alles?«, frage ich erstaunt.

»Das war alles. Es sei denn, Sie möchten noch etwas besprechen.«

»Nein!« Ich stehe schnell auf und stoße mir am Tisch den Knöchel.

Was habe ich denn erwartet? Dass er mir anbietet, sein aufregendes, neues internationales Projekt zu leiten?

Jack Harper öffnet die Tür und hält sie mir zuvorkommend auf. Als ich schon halb draußen bin, fällt mir noch etwas ein. »Moment.«

»Ja?«

»Was soll ich den anderen sagen, warum Sie mich sprechen wollten?«, frage ich verlegen. »Sie werden mich alle fragen.«

»Sagen Sie doch einfach, wir hätten über Logistik gesprochen.« Er zieht die Augenbrauen hoch und schließt die Tür.

6

Den ganzen Tag über herrscht im Büro eine fast festliche Stimmung. Und ich sitze nur da und kann einfach nicht glauben, was gerade passiert ist. Abends auf dem Heimweg hämmert mein Herz immer noch, weil das alles so unglaublich ist. Weil das alles so *ungerecht* ist.

Er war ein Fremder. Er sollte ein *Fremder* bleiben. Der Witz an Fremden ist ja, dass sie dann wieder im Nichts verschwinden und man sie nie wieder sieht. Nicht etwa, dass sie dann im Büro auftauchen. Und nicht, dass sie fragen, was acht mal neun ist. Und erst recht nicht, dass sie sich als der große Oberboss und Arbeitgeber herausstellen.

Also eins habe ich jedenfalls gelernt. Meine Eltern haben schon immer gesagt, ich solle nicht mit Fremden sprechen, und da hatten sie wohl Recht. Ich werde nie wieder mit Fremden sprechen. *Nie.*

Für heute Abend habe ich mich mit Connor verabredet, und als ich bei ihm zu Hause ankomme, werde ich endlich wieder locker. Endlich weg vom Büro. Weg von dem endlosen Jack-Harper-Geschwätz. Und Connor kocht schon. Das ist ja wohl perfekt. Die Küche ist von wunderbarem Knoblauch-Kräuterduft erfüllt, und auf dem Tisch wartet ein Glas Wein auf mich.

»Hi«, sage ich und gebe Connor einen Kuss.

»Hi, Schatz«, sagt er und sieht vom Herd auf.

Mist. Ich habe ganz vergessen, Schatz zu sagen. Herrje, wie soll ich nur immer daran denken?

Ich weiß was. Ich schreibe es mir auf die Hand.

»Guck dir die mal an. Habe ich aus dem Internet gezogen.« Connor zeigt mit breitem Lächeln auf einen Ordner auf dem Tisch. Ich schlage ihn auf und sehe ein grobkörniges Schwarz-weißfoto von einem Zimmer mit einem Sofa und einer Topfblume darin.

»Wohnungsangebote!«, sage ich erstaunt. »Wow, das ging aber schnell. Wir haben ja noch nicht mal gekündigt.«

»Na ja, wir müssen ja mal anfangen zu gucken«, sagt Connor. »Guck mal, die hier hat einen Balkon. Und da ist eine mit offenem Kamin!«

»Wahnsinn.«

Ich setze mich hin, sehe mir das unscharfe Bild genauer an und stelle mir vor, dass Connor und ich dort wohnen. Und auf dem Sofa sitzen. Nur wir zwei, jeden Abend.

Worüber wir dann wohl reden werden?

Tja! Wir reden über … worüber wir immer reden.

Vielleicht spielen wir auch Monopoly. Nur, falls uns mal langweilig wird oder so.

Ich blättere auf die nächste Seite um und werde plötzlich ganz aufgeregt.

Diese Wohnung hat einen Holzfußboden und Fensterläden! Ich wollte schon *immer* Holzfußboden und Fensterläden! Und was für eine coole Küche, mit Granit-Arbeitsplatten …

Oh, das wird alles so toll. Ich kann es gar nicht erwarten!

Voller Vorfreude trinke ich einen Schluck Wein und lehne mich gerade entspannt zurück, als Connor sagt: »Und, ist das nicht aufregend, dass Jack Harper da ist?«

Och nö. Bitte. Nicht schon *wieder* dieser blöde Jack Harper.

»Hast du ihn getroffen?«, fragt er und kommt mit einem Schälchen Erdnüsse zu mir. »Ich habe gehört, dass er in der Marketing-Abteilung war.«

»Hm, ja, ich habe ihn gesehen.«

»Er war heute Nachmittag auch in der Marktforschung, aber ich war in einem Meeting.« Connor sieht mich gespannt an. »Und, wie ist er?«

»Er ist … ich weiß nicht. Dunkles Haar … Amerikaner … Und wie war das Meeting?«

Connor ignoriert meinen Versuch, das Thema zu wechseln, völlig.

»Ist doch echt spannend, oder?« Sein Gesicht ist gerötet. »Jack Harper!«

»Wahrscheinlich.« Ich zucke mit den Schultern. »Jedenfalls …«

»Emma! Findest du das nicht aufregend?« Connor guckt erstaunt. »Er ist der Gründer des Unternehmens! Er ist der Mann, der das Konzept für Panther Cola entwickelt hat. Der eine unbekannte Marke genommen, sie umbenannt und der ganzen Welt verkauft hat! Er hat eine marode Firma in ein riesiges, florierendes Unternehmen verwandelt. Und jetzt lernen wir ihn alle kennen. Findest du das nicht aufregend?«

»Ja«, sage ich schließlich. »Es ist … schon aufregend.«

»Das könnte für uns alle eine einmalige Gelegenheit sein. Vom Genie höchstpersönlich zu lernen! Du weißt doch, er hat nie ein Buch geschrieben, er hat seine Gedanken nie jemandem mitgeteilt, außer Pete Laidler …« Er holt sich eine Panther Cola aus dem Kühlschrank und öffnet sie. Connor ist wohl der loyalste Angestellte der Welt. Einmal habe ich bei einem Picknick eine Pepsi gekauft, da hätte er fast einen Herzinfarkt erlitten.

»Weißt du, was am allertollsten wäre?«, fragt er und trinkt einen Schluck. »Ihn mal unter vier Augen zu sprechen.« Er sieht mich mit glänzenden Augen an. »Unter vier Augen mit Jack Harper! Das wäre doch ein wahnsinniger Karrierekick, meinst du nicht?«

Unter vier Augen mit Jack Harper.

Jau, hat meiner Karriere einen prima Kick gegeben.

»Wahrscheinlich«, sage ich widerstrebend.

»Natürlich wäre es das! Einfach die Möglichkeit zu haben, ihm zuzuhören. Zu hören, was er zu sagen hat! Der Typ war drei Jahre lang wie vom Erdboden verschluckt. Was ihm in der Zeit alles für Ideen gekommen sein müssen! Er muss so viele Ideen und Theorien haben, nicht nur über Marketing, sondern überhaupt über das Geschäft … darüber, wie die Menschen ticken … über das ganze Leben.«

Connors Enthusiasmus wirkt wie Salz in meinen Wunden. Schauen wir doch mal genauer, wie gründlich ich alles verbockt habe. Ich sitze im Flugzeug neben dem großen Jack Harper, dem kreativen Genie und der Quelle aller Weisheit in Sachen Betriebswirtschaft und Marketing, ganz zu schweigen von den großen Mysterien des Lebens im Allgemeinen. Ein perfektes Ausgangsszenario.

Und was mache ich? Stelle ich ihm tiefschürfende Fragen? Verwickle ich ihn in ein intelligentes Gespräch? Lerne ich überhaupt irgendetwas von ihm?

Nein. Ich quassele über meine Wäschevorlieben.

Cleverer Karriereschachzug, Emma. Ganz groß.

Am nächsten Tag muss Connor früh zu einem Meeting, aber vorher gräbt er noch einen alten Zeitschriftenartikel über Jack Harper aus.

»Lies mal«, sagt er mit dem Mund voll Toast. »Das bietet ganz gute Hintergrundinformationen.«

Ich pfeife auf Hintergrundinformationen!, würde ich gerne entgegnen, aber Connor ist schon zur Tür hinaus.

Die Versuchung, den Artikel hier liegen zu lassen und nicht mal hineinzugucken, ist groß, aber die Fahrt von Connors Wohnung zur Arbeit dauert ziemlich lang und ich habe sonst nichts zu lesen dabei. Also nehme ich den Artikel mit und lese ihn widerwillig in der U-Bahn; tatsächlich ist er ganz interessant. Es geht um die Freundschaft zwischen Jack Harper und Pete Laidler und wie sie sich entschieden haben, ins Geschäft einzusteigen, und dass Jack der kreative Typ war und Pete der extrovertierte Playboy, und dass sie zusammen Multimillionäre geworden sind und sie sich so nahe standen wie Brüder. Und dann kam Pete bei einem Autounfall ums Leben. Jack war so niedergeschmettert, dass er sich von der Welt zurückzog und alles aufgeben wollte.

Jetzt, wo ich all das lese, komme ich mir natürlich etwas blöd vor. Ich hätte Jack Harper erkennen müssen. Ich meine, Pete Laidler hätte ich auf jeden Fall erkannt. Erstens sieht er aus – sah er aus – wie Robert Redford. Und zweitens war er nach seinem Tod dauernd in der Zeitung. Ich erinnere mich jetzt wieder genau daran, obwohl ich damals noch gar nichts mit der Panther Corporation am Hut hatte. Er hat seinen Mercedes zu Schrott gefahren, und es hieß immer, es sei gewesen wie bei Prinzessin Diana.

Ich bin so in den Artikel vertieft, dass ich fast meine Haltestelle verpasse und zur Tür stürzen muss, wo einen dann alle angucken und denken: Blöde Kuh, weiß die nicht, wann ihre Haltestelle kommt? Als die Türen sich hinter mir schließen, merke ich, dass ich den Artikel in der Bahn vergessen habe. Auch egal. Das Wesentliche weiß ich ja jetzt.

Es ist ein strahlend sonniger Morgen, und ich steuere auf die Saftbar zu, die ich meistens vor der Arbeit kurz besuche. Ich habe mir angewöhnt, mir dort jeden Morgen einen kleinen Mango Smoothie zu gönnen, weil das gesund ist.

Und außerdem weil Aidan da arbeitet, dieser süße Neuseeländer. (Tatsächlich war ich ganz kurz ein bisschen in ihn verknallt, bevor die Sache mit Connor ernst wurde.) Wenn er nicht in der Saftbar arbeitet, studiert er Sportwissenschaft, und er erklärt mir immer alles Mögliche über lebenswichtige Mineralien und den Tagesbedarf an Kohlenhydraten.

»Hi«, begrüßt er mich. »Wie läuft's beim Kickboxen?«

»Oh«, sage ich leicht errötend. »Prima, danke.«

»Hast du die neue Technik ausprobiert, von der ich dir erzählt habe?«

»Ja! Damit geht es wirklich besser.«

»Habe ich mir doch gedacht«, sagt er zufrieden und geht mir meinen Mango Smoothie machen.

Na gut. Die Wahrheit ist, ich kickboxe überhaupt nicht. Ich habe es einmal ausprobiert, im Fitnessstudio um die Ecke, und war, ehrlich gesagt, entsetzt. Ich hatte ja keine Ahnung, dass das so *brutal* ist! Aber Aidan war so begeistert davon und hat mir vorgeschwärmt, wie es mein Leben verändern würde, da habe ich es nicht übers Herz gebracht, ihm zu sagen, dass ich nach einer Stunde schon aufgegeben hatte. Das kam mir so schwach vor. Also habe ich ein bisschen … geflunkert. Und es ist ja auch wirklich unwichtig. Er wird es nie erfahren. Ich sehe ihn ja nur in der Saftbar.

»Hier kommt dein Mango Smoothie«, sagt Aidan.

»Und einen Schokoladenbrownie bitte«, sage ich. »Für … meine Kollegin.« Aidan lässt einen Brownie in eine Tüte plumpsen.

»Deine Kollegin sollte mal darüber nachdenken, wie viel raffinierten Zucker sie konsumiert«, sagt er mit besorgtem Stirnrunzeln. »Das sind ja jetzt schon – vier Brownies diese Woche?«

»Ich weiß«, sage ich ernst. »Ich spreche sie mal drauf an. Danke, Aidan.«

»Gern geschehen«, sagt Aidan. »Und vergiss nicht: eins-zwei-drehen!«

»Eins-zwei-drehen«, wiederhole ich strahlend. »Das vergesse ich bestimmt nicht!«

Ich bin kaum in der Firma angekommen, da kommt Paul auch schon aus seinem Büro, schnalzt mit dem Finger nach mir und sagt: »Beurteilungsgespräch.«

Mein Magen macht einen mächtigen Ruck, und ich ersticke fast am letzten Bissen des Schokoladenbrownies. O Gott. Das war's dann wohl. Ich bin überhaupt nicht vorbereitet.

Bin ich wohl. Komm schon. Selbstbewusstsein ausstrahlen. Ich bin eine Frau, die ein Ziel hat.

Plötzlich fallen mir Kerry und ihr Ich-bin-eine-erfolgreiche-Frau-Gang ein. Ich weiß, dass Kerry eine ekelhafte Ziege ist, aber sie hat ein eigenes Reisebüro und verdient Unmengen von Geld. Irgendwas muss sie wohl richtig machen. Vielleicht sollte ich es einfach mal versuchen. Ich drücke die Brust heraus, hebe das Kinn an und schreite mit entschlossenem, wachsamem Gesichtsausdruck durchs Büro.

»Haben Sie Regelschmerzen oder so?«, fragt Paul grob, als ich an seiner Tür bin.

»Nein«, sage ich schockiert.

»Sie sehen so komisch aus. Setzen Sie sich.« Er schließt die Tür, setzt sich an den Schreibtisch und zieht ein Formular mit dem Titel »Protokoll Beurteilungsgespräch« heraus. »Tut mir Leid, dass es gestern nicht mehr geklappt hat. Aber durch die Ankunft von Jack Harper ist alles durcheinander geraten.«

»Macht ja nichts.«

Ich versuche zu lächeln, aber plötzlich ist mein Mund ganz trocken. Erstaunlich, wie nervös ich plötzlich bin. Das ist ja schlimmer als Schulzeugnisse.

»Also dann. Emma Corrigan.« Er sieht auf das Formular und kreuzt Kästchen an. »Insgesamt arbeiten Sie gut. Sie kommen normalerweise nicht zu spät … Sie verstehen die Ihnen übertragenen Aufgaben … Sie arbeiten ziemlich effizient … Sie arbeiten gut mit den Kollegen zusammen … bla bla … bla … Irgendwelche Probleme?«, fragt er und sieht auf.

»Äh … nein.«

»Fühlen Sie sich aufgrund Ihrer Hautfarbe belästigt?«

»Äh … nein.«

»Gut.« Wieder kreuzt er etwas an. »Das war's eigentlich schon. Alles klar. Schicken Sie mir dann bitte Nick herein?«

Wie bitte? Hat er es vergessen?

»Ähm, was ist denn mit meiner Beförderung?«, frage ich und versuche, es nicht allzu flehentlich klingen zu lassen.

»Beförderung?« Er starrt mich an. »Was für eine Beförderung?«

»Zum Marketing Executive.«

»Wie kommen Sie denn darauf?«

»Das stand doch da. Ich meine, in der Stellenanzeige …« Ich ziehe die zerknüllte Anzeige, die ich gestern extra eingesteckt hatte, aus der Hosentasche. »›Beförderung nach einem Jahr möglich.‹ Steht hier.« Ich schiebe die Anzeige über den Tisch, und er sieht sie stirnrunzelnd an.

»Emma, das galt nur für außergewöhnliche Bewerber. Sie sind noch nicht reif für eine Beförderung. Sie müssen sich erst beweisen.«

»Aber ich mache doch alles so gut wie möglich! Geben Sie mir doch wenigstens eine Chance …«

»Sie hatten Ihre Chance bei Glen Oil.« Paul zieht die Augenbrauen hoch, und ich fühle mich erniedrigt. »Emma, es bleibt dabei, Sie sind noch nicht so weit. In einem Jahr schauen wir noch mal.«

In *einem* Jahr?

»Okay? Und jetzt raus mit Ihnen.«

Meine Gedanken rasen. Ich muss das ruhig und würdevoll akzeptieren. Ich muss etwas sagen wie »ich respektiere Ihre Entscheidung, Paul«, ihm die Hand schütteln und den Raum verlassen. Das muss ich tun.

Das einzige Problem ist, ich komme nicht von diesem Stuhl hoch.

Ein paar Augenblicke später sieht Paul mich verwundert an. »Das war alles, Emma.«

Ich kann mich nicht bewegen. Wenn ich diesen Raum verlasse, ist alles vorbei.

»Emma?«

»Bitte befördern Sie mich«, sage ich verzweifelt. »Bitte. Ich muss befördert werden, um meine Familie zu beeindrucken. Das ist das Einzige auf der ganzen Welt, was ich mir wünsche, und ich werde ganz hart arbeiten, das verspreche ich, ich komme auch am Wochenende und ich … ich trage Kostüme …«

»*Bitte?*« Paul starrt mich an, als sei ich plötzlich zum Goldfisch geworden.

»Sie müssen mir auch nicht mehr bezahlen! Ich mache genau die gleiche Arbeit wie vorher. Und meine neuen Visitenkarten bezahle ich auch selbst! Ich meine, dann macht das doch für Sie gar keinen Unterschied! Sie werden nicht mal *merken*, dass ich befördert wurde!«

Keuchend breche ich ab.

»Emma, ich fürchte, Sie haben nicht ganz verstanden, worum es bei einer Beförderung geht«, sagt Paul sarkastisch. »Tut mir Leid, aber nein. Jetzt erst recht nicht.«

»Aber …«

»Emma, hören Sie mal zu. Wenn Sie vorankommen wollen, dann müssen Sie sich Ihre Chancen selbst schaffen. Sie müssen für sich Gelegenheiten herausarbeiten. So, und jetzt hauen Sie endlich ab, und schicken Sie mir Nick rein.«

Als ich gehe, sehe ich ihn die Augen zur Decke verdrehen und noch etwas in mein Formular kritzeln.

Na wunderbar. Wahrscheinlich schreibt er »Unzurechnungsfähige Irre, medizinische Hilfe anfordern«.

Als ich niedergeschlagen an meinen Schreibtisch zurückkehre, mustert Artemis mich aufmerksam. »Oh, Emma«, sagt sie, »deine Cousine Kerry hat gerade angerufen.«

»Echt?«, frage ich überrascht. Kerry ruft mich nie bei der Arbeit an. Sie ruft mich überhaupt nie an. »Hat sie gesagt, was sie wollte?«

»Ja, hat sie. Sie wollte fragen, ob du schon was von deiner Beförderung gehört hast.«

Okay. Jetzt ist es offiziell. Ich hasse Kerry.

»Ach so«, sage ich, als sei das eine ganz langweilige und alltägliche Frage. »Danke.«

»Du wirst befördert, Emma? Wusste ich gar nicht!« Ihre Stimme ist schrill und durchdringend, und ein paar Kollegen heben interessiert den Kopf. »Wirst du jetzt Marketing Executive?«

»Nein«, murmele ich und bekomme vor Scham einen roten Kopf. »Werde ich nicht.«

»Oh!« Artemis tut verwirrt. »Aber warum hat sie dann …«

»Halt die Klappe, Artemis«, sagt Caroline. Dankbar lächle ich sie an und lasse mich auf den Stuhl plumpsen.

Noch ein ganzes Jahr. Noch ein ganzes langes Jahr als blöde Marketing-Assistentin, in dem alle glauben, ich bin zu nichts nütze. Noch ein ganzes Jahr lang bei Dad Schulden haben und von Kerry und Nev ausgelacht werden und mich total beschissen fühlen. Ich schalte den Computer ein und tippe mutlos ein paar Wörter ein. Plötzlich ist all meine Energie dahin.

»Ich gehe mir einen Kaffee holen«, sage ich. »Möchte sonst noch jemand einen?«

»Es gibt keinen Kaffee«, sagt Artemis und guckt schon wieder so komisch. »Hast du es noch nicht gesehen?«

»Was?«

»Dass sie uns die Kaffeemaschine weggenommen haben«, sagt Nick. »Als du bei Paul drin warst.«

»Weggenommen?« Das überrascht mich. »Warum das denn?«

»Keine Ahnung«, sagt er und geht auf Pauls Büro zu. »Sie haben sie gerade abgeholt.«

»Wir bekommen eine neue!«, sagt Caroline, die mit einem Stapel Papier auf dem Arm vorbeikommt. »Haben sie jedenfalls unten gesagt. Eine richtig gute, die ordentlichen Kaffee macht. Anweisung von Jack Harper anscheinend.«

Sie geht weiter, und ich starre ihr hinterher.

Jack Harper hat eine neue Kaffeemaschine angeordnet?

»Emma!«, sagt Artemis ungeduldig. »Hast du gehört? Du sollst mir den Prospekt suchen, den wir vor zwei Jahren für die Tesco-Promotion gemacht haben. Tschuldigung, Mum«, sagt sie ins Telefon hinein. »Ich habe mit meiner Assistentin gesprochen.«

Ihre Assistentin. Mann, das nervt mich vielleicht, wenn sie das sagt.

Aber im Moment bin ich viel zu verwirrt, um mich darüber aufzuregen.

Es hat nichts mit mir zu tun, versichere ich mir selbst, als ich ganz unten im Aktenschrank wühle. Ist ja lächerlich zu glauben, dass es irgendwas mit mir zu tun hätte. Er wollte wahrscheinlich ohnehin die Kaffeemaschinen auswechseln. Er wollte wahrscheinlich …

Mit einem Stapel Akten auf dem Arm richte ich mich auf und lasse beinahe alles fallen.

Da ist er.

Er steht direkt vor mir.

»Hallo.« Er hat Lachfältchen um die Augen. »Wie läuft's?«

»Äh … gut, danke.« Ich schlucke. »Ich habe gerade von der neuen Kaffeemaschine gehört. Hm … danke.«

»Gern geschehen.«

»Hören Sie mal bitte kurz her.« Paul ist hinter ihm aufgetaucht. »Mr. Harper wird heute Vormittag bei uns hospitieren.«

»Bitte«, lächelt Jack Harper, »nennen Sie mich doch Jack.«

»Gut. *Jack* wird heute Vormittag hier hospitieren. Er guckt einfach zu, was Sie tun, und möchte sehen, wie wir als Team zusammenarbeiten. Machen Sie bitte ganz normal weiter, inszenieren Sie nichts Besonderes.« Pauls Augen bleiben an mir hängen, und er lächelt mich anbiedernd an. »Emma, wie geht es Ihnen? Alles klar?«

»Äh, ja, danke, Paul«, murmele ich. »Alles bestens.«

»Gut! Schön, wenn die Angestellten zufrieden sind. Und wo Sie gerade alle zuhören«, er hüstelt etwas unsicher, »möchte ich Sie auch noch an den Corporate Family Day erinnern, nächste Woche Samstag. Das ist eine wunderbare Gelegenheit für uns alle, uns etwas näher kennen zu lernen, einander unsere Familien vorzustellen und zusammen einen lustigen Tag zu verbringen.«

Wir können es alle gar nicht fassen. Bisher hat Paul den Tag immer Kackomat Family Day genannt und gesagt, er würde sich lieber kastrieren lassen, als dass er auch nur ein Mitglied seiner Familie mitbrächte.

»So, und jetzt bitte wieder an die Arbeit! Jack, hier ist ein Stuhl für Sie.«

»Beachten Sie mich einfach gar nicht«, sagt Jack Harper

freundlich und setzt sich in die Ecke. »Machen Sie alles wie immer.«

Alles wie immer. Klar. Natürlich.

Das hieße mich hinsetzen, Schuhe ausziehen, E-Mails abrufen, Handcreme auftragen, ein paar Smarties essen, mein Horoskop in *iVillage* lesen, Connors Horoskop lesen, ein paarmal in geschwungenen Buchstaben »Emma Corrigan, Managing Director« auf meinen Notizblock schreiben, eine Blumenborte drumherum malen, Connor eine E-Mail schicken, ein paar Minuten warten, ob er antwortet, einen Schluck Mineralwasser trinken, und dann schließlich irgendwann für Artemis den Tesco-Prospekt suchen.

Wohl kaum.

Als ich mich wieder an den Schreibtisch setze, arbeitet mein Gehirn auf Hochtouren. Sie müssen sich Ihre Chancen selbst schaffen. Sie müssen für sich Gelegenheiten herausarbeiten. Hat Paul gesagt.

Na, wenn das hier nicht eine Gelegenheit ist.

Jack Harper höchstpersönlich beobachtet mich bei der Arbeit. Der große Jack Harper. Der Chef des ganzen Unternehmens. Ich werde ihn ja wohl *irgendwie* beeindrucken können.

Nun ja, vielleicht habe ich nicht den allerbesten Anfang dafür gewählt. Aber jetzt habe ich ja die Gelegenheit, mich zu rehabilitieren! Wenn ich ihm nur irgendwie zeigen kann, wie klug und motiviert ich bin …

Ich blättere durch das Promotionmaterial und merke plötzlich, dass ich viel gerader sitze als sonst, als wäre ich hier in der Rückenschule. Ein Blick durch das Büro zeigt, dass alle anderen ebenfalls in der Rückenschule sitzen. Bevor Jack Harper ankam, hat Artemis mit ihrer Mutter telefoniert, aber jetzt hat sie ihre Hornbrille aufgesetzt und tippt wie wild, dabei macht sie gelegentlich Pausen und grinst das, was sie getippt hat, mit einem Was-bin-ich-doch-für-ein-Genie-Lächeln an. Nick hat vorher den Sportteil des *Telegraph* gelesen, aber jetzt brütet er über irgendwelchen Akten mit Kurvendiagrammen drin und runzelt angestrengt die Stirn.

»Emma«, sagt Artemis falsch freundlich. »Hast du den Prospekt gefunden, um den ich dich gebeten hatte? Es ist zwar nicht *so* eilig …«

»Ja, habe ich!«, sage ich. Ich schiebe den Stuhl zurück, stehe auf und gehe zu ihrem Tisch hinüber. Ich versuche, so natürlich wie möglich zu wirken. Aber du lieber Himmel, das ist wie im Fernsehen oder so. Meine Beine tun nicht, was sie sollen, und mir klebt ein Lächeln im Gesicht, und ich habe die grauenhafte Vorstellung, dass ich plötzlich »Unterhose!« oder so etwas schreien muss.

»Bitte, Artemis«, sage ich und lege den Prospekt vorsichtig auf ihren Tisch.

»Herzlichen Dank«, sagt Artemis. Ich begegne ihrem strahlenden Blick und stelle fest, dass sie auch schauspielert. Sie legt ihre Hand auf meine und lächelt mich blitzend an. »Was täten wir bloß ohne dich, Emma!«

»Das mache ich doch gerne!«, behaupte ich im gleichen Tonfall. »Jederzeit!«

Scheiße, denke ich auf dem Rückweg zu meinem Schreibtisch. Ich hätte etwas Schlaueres sagen sollen. Zum Beispiel »Das ganze Unternehmen lebt doch von der Zusammenarbeit.«

Okay, egal. Ich kann ihn ja immer noch beeindrucken.

In dem Versuch, mich so normal wie möglich zu verhalten, öffne ich eine Datei und tippe mit kerzengeradem Rücken so schnell und effektiv ich kann. So still habe ich das Büro noch nie erlebt. Alle klappern vor sich hin, niemand spricht. Wie in einer Prüfung. Mein Fuß juckt, aber ich traue mich nicht, mich zu kratzen. Ich bin jetzt schon völlig fertig, dabei sind erst fünf Minuten rum.

»Ganz schön ruhig hier«, sagt Jack Harper mit erstauntem Unterton. »Sind Sie immer so still?«

»Ähm …« Wir sehen uns alle unsicher an.

»Kümmern Sie sich einfach nicht um mich. Unterhalten Sie sich, wie immer. Sie müssen doch bei der Arbeit über irgendwas sprechen.« Er lächelt freundlich. »Als ich noch im Großraumbüro gearbeitet habe, haben wir über alles Mögliche geredet. Politik, Bücher … Was haben Sie denn in letzter Zeit so gelesen?«

»Ich lese gerade die neue Biographie von Mao Tse-tung«, sagt Artemis sofort. »Sehr beeindruckend.«

»Ich stecke mitten in der Geschichte Europas im vierzehnten Jahrhundert«, sagt Nick.

»Und ich lese mal wieder Proust«, sagt Caroline mit bescheidenem Achselzucken. »Im französischen Original.«

»Aha.« Jack Harper nickt mit undurchdringlichem Gesicht. »Und … Emma, so heißen Sie doch? Was lesen Sie gerade?«

»Äh, also …« Ich schlucke, um Zeit zu gewinnen.

Ich kann ja nicht gut sagen *Kritzeleien von Prominenten – Was sagen sie aus?* Obwohl das wirklich ein gutes Buch ist. Schnell. Irgendeinen Klassiker.

»Hast du nicht *Große Erwartungen* gelesen, Emma?«, sagt Artemis. »Mit deinem Lesekreis.«

»Ja!«, sage ich erleichtert. »Ja, genau …«

Und dann breche ich abrupt ab, als ich Jack Harpers Blick begegne.

Scheiße.

Plötzlich höre ich wieder meine eigene Stimme im Flugzeug brabbeln.

»… *nur den Klappentext überflogen und so getan, als hätte ich es gelesen* …«

»*Große Erwartungen*«, sagt Jack Harper nachdenklich. »Und, wie hat es Ihnen gefallen, Emma?«

97

Unfassbar, dass er mich das fragt.

Ein paar Augenblicke lang kann ich gar nichts sagen.

»Na ja«, räuspere ich mich schließlich. »Ich fand es ... es war wirklich ... sehr ...«

»Es ist ein wunderbares Buch«, sagt Artemis ernst. »Wenn man die Symbolik erst mal richtig durchschaut hat.«

Halt die *Klappe*, blöde Angeberin. O Gott. Was soll ich sagen?

»Ich fand, dass es richtig ... schwingt«, sage ich schließlich.

»Was schwingt?«, fragt Nick.

»Die ... ähm ...« Ich räuspere mich. »Die Schwingungen.«

Es herrscht erstauntes Schweigen.

»Die Schwingungen ... schwingen?«, fragt Artemis.

»Ja«, sage ich trotzig. »Das tun sie. Und ich muss jetzt weiterarbeiten.« Ich verdrehe die Augen, wende mich ab und tippe fieberhaft. Na gut. Die Buchdiskussion lief also nicht so gut. Aber das war einfach Pech. Positiv denken! Ich kann ihn immer noch beeindrucken ...

»Ich weiß einfach nicht, was sie hat!«, sagt Artemis betont niedlich. »Ich gieße sie jeden Tag.«

Sie fummelt an ihrer Grünlilie herum und lächelt Jack Harper gewinnend an. »Kennen Sie sich mit Pflanzen aus, Jack?«

»Ich fürchte nicht«, sagt Jack und sieht mit unbewegtem Gesicht zu mir herüber. »Emma, was glauben Sie denn, was mit der Pflanze nicht stimmt?«

»... *manchmal, wenn Artemis mir auf die Nerven geht* ...«

»Ich ... ich habe keine Ahnung«, behaupte ich und tippe mit knallrotem Kopf weiter.

Okay. Egal. Macht ja nichts. Dann habe ich eben eine kleine Pflanze mit Orangensaft gegossen. Na und?

»Hat jemand meine Weltmeisterschaftstasse gesehen?«, fragt Paul, der mit gerunzelter Stirn ins Büro kommt. »Ich finde sie einfach nirgends.«

»... *mir ist letzte Woche die Tasse meines Chefs kaputtgegangen, und ich habe die Scherben einfach in meiner Handtasche verschwinden lassen* ...«

Mist.

Okay. Egal. Habe ich eben auch noch eine kleine Tasse kaputtgemacht. Macht auch nichts. Einfach weitertippen.

»Hey, Jack«, sagt Nick im Kumpelton. »Nicht, dass Sie denken, wir hätten hier keinen Spaß. Sehen Sie mal da!« Er deutet mit dem Kopf auf die Fotokopie eines Hinterns im Stringtanga, die seit Weihnachten am schwarzen Brett hängt. »Wir wissen immer noch nicht, wer das ist ...«

»... *ich bei der letzten Weihnachtsfeier ein bisschen zu viel getrunken habe* ...«

Okay, jetzt will ich sterben. Kann mich bitte jemand umbringen?

»Hi, Emma!«, ertönt die Stimme von Katie, die mit vor Aufregung gerötetem Gesicht ins Büro gestürmt kommt. Als sie Jack Harper sieht, bleibt sie abrupt stehen. »Oh!«

»Schon in Ordnung. Ich sitze hier nur so rum.« Er winkt freundlich ab. »Nur zu. Sagen Sie, was auch immer Sie sagen wollten.«

»Hi, Katie«, bringe ich heraus. »Was gibt's?«

Als ich ihren Namen ausspreche, sieht Jack Harper wieder auf, und zwar mit einem sehr gespannten Gesichtsausdruck.

Der mir überhaupt nicht gefällt.

Was habe ich ihm denn über Katie erzählt? Was? Mein Gehirn spult hektisch zurück. Was habe ich gesagt? Was habe ich ...

Mir dreht sich der Magen um. O Gott.

»... *Wir haben eine Art Geheimcode, wenn sie reinkommt und fragt, ob sie ein paar Zahlen mit mir durchgehen kann, bedeutet das, ob ich kurz mit ihr zu Starbucks gehe* ...«

Ich habe ihm unseren Schwänzcode verraten.

Verzweifelt starre ich Katie an und versuche, ihr diese Message irgendwie zu übermitteln.

Sag es nicht. Sag *nicht*, dass du ein paar Zahlen mit mir durchgehen möchtest.

Aber sie merkt überhaupt nichts.

»Ich wollte nur … äh …« Sie räuspert sich geschäftsmäßig und schielt unsicher zu Jack Harper hinüber. »Ich würde gern eben ein paar Zahlen mit dir durchgehen, Emma.«

Verdammt.

Ich werde knallrot. Mein ganzer Körper kribbelt.

»Ach, das tut mir Leid«, sage ich schrill und gekünstelt, »ich glaube, das schaffe ich heute nicht mehr.«

Katie starrt mich entgeistert an.

»Aber ich muss … ich *brauche* dich, um diese Zahlen durchzusprechen.« Sie nickt aufgeregt.

»Aber ich habe hier so viel zu tun, Katie!« Ich zwinge mich zu einem Lächeln und versuche gleichzeitig, ein »Halt die Klappe« zu funken.

»Es dauert auch nicht lange! Nur kurz eben.«

»Es geht einfach nicht.«

Katie hüpft fast von einem Fuß auf den anderen.

»Aber Emma, es sind sehr … *wichtige* Zahlen. Ich muss wirklich … mit dir darüber sprechen …«

»Emma.« Jack Harpers Stimme lässt mich zusammenzucken, als wäre ich gestochen worden. Er beugt sich vertraulich zu mir herüber. »Vielleicht sollten Sie wirklich diese Zahlen durchgehen.«

Ein paar Augenblicke lang starre ich ihn an. Mein Mund ist wie zugeschnürt, das Blut rauscht mir in den Ohren.

»Gut«, bringe ich nach einer langen Pause heraus. »Okay. Dann tue ich das mal.«

7

Als ich mit Katie auf der Straße bin, ist eine Hälfte von mir ganz benommen vor Schreck, die andere Hälfte würde gern in hysterisches Gelächter ausbrechen. Alle anderen sitzen im Büro und wetteifern darum, Jack Harper zu beeindrucken. Und ich spaziere einfach vor seiner Nase hinaus und gehe einen Cappuccino trinken.

»Tut mir Leid, dass ich dich da rausgerissen habe«, sagt Katie strahlend, als wir uns zu Starbucks hineinschieben. »Wo doch Jack Harper da ist und alles. Ich hatte ja keine Ahnung, dass er einfach da *sitzt*! Aber ich war doch wirklich raffiniert«, fügt sie beruhigend hinzu. »Er wird nie rauskriegen, was wir machen.«

»Das stimmt wohl«, bringe ich heraus. »Da kommt er im Leben nicht drauf.«

»Geht's dir gut, Emma?« Katie sieht mich neugierig an.

»Ja, wunderbar!«, sage ich aufgekratzt. »Mir geht's prima! Also ... weswegen der Krisengipfel?«

»Ich *musste* es dir einfach erzählen. Zwei Cappuccinos bitte.« Katie strahlt mich aufgeregt an. »Du wirst es nicht glauben!«

»Was denn?«

»Ich habe ein Date. Ich habe einen Mann kennen gelernt!«

»Nein!«, sage ich und starre sie an. »Ehrlich? Das ging aber schnell.«

»Ja, gestern, wie du gesagt hast! Ich bin in der Mittagspause extra etwas weiter gelaufen als sonst und habe einen wirklich netten Laden gefunden, wo man Mittag essen kann. Und in der Schlange stand dieser wunderbare Mann neben mir – und hat mich angesprochen. Wir haben uns zusammen hingesetzt und noch ein bisschen weiter gequatscht ... und als ich gehen

wollte, hat er gefragt, ob ich mal mit ihm ausgehen würde!«
Strahlend nimmt sie die Cappuccinos entgegen. »Und das tun
wir heute Abend.«

»Das ist ja toll!«, sage ich erfreut. »Erzähl schon, wie ist er?«

»Er ist wunderbar. Er heißt Phillip! Er hat so ein süßes Blitzen in den Augen, und er ist sehr charmant und höflich, und
er hat einen wunderbaren Humor ...«

»Das klingt ja fantastisch!«

»Finde ich auch. Diesmal habe ich ein richtig gutes Gefühl.«
Katie strahlt, als wir uns setzen. »Wirklich. Er ist einfach an-
ders. Ich weiß, das klingt jetzt echt blöd, Emma ...« Sie zögert.
»Aber ich habe das Gefühl, das habe ich alles dir zu verdanken.«

»Mir?« Ich bin fassungslos.

»Du hast mir Mut gemacht, mit ihm zu sprechen.«

»Aber ich habe doch nur gesagt ...«

»Du hast gesagt, du wüsstest, dass ich jemanden kennen lernen würde. Du hast mir vertraut. Und jetzt *habe* ich jemanden
kennen gelernt!« Ihre Augen beginnen zu schwimmen. »Tut
mir Leid«, flüstert sie und tupft sich mit einer Serviette die
Tränen ab. »Ich bin gerade so gerührt.«

»Ach, Katie.«

»Ich glaube, das ist ein Wendepunkt in meinem Leben. Ich
glaube, jetzt wird alles gut. Und alles dank dir!«

»Also wirklich, Katie«, sage ich betreten. »Ich habe doch gar
nichts getan.«

»Das war nicht nichts!«, protestiert sie. »Und ich möchte
mich gerne bei dir bedanken.« Sie wühlt in ihrer Tasche herum
und zieht ein Häkel-Teil in Orange heraus. »Das habe ich gestern Abend für dich gemacht.« Sie sieht mich erwartungsfroh
an. »Es ist ein Kopftuch.«

Ich bin zunächst nicht reaktionsfähig. Ein gehäkeltes Kopftuch.

»Katie«, bringe ich schließlich heraus und drehe und wende

es herum. »Wirklich, das … das wäre doch nicht nötig gewesen!«

»Es war mir aber ein Bedürfnis. Nur ein kleines Dankeschön.« Sie sieht mich ernst an. »Vor allem, weil du doch den Gürtel verloren hast, den ich dir zu Weihnachten gehäkelt hatte.«

»Oh!«, sage ich und fühle mich schuldig. »Ähm, ja. Das war … wirklich schade.« Ich schlucke. »Der Gürtel war so schön. Ich habe mich wirklich geärgert, dass ich ihn verloren habe.«

»Ach, was soll's!« Ihre Augen füllen sich schon wieder. »Ich mache dir einfach einen neuen.«

»Nein!«, sage ich entsetzt. »Nein, Katie, das brauchst du nicht.«

»Ich möchte aber!« Sie beugt sich vor und umarmt mich. »Dafür sind Freunde doch da!«

Zwanzig Minuten später haben wir den zweiten Cappuccino getrunken und gehen ins Büro zurück. Als wir uns dem Gebäude nähern, sehe ich auf die Uhr und stelle mit Schrecken fest, dass wir insgesamt fünfunddreißig Minuten weg waren.

»Ist das nicht toll, dass wir neue Kaffeemaschinen bekommen?«, fragt Katie, als wir die Treppe hinaufeilen.

»Oh … ja. Klasse.«

Mein Magen rumort bei dem Gedanken, Jack Harper wieder zu begegnen. So nervös war ich schon seit der ersten Klarinettenprüfung nicht mehr, bei der der Prüfer mich nach meinem Namen fragte und ich in Tränen ausbrach.

»Dann bis später«, sagt Katie, als wir im ersten Stock ankommen. »Und danke noch mal.«

»Gern geschehen«, sage ich. »Bis dann.«

Als ich über den Flur auf die Marketingabteilung zugehe, stelle ich fest, dass meine Beine sich nicht so schnell bewegen wie sonst. Je näher ich der Tür komme, desto langsamer werden sie, und noch langsamer … und noch langsamer …

Eine Sekretärin aus der Buchhaltung überholt mich trotz hoher Absätze in rasantem Tempo und wirft mir einen komischen Blick zu.

O Gott. Ich kann da nicht reingehen.

Natürlich kann ich. Wird schon gehen. Ich setze mich einfach ganz still hin und fahre mit meiner Arbeit fort. Vielleicht bemerkt er mich gar nicht.

Los jetzt. Je länger ich zögere, desto schlimmer wird es. Ich atme tief ein, schließe die Augen, gehe ein paar Schritte ins Büro hinein und öffne sie wieder.

Um Artemis' Schreibtisch hängt eine Menschentraube, Jack Harper ist aber nirgends zu sehen.

»Na ja, vielleicht will er das gesamte Firmenkonzept überdenken«, sagt jemand.

»Ich habe gerüchteweise gehört, dass er ein geheimes Projekt plant …«

»Er kann das Marketing nicht ganz zentralisieren«, sagt Artemis und bemüht sich, alle zu übertönen.

»Wo ist denn Jack Harper hin?«, frage ich möglichst beiläufig.

»Weg«, sagt Nick zu meiner großen Erleichterung. Weg! Er ist weg!

»Und kommt er wieder?«

»Ich glaube nicht. Emma, sind meine Briefe eigentlich fertig? Ich habe sie dir ja schon vor drei Tagen gegeben …«

»Mache ich sofort«, sage ich und strahle Nick an. Ich setze mich an meinen Platz und fühle mich so leicht wie ein Heliumballon. Fröhlich ziehe ich die Schuhe aus, greife nach meiner Wasserflasche – und erstarre.

Auf meiner Tastatur liegt ein gefaltetes Blatt Papier mit der Aufschrift »Emma«, in einer Handschrift, die ich nicht kenne.

Erstaunt sehe ich mich im Büro um. Niemand sieht mich an und wartet darauf, dass ich es finde. Es scheint überhaupt niemand bemerkt zu haben. Sie sind alle viel zu beschäftigt damit, über Jack Harper zu reden.

Langsam schlage ich den Zettel auf und starre die Nachricht an.

Hoffentlich war Ihr Meeting produktiv. Zahlen durchzugehen finde ich immer sehr erfrischend.

Jack Harper

Es hätte schlimmer kommen können. Da hätte ja auch stehen können »Räumen Sie Ihren Schreibtisch«.

Trotzdem bin ich für den Rest des Tages furchtbar nervös. Jedes Mal, wenn jemand ins Büro kommt, gerate ich in Panik. Und wenn draußen jemand laut darüber spricht, dass »Jack gesagt hat, er geht vielleicht noch mal kurz ins Marketing«, denke ich ernsthaft darüber nach, mich auf dem Klo zu verstecken, bis er weg ist.

Um Punkt 17.30 Uhr höre ich mitten im Satz auf zu tippen, fahre den Computer runter und schnappe mir meinen Mantel. Ich werde bestimmt nicht darauf warten, dass er wieder auftaucht. Ich stürze fast die Treppe hinunter und kann mich erst so langsam entspannen, als ich auf der anderen Seite der Glastür bin.

Die U-Bahn ist heute erstaunlich schnell, und ich bin in zwanzig Minuten zu Hause. Als ich in die Wohnung komme, höre ich aus Lissys Zimmer komische Geräusche. Eine Art dumpfes Rumsen. Vielleicht stellt sie ihre Möbel um.

»Lissy!«, rufe ich auf dem Weg in die Küche. »Du glaubst nicht, was mir heute passiert ist.« Ich öffne den Kühlschrank, nehme eine Flasche Wasser heraus und lege sie an meine heiße Stirn. Nach einer Weile schraube ich sie auf, trinke einige

Schlucke und gehe in den Flur zurück, wo Lissys Zimmertür gerade aufgeht.

»Lissy!«, fange ich an. »Was machst du denn ...«

Ich breche ab, denn aus dem Zimmer kommt nicht Lissy, sondern ein Mann.

Ein Mann! Ein großer, schlanker Typ mit einer modischen schwarzen Hose und einer Stahlbrille.

»Oh«, sage ich überrascht. »Äh ... hi.«

»Emma!«, sagt Lissy, die hinter ihm herkommt. Sie trägt ein T-Shirt über grauen Leggings, die ich noch nie gesehen habe, trinkt ein Glas Wasser und wirkt erstaunt, mich zu sehen. »Du bist aber früh heute.«

»Ich weiß. Ich hatte es etwas eilig.«

»Das ist Jean-Paul«, sagt Lissy. »Jean-Paul, das ist meine Mitbewohnerin Emma.«

»Hallo, Jean-Paul«, sage ich mit freundlichem Lächeln.

»Schön, dich kennen zu lernen, Emma«, sagt Jean-Paul mit französischem Akzent. Wahnsinn, so ein französischer Akzent ist einfach sexy. Ist doch wahr.

»Jean-Paul und ich, wir haben gerade ... ein paar Fälle durchgesprochen«, sagt Lissy.

»Ach so«, sage ich strahlend. »Toll!«

Fälle. Ja, ja, ist klar. Das würde auch so rumsen.

Lissy ist ja wirklich ein stilles Wasser!

»Ich muss los«, sagt Jean-Paul und sieht Lissy an.

»Ich bringe dich noch raus«, sagt sie ganz durcheinander.

Sie verschwindet durch die Wohnungstür, ich höre die beiden auf dem Treppenabsatz murmeln.

Ich trinke noch etwas Wasser, gehe ins Wohnzimmer und lasse mich aufs Sofa plumpsen. Mir tut der ganze Körper weh, weil ich den ganzen Tag so angespannt gerade gesessen habe. Das ist ja ernsthaft gesundheitsschädigend. Wie soll ich bloß eine ganze Woche Jack Harper überleben?

»Und?«, frage ich, als Lissy ins Zimmer kommt. »Was läuft?«

»Was meinst du?«, fragt sie ausweichend.

»Du und Jean-Paul! Wie lange seid ihr schon …«

»Sind wir ja gar nicht«, beginnt Lissy und wird rot. »Es ist nicht … Wir haben nur ein paar Fälle durchgesprochen. Das ist alles.«

»Na klar.«

»Jawohl! Da war sonst nichts!«

»Okay«, sage ich und ziehe die Augenbrauen hoch. »Wenn du das sagst …«

Lissy ist manchmal so, ganz schüchtern und schamhaft. Ich muss sie demnächst mal abends abfüllen, dann wird sie es schon zugeben.

»Und, wie war's bei dir heute?«, fragt sie, lässt sich auf den Boden sinken und greift nach einer Zeitschrift.

Wie es bei mir war?

Ich weiß gar nicht, wo ich anfangen soll.

»Bei mir«, sage ich schließlich. »Bei mir war's heute ein kleiner Alptraum.«

»Echt?«, fragt Lissy und sieht überrascht auf.

»Nein, das stimmt nicht. Es war ein ganz *furchtbarer* Alptraum.«

»Was ist denn passiert?« Lissy ist jetzt ganz gespannt. »Erzähl!«

»Okay.« Ich atme tief ein, streiche mir das Haar zurück, und überlege, wo ich anfangen soll. »Also, du erinnerst dich doch an diesen schrecklichen Rückflug von Schottland letzte Woche?«

»Na klar!« Lissys Gesicht hellt sich auf. »Connor hat dich abgeholt, und alles war total romantisch …«

»Ja. Genau.« Ich muss mich räuspern. »Aber davor. Im Flugzeug. Da saß so ein … ein Mann neben mir. Und dann hatten wir doch diese Turbulenzen.« Ich beiße mir auf die Lippe. »Und da habe ich wirklich gedacht, wir würden alle sterben und dass das der letzte Mensch ist, den ich je sehe, und … ich …«

»Ach du lieber Gott!« Lissy schlägt die Hände vor den Mund. »Du hast doch nicht mit ihm geschlafen!«

»Schlimmer! Ich habe ihm alle meine Geheimnisse erzählt.«

Ich rechne damit, dass Lissy nach Luft schnappt oder etwas Mitfühlendes wie »o nein!« sagt, aber sie starrt mich nur verdutzt an.

»Was für Geheimnisse?«

»Meine Geheimnisse eben. Du weißt schon.«

Lissy guckt mich an, als hätte ich ihr erzählt, dass ich ein Holzbein habe.

»Du hast *Geheimnisse*?«

»Natürlich habe ich Geheimnisse!«, sage ich. »Hat doch jeder.«

»Ich nicht«, sagt sie sofort verletzt. »Ich habe keine Geheimnisse.«

»Natürlich hast du welche.«

»Ach, zum Beispiel?«

»Zum Beispiel … Okay.« Ich zähle sie an den Fingern ab. »Du hast deinem Dad bis heute nicht erzählt, dass du es warst, die damals den Garagenschlüssel verschlampt hat.«

»Das ist ja schon ewig her!«, winkt Lissy ab.

»Du hast Simon nicht gesagt, dass du auf einen Heiratsantrag von ihm hoffst …«

»Darauf habe ich nicht gehofft!«, sagt Lissy errötend. »Na ja, gut, vielleicht doch …«

»Du glaubst, der traurige Typ von nebenan steht auf dich …«

»Das ist doch kein *Geheimnis*!«, sagt sie und verdreht die Augen.

»Ach so. Soll ich es ihm erzählen?« Ich lehne mich zurück,

zum offenen Fenster hin. »Hey, Mike«, rufe ich. »Rat mal, was Lissy glaubt! Sie glaubt, du …«

»Stopp!«, sagt Lissy verzweifelt.

»Siehst du? Du hast Geheimnisse. Jeder hat Geheimnisse. Wahrscheinlich hat sogar der *Papst* Geheimnisse.«

»Okay«, sagt Lissy. »Okay, verstanden. Aber ich sehe das Problem nicht. Du hast irgendeinem Typen im Flugzeug deine Geheimnisse erzählt …«

»Und jetzt ist er bei der Arbeit aufgetaucht.«

»Was?« Lissy starrt mich an. »Im Ernst? Wer ist er?«

»Es ist …« Fast hätte ich Jack Harpers Namen genannt, aber dann fällt mir wieder ein, was ich ihm versprochen habe. »Er ist einfach … ein Typ, der uns jetzt zuschaut«, sage ich vage.

»Ein hohes Tier?«

»Er ist … ja. Ziemlich hoch.«

»Mannomann.« Lissy runzelt die Stirn und denkt nach. »Ist das wirklich so schlimm? Jetzt weiß er eben dies und das über dich, na und?«

»Lissy, das war nicht nur dies und das.« Ich werde ein bisschen rot. »Es war *alles*. Ich habe ihm erzählt, dass ich in meinem Lebenslauf eine Note gefälscht habe.«

»Du hast in deinem *Lebenslauf* eine Note gefälscht?«, echot Lissy erschrocken. »Im Ernst?«

»Ich habe ihm erzählt, dass ich Artemis' Grünlilie mit Orangensaft gieße, ich habe ihm erzählt, dass ich Stringtangas unbequem finde …«

Ich verstumme, weil ich sehe, wie schockiert Lissy ist.

»Emma«, sagt sie schließlich. »Hast du das Wort ›Informationsüberschuss‹ wenigstens schon mal *gehört*?«

»Ich *wollte* das ja alles nicht sagen!«, verteidige ich mich. »Es kam einfach aus mir raus! Ich hatte drei Wodkas getrunken, und ich dachte, wir würden sterben. Ehrlich, Lissy, das wäre dir genauso gegangen. Alle haben geschrien, die Leute haben gebetet, das Flugzeug hat furchtbar getorkelt ...«

»Und da quasselst du deinen Chef mit deinen ganzen Geheimnissen voll.«

»Aber im Flugzeug *war* er ja gar nicht mein Chef!«, schreie ich frustriert. »Er war einfach irgendein Fremder. Ich dachte doch, ich würde ihn nie mehr wieder sehen!«

Lissy schweigt erst einmal, um das alles zu verarbeiten.

»Das ist so ähnlich wie das, was meiner Cousine passiert ist«, sagt sie schließlich. »Sie stand auf einer Party plötzlich dem Arzt gegenüber, der sie zwei Monate vorher von ihrem Baby entbunden hatte.«

»Ooh.« Ich ziehe eine Grimasse.

»Genau. Es war ihr so peinlich, dass sie gegangen ist. Der hatte ja wirklich alles gesehen! Sie sagte, im Kreißsaal war das irgendwie egal, aber als er da so stand, mit einem Weinglas in der Hand, und über Immobilienpreise plauderte, war das ganz was anderes.«

»Ja, das ist genau das Gleiche«, sage ich hoffnungslos. »Er kennt alle meine intimsten, persönlichen Einzelheiten. Der Unterschied ist nur, ich kann nicht einfach gehen! Ich muss da sitzen bleiben und so tun, als wäre ich eine brave Angestellte. Und er *weiß*, dass ich das nicht bin.«

»Und was willst du jetzt machen?«

»Ich weiß nicht. Ich kann wohl nur versuchen, ihm aus dem Weg zu gehen.«

»Wie lange bleibt er?«

»Bis Ende der Woche«, sage ich verzweifelt. »Noch die ganze Woche.«

Ich greife nach der Fernbedienung, schalte den Fernseher ein und eine Weile lang starren wir schweigend auf eine Gruppe tanzender Models in GAP-Jeans. Als die Werbung zu Ende ist, sehe ich, dass Lissy mich neugierig anschaut.

»Was?«, frage ich. »Was ist?«

»Emma …« Sie räuspert sich unbeholfen. »Vor *mir* hast du doch keine Geheimnisse, oder?«

»Vor *dir*?« Sie bringt mich fast aus der Fassung.

Eine Reihe von Bildern blitzt vor meinem geistigen Auge auf. Dieser komische Traum, den ich mal hatte, in dem Lissy und ich lesbisch waren. Ein paarmal habe ich Möhren im Supermarkt gekauft und ihr hoch und heilig versprochen, dass es Bio-Möhren waren. Und als wir fünfzehn waren, fuhr sie nach Frankreich, und ich war mit Mike Appleton zusammen, in den sie so furchtbar verknallt war, und ich habe ihr das nie erzählt.

»Nein! Natürlich nicht!«, sage ich und trinke schnell einen Schluck Wasser. »Wieso, hast du welche vor mir?«

Auf Lissys Wangen erscheinen zwei rosa Flecken.

»Nein, natürlich nicht!«, sagt sie mit unnatürlicher Stimme. »Ich … hab nur gedacht.« Sie blättert in der Fernsehzeitung und weicht meinem Blick aus. »Nur so, interessiert mich einfach.«

»Ja, klar.« Ich zucke mit den Schultern. »Mich auch.«

Wow. Lissy hat ein Geheimnis. Was das wohl …

Natürlich. Als wenn sie mit dem Typen irgendwelche Fälle durchgesprochen hätte. Hält sie mich für total bescheuert?

8

Am nächsten Morgen komme ich mit genau einem erklärten Ziel zur Arbeit. Jack Harper nicht zu begegnen.

Was ja nicht so schwierig sein sollte. Die Panther Corporation ist ein riesiges Unternehmen in einem riesigen Gebäude. Er wird heute in anderen Abteilungen beschäftigt sein. Wahrscheinlich hat er einen Haufen Meetings. Er ist bestimmt den ganzen Tag im elften Stock oder so.

Trotzdem, als ich auf die Glastür zugehe, werde ich langsamer und linse erst mal hinein, ob er da ist.

»Alles klar, Emma?« Dave, der Wachmann, öffnet mir die Tür. »Du siehst so verloren aus.«

»Ach was! Danke, alles klar.« Ich lache entspannt, mein Blick saust aber weiterhin durchs Foyer.

Ich entdecke ihn nirgends. Okay. Es wird alles gut gehen. Wahrscheinlich ist er noch gar nicht da. Wahrscheinlich kommt er heute gar nicht. Zuversichtlich werfe ich das Haar zurück und gehe schnurstracks über den Marmorboden und die Treppe hoch.

»Jack!«, höre ich plötzlich, als ich kurz vor dem ersten Stock bin. »Haben Sie einen Moment Zeit?«

»Natürlich.«

Es ist seine Stimme. Wo zum Teufel …

Ich drehe mich verwirrt um und sehe ihn im Gespräch mit Graham Hillingdon auf dem Treppenabsatz über mir. Mein Herz macht einen Hüpfer, und ich klammere mich am Messinggeländer fest. Mist. Wenn er jetzt herunterguckt, sieht er mich.

Warum muss er ausgerechnet *da* herumstehen? Kann er nicht in irgendein großes, wichtiges Büro gehen?

Egal. Macht ja nichts. Ich kann ja einfach … woanders langgehen. Ganz langsam gehe ich ein paar Schritte die Treppe wieder hinunter und bemühe mich, nicht mit den Absätzen auf dem Marmor zu klappern und keine plötzliche Bewegung zu machen, damit ich nicht seine Aufmerksamkeit errege. Wie ich da so langsam rückwärts gehe, kommt Moira aus der Buchhaltung mit verwundertem Gesichtsausdruck an mir vorbei, aber das ist mir egal. Ich muss hier weg.

Sobald ich aus seiner Sichtweite bin, entspanne ich mich und gehe zügiger wieder hinunter. Ich fahre einfach mit dem Aufzug. Kein Problem. Frohgemut durchmesse ich das Foyer, aber mitten auf der Marmorfläche erstarre ich.

»Das stimmt.« Schon wieder seine Stimme. Und sie scheint näher zu kommen. Oder bin ich schon paranoid?

»… ich mir genauer ansehen …«

Ich drehe den Kopf. Wo ist er? In welche Richtung geht er?

»… bin davon überzeugt, dass …«

Mist. Er kommt die Treppe herunter. Ich kann mich nirgends verstecken!

Ohne nachzudenken renne ich fast zur Glastür, drücke sie auf und stürze aus dem Gebäude. Ich hetze die Treppe hinunter, renne hundert Meter die Straße entlang und bleibe keuchend stehen.

Das läuft ja gar nicht gut.

Ein paar Minuten stehe ich in der Morgensonne auf dem Bürgersteig herum und versuche abzuschätzen, wie lange er im Foyer bleiben wird, dann nähere ich mich vorsichtig wieder den Glastüren. Andere Taktik. Ich werde so unglaublich flott in mein Büro marschieren, dass ich niemandes Blick begegne. Dann ist es egal, ob ich Jack Harper begegne oder nicht. Ich werde forsch ausschreiten, ohne nach rechts oder links zu gucken, und, ach du lieber Gott, da ist er und spricht mit Dave.

Ohne es zu wollen, flüchte ich wieder nach draußen.

Das ist ja lächerlich. Ich kann ja nicht den ganzen Tag auf der Straße verbringen. Ich muss an den Schreibtisch. Los, überleg dir etwas. Es muss doch eine Möglichkeit geben. Es muss doch …

Ja! Ich habe eine hervorragende Idee. Das funktioniert auf jeden Fall.

Drei Minuten später nähere ich mich einmal mehr den Glastüren des Panther-Gebäudes, völlig vertieft in einen Artikel in der *Times*. Ich nehme nichts um mich herum wahr. Und niemand kann mein Gesicht sehen. Das ist die perfekte Tarnung!

Ich drücke mit der Schulter die Tür auf, gehe durchs Foyer

und die Treppe hoch, ohne einmal aufzusehen. Als ich über den Flur zur Marketingabteilung gehe, fühle ich mich sicher und geborgen in meiner *Times*. Das sollte ich öfter tun. Hier drin kann mir niemand etwas. Es ist ein sehr beruhigendes Gefühl, fast als wäre ich unsichtbar, oder ...

»Oh! Entschuldigung!«

Ich bin mit jemandem zusammengestoßen. Mist. Ich lasse die Zeitung sinken und schaue Paul in die Augen, der sich den Kopf reibt.

»Emma, was zum Teufel machen Sie denn?«

»Ich habe nur die *Times* gelesen«, sage ich schwach. »Tut mir wirklich Leid.«

»Schon gut. Wo waren Sie überhaupt? Ich brauche Sie für Tee und Kaffee beim Abteilungsmeeting. Zehn Uhr.«

»Wieso Tee und Kaffee?«, frage ich erstaunt. Normalerweise gibt es bei den Abteilungsmeetings nichts zu trinken. Tatsächlich tauchen da meist nur etwa sechs Leute auf.

»Heute gibt es Tee und Kaffee«, sagt er. »Und Kekse. Okay? Ach so, und Jack Harper kommt auch.«

»Was?« Konsterniert starre ich ihn an.

»Jack Harper kommt auch«, wiederholt Paul ungeduldig. »Also beeilen Sie sich.«

»Muss ich da wirklich hin?«, frage ich, ohne darüber nachzudenken.

»Was?« Paul sieht mich stirnrunzelnd an.

»Ich habe mich nur gefragt, ob ich ... da wirklich hin muss, oder ob ...« Ich verstumme zaghaft.

»Emma, wenn Sie telepathisch Kaffee und Tee servieren können«, sagt Paul sarkastisch, »dann können Sie herzlich gerne am Schreibtisch sitzen bleiben. Aber wenn nicht, dann bewegen Sie freundlicherweise Ihren Arsch Richtung Konferenzraum. Also wissen Sie, für jemanden, der Karriere machen möchte ...« Er schüttelt den Kopf und geht weiter.

Wie kann der Tag schon so schief gegangen sein, bevor ich mich auch nur hingesetzt habe?

Ich lege Tasche und Mantel an meinem Schreibtisch ab und gehe dann sofort zu den Aufzügen und drücke den Knopf. Einen Moment später macht ein Aufzug Ping, und die Tür geht auf.

Nein. Nein.

Das ist ein Alptraum.

Jack Harper steht allein im Lift, in alten Jeans und einem braunen Kaschmirpullover.

Unwillkürlich trete ich einen Schritt zurück. Jack Harper steckt sein Handy ein, neigt den Kopf zur Seite und sieht mich fragend an.

»Fahren Sie mit?«, fragt er sanft.

Mir reicht es langsam. Was soll ich darauf schon antworten? Ich kann ja nicht gut sagen: »Nein, ich habe den Knopf nur aus Spaß gedrückt, haha!«

»Ja«, sage ich also und stakse in den Aufzug. »Ja, ich fahre mit.«

Die Tür schließt sich, und wir fahren schweigend nach oben. Mein Magen fühlt sich an wie ein festgezogener Knoten.

»Äh, Mr. Harper«, sage ich unbeholfen, und er sieht auf. »Ich wollte mich noch entschuldigen für … hm, na ja, dass ich neulich kurz weggegangen bin. Das wird nicht wieder vorkommen.«

»Sie haben ja jetzt anständigen Kaffee«, sagt Jack Harper und zieht die Augenbrauen hoch. »Da brauchen Sie ja nicht mehr zu Starbucks zu gehen.«

»Ich weiß. Es tut mir wirklich Leid«, sage ich mit brennendem Gesicht. »Und ich kann Ihnen versichern, das war das allerletzte Mal, dass ich so etwas gemacht habe.« Ich räuspere mich. »Ich bin der Panther Corporation treu ergeben und freue mich darauf, ihr weiterhin mit all meinen Kräften zur Verfügung zu stehen. Ich werde hundert Prozent Leistung erbringen, jeden Tag, heute und in Zukunft.«

Fast hätte ich noch »Amen« gesagt.

»Wirklich?« Jack sieht mich an, seine Mundwinkel zucken. »Das ist … stark.« Er denkt kurz nach. »Emma, können Sie etwas für sich behalten?«

»Ja«, sage ich gespannt. »Was denn?«

Jack beugt sich zu mir herüber und flüstert: »Ich habe früher auch diese kleinen Pausen eingelegt.«

»Was?« Ich starre ihn an.

»Bei meiner ersten Stelle«, fährt er mit normaler Stimme fort. »Ich hatte einen Freund, mit dem ich immer zusammen war. Wir hatten auch so einen Code.« Seine Augen blitzen. »Einer von uns bat den anderen, ihm die Akte Leopold zu bringen.«

»Und was war die Akte Leopold?«

»Die gab es nicht.« Er grinst. »Es war nur eine Ausrede, um vom Schreibtisch wegzukommen.«

»Oh. Ach so!«

Plötzlich fühle ich mich etwas besser.

Jack Harper hat *blau gemacht*? Ich dachte, er wäre immer nur damit beschäftigt gewesen, ein brillantes, dynamisches Kreativgenie zu sein, oder was immer er ist.

Im dritten Stock hält der Aufzug, die Tür geht auf, aber es steigt niemand ein.

»Ihre Kollegen wirken sehr sympathisch«, sagt Jack, als der Aufzug weiterfährt. »Ein sehr angenehmes, fleißiges Team. Sind sie immer so?«

»Absolut!«, sage ich sofort. »Wir haben Freude an der Zusammenarbeit in einem integrierten, teamorientierten … äh … betrieblichen …« Ich suche noch nach einem weiteren komplizierten Wort, als ich den Fehler mache, ihn anzugucken.

116

Er *weiß*, dass das Bockmist ist, oder?

O Gott. Na, was soll's.

»Okay.« Ich lehne mich an die Wand des Aufzugs. »In Wirklichkeit sind wir nicht so. Paul schreit mich normalerweise sechsmal am Tag an, Nick und Artemis können sich nicht ausstehen, und wir sprechen sonst auch nicht über Literatur. Wir haben Ihnen etwas vorgespielt.«

»Sie sind erstaunlich.« Seine Mundwinkel zucken. »In der Verwaltung kam mir die Atmosphäre auch so komisch vor. Der Verdacht kam mir, als zwei Angestellte spontan den Panther Corporation Song angestimmt haben. Ich wusste nicht mal, dass es einen Panther Corporation Song *gibt*.«

»Ich auch nicht«, sage ich überrascht. »Ist er gut?«

»Was glauben Sie?« Er zieht eine komische Grimasse, und ich kichere.

Seltsamerweise ist die Atmosphäre zwischen uns überhaupt nicht mehr befangen. Es fühlt sich eher so an, als wären wir alte Freunde oder so.

»Was ist denn mit dem Corporate Family Day?«, fragt er. »Freuen Sie sich darauf?«

»Wie aufs Zähneziehen«, sage ich unverblümt.

»Kam mir doch so vor.« Er nickt und sieht belustigt aus. »Und was …« Er zögert. »Was halten die Leute von mir?« Er fährt sich lässig durchs Haar. »Sie müssen nicht antworten, wenn Sie nicht möchten.«

»Nein, alle mögen Sie!« Ich denke kurz nach. »Obwohl … manche finden Ihren Freund unheimlich.«

»Wen, Sven?« Jack starrt mich einen Moment lang an, dann wirft er den Kopf zurück und lacht. »Ich versichere Ihnen, Sven ist einer meiner langjährigsten und innigsten Freunde, und er ist überhaupt kein bisschen unheimlich. Er ist vielmehr …«

Er unterbricht sich, als die Aufzugtür Ping macht. Wir setzen beide wieder ein ausdrucksloses Gesicht auf und rücken ein Stückchen voneinander ab. Die Tür geht auf, und mir wird ganz flau im Magen.

Draußen steht Connor.

Als er Jack Harper sieht, hellt sich sein Gesicht auf, als könne er sein Glück gar nicht fassen.

»Hallo«, sage ich so natürlich wie möglich.

»Hi«, sagt er mit vor Aufregung leuchtenden Augen und kommt in den Aufzug.

»Hallo«, sagt Jack freundlich. »In welchen Stock möchten Sie?«

»In den neunten bitte.« Connor schluckt. »Mr. Harper, darf ich mich kurz vorstellen?« Er streckt ihm die Hand entgegen. »Connor Martin, Marktforschung. Sie wollen heute noch unsere Abteilung besuchen.«

»Ich freue mich, Sie kennen zu lernen, Connor«, sagt Jack höflich. »Marktforschung ist für eine Firma wie unsere besonders wichtig.«

»Da haben Sie Recht!«, sagt Connor und sieht richtig aufgeregt aus. »Ich freue mich schon darauf, die neuesten Forschungsergebnisse zur Panther-Sportbekleidung mit Ihnen zu besprechen. Wir haben da einige hochinteressante Ergebnisse über die Kundenpräferenzen in Bezug auf die Stoffdicke. Sie werden staunen!«

»Das … werde ich bestimmt«, sagt Jack. »Ich freue mich schon darauf.«

Connor grinst mich erwartungsfroh an.

»Sie haben Emma Corrigan aus der Marketingabteilung schon kennen gelernt?«, fragt er.

»Ja, das Vergnügen hatte ich bereits.« Jack blitzt mich an.

Ein paar Sekunden fahren wir schweigend.

Es ist seltsam.

Nein. Es ist gar nicht seltsam. Es ist in Ordnung.

»Wie spät ist es denn?«, sagt Connor.

Er guckt auf die Uhr, und mit Schrecken bemerke ich, dass Jack die Uhr ebenfalls anschaut.

O Gott.

»… ihm eine wirklich schöne Uhr geschenkt, aber er trägt immer diese orange Digitaluhr …«

»Moment mal!«, sagt Jack, dem es offensichtlich dämmert. Er starrt Connor an, als sähe er ihn jetzt erst richtig. »Genau. Sie sind Ken.«

Oh, nein.

Oh, nein, oh, nein, oh, nein, oh, nein, oh, nein, oh …

»Ich heiße Connor«, sagt Connor verwundert. »Connor Martin.«

»Tut mir Leid!« Jack schlägt sich mit der Faust vor den Kopf. »Connor. Natürlich. Und Sie beide …«, er zeigt auf mich, »… sind ein Paar?«

Connor wird es mulmig.

»Ich versichere Ihnen, Sir, dass unser Verhältnis bei der Arbeit rein professionell ist. Im Privatleben sind Emma und ich allerdings … ja, wir haben eine persönliche Beziehung.«

»Das ist doch wunderbar!«, sagt Jack ermutigend, und Connor strahlt wie ein Honigkuchenpferd.

»Und«, fügt er stolz hinzu, »Emma und ich haben gerade beschlossen, zusammenzuziehen.«

»Tatsächlich?« Jack sieht mich ehrlich überrascht an. »Das … ist ja eine tolle Neuigkeit. Wann haben Sie das denn beschlossen?«

»Erst vor ein paar Tagen«, sagt Connor. »Auf dem Flughafen.«

»Auf dem Flughafen«, wiederholt Jack Harper nach kurzem Schweigen. »Ist ja interessant.«

Ich kann ihn nicht angucken. Stattdessen starre ich verzweifelt auf den Boden. Kann dieser Scheiß-Aufzug nicht schneller fahren?

»Sie werden bestimmt glücklich zusammen«, sagt Jack Harper zu Connor. »Sie scheinen sehr gut zusammenzupassen.«

»Oh, das tun wir!«, pflichtet Connor ihm sofort bei. »Zum Beispiel lieben wir beide Jazz.«

»Ach, wirklich?«, sagt Jack nachdenklich. »Ich kann mir nichts Schöneres vorstellen als eine gemeinsame Liebe zum Jazz.«

Er macht sich über uns lustig. Das ist ja unerträglich.

»Ehrlich?«, fragt Connor eifrig.

»Absolut.« Jack nickt. »Ich würde sagen Jazz und … Woody-Allen-Filme.«

»Wir lieben Woody-Allen-Filme!«, sagt Connor freudig überrascht. »Stimmt's, Emma?«

»Ja«, sage ich etwas heiser. »Ja, klar.«

»Sagen Sie mal, Connor«, sagt Jack vertraulich. »Haben Sie eigentlich je Emmas …«

Wenn er jetzt sagt »G-Punkt gefunden«, sterbe ich. Ich sterbe. Ich *sterbe*.

»… Anwesenheit hier als Ablenkung empfunden? Ich kann mir vorstellen, dass mir das so gehen würde!« Jack lächelt Connor freundlich an, aber Connor lächelt nicht zurück.

»Wie gesagt, Sir«, antwortet er steif, »bei der Arbeit verkehren Emma und ich auf einer rein professionellen Ebene miteinander. Es käme uns nie in den Sinn, die Zeit in der Firma für unsere eigenen … Zwecke zu missbrauchen.« Er wird rot. »Ich meine, mit Zwecke meine ich nicht … ich meinte …«

»Wie beruhigend«, sagt Jack amüsiert.

Du lieber Gott, warum muss Connor so ein *Musterknabe* sein?

Der Aufzug macht wieder Ping, und ich entspanne mich. Gott sei Dank, endlich kann ich fliehen …

»Anscheinend haben wir alle das gleiche Ziel«, grinst Jack Harper. »Connor, zeigen Sie uns, wo es lang geht?«

Ich packe das nicht. Ich packe es einfach nicht. Als ich den Mitgliedern der Marketingabteilung Tee und Kaffee einschenke, bin ich äußerlich ruhig, lächle alle an und plaudere höflich. Aber innen drin bin ich völlig verunsichert und durcheinander. Ich will es mir nicht eingestehen, aber Connor mit Jack Harpers Augen zu sehen, hat mich aus der Fassung gebracht.

Ich liebe Connor, sage ich mir immer wieder. Was ich im Flugzeug gesagt habe, war alles nicht so gemeint. Ich liebe ihn. Ich lasse den Blick über sein Gesicht wandern, um mich zu vergewissern. Es gibt gar keinen Zweifel. Connor sieht unheimlich gut aus. Er strotzt vor Gesundheit. Sein Haar glänzt, und er hat blaue Augen und so ein niedliches Grübchen, wenn er lächelt.

Jack Harper sieht dagegen irgendwie erschöpft und ungepflegt aus. Er hat Ringe unter den Augen und ist nicht richtig gekämmt. *Und* er hat ein Loch in der Jeans.

Aber trotzdem. Es ist, als wenn er eine Art Magnetismus auf mich ausübte. Ich sitze hier und konzentriere mich voll auf den Teewagen, und trotzdem kann ich irgendwie den Blick nicht von ihm wenden.

Das ist wegen des Flugs, sage ich mir immer wieder. Es kommt daher, dass wir gemeinsam dieses traumatische Erlebnis durchgestanden haben; deswegen. Sonst gibt es überhaupt keinen Grund.

»Leute, wir müssen stärker quer denken«, sagt Paul. »Der Panther-Riegel verkauft sich nicht so, wie er soll. Connor, Sie haben die neuen Statistiken?«

Connor steht auf, und ich bin für ihn mit aufgeregt. So, wie er mit seinen Manschetten herumfummelt, muss er schrecklich nervös sein.

»Ja, habe ich, Paul.« Er nimmt ein Klemmbrett und räuspert sich. »In der letzten Umfrage wurden 1000 Jugendliche über

121

den Panther-Riegel befragt. Unglücklicherweise sind die Ergebnisse nicht ganz schlüssig.«

Er drückt auf die Fernbedienung. Auf dem Bildschirm hinter ihm erscheint ein Diagramm, das wir alle gehorsam betrachten.

»74 Prozent der 10- bis 14-Jährigen finden, der Riegel sollte weicher sein«, sagt Connor ernst. »Aber 67 Prozent der 15- bis 18-Jährigen hätten ihn lieber knuspriger, wobei 22 Prozent ihn schon *zu* knusprig finden …«

Ich schiele Artemis über die Schulter und sehe, dass sie »weich/knusprig??« auf ihren Notizblock geschrieben hat.

Connor drückt wieder auf die Fernbedienung, und ein anderes Diagramm erscheint.

»Der Geschmack war 46 Prozent der 10- bis 14-Jährigen zu würzig. Aber 33 Prozent der 15- bis 18-Jährigen fanden ihn nicht würzig genug, während …«

O Gott. Ich weiß, das ist Connor. Und ich liebe ihn und so. Aber kann er das nicht ein bisschen *interessanter* machen?

Ich schiele zu Jack Harper hinüber, um zu sehen, wie er es aufnimmt, und er zieht in meine Richtung die Augenbrauen hoch. Ich werde sofort rot und komme mir illoyal vor.

Er wird denken, ich hätte mich über Connor lustig gemacht. Was ich nicht getan habe. Wirklich nicht.

»90 Prozent der weiblichen Jugendlichen hätten gerne einen geringeren Kaloriengehalt«, schließt Connor, »aber ein ebenso hoher Prozentsatz wünscht sich einen dickeren Schokoladenmantel.« Er zuckt hilflos mit den Schultern.

»Die wissen doch selbst nicht, was sie wollen«, sagt irgendwer.

»Wir haben ein breites Spektrum Jugendlicher befragt«, sagt Connor, »darunter Kaukasier, Afro-Kariben, Asiaten und … äh …«, er linst auf seinen Zettel, »Jedi-Ritter.«

»Teenager!«, stöhnt Artemis und verdreht die Augen.

»Umreißen Sie doch bitte noch einmal kurz die Zielgruppe, Connor«, sagt Paul stirnrunzelnd.

»Die Zielgruppe …«, Connor sieht auf einen anderen Zettel, »ist 10 bis 18 Jahre alt und steckt noch in der Ausbildung. Er/sie trinkt viermal pro Woche Panther Cola, isst dreimal die Woche Burger, geht zweimal die Woche ins Kino, liest Zeitschriften und Comics, aber keine Bücher, und findet sich in dem Lebensmotto ›lieber cool als reich‹ wieder …« Er sieht auf. »Noch mehr?«

»Isst er/sie Toast zum Frühstück?«, fragt jemand nachdenklich. »Oder Zerealien?«

»Ich … ich bin nicht sicher«, sagt Connor und blättert schnell durch seine Unterlagen. »Wir könnten da noch weiter forschen …«

»Ich glaube, wir haben jetzt eine ungefähre Vorstellung«, sagt Paul. »Fällt jemandem etwas dazu ein?«

Die ganze Zeit über habe ich mir selbst Mut gemacht, etwas zu sagen, und jetzt hole ich tief Luft.

»Wissen Sie, mein Großvater liebt Panther-Riegel!«, sage ich. Alle drehen sich auf den Stühlen um und schauen mich an, sodass mein Gesicht ganz heiß wird.

»Was hat das denn damit zu tun?«, fragt Paul stirnrunzelnd.

»Ich dachte nur, ich könnte …« Ich schlucke. »Ich könnte ihn nach seiner Meinung fragen …«

»Bei allem Respekt, Emma«, sagt Connor mit einem Lächeln, das hart am Gönnerhaften vorbeischrammt, »dein Großvater gehört wohl kaum zu unserer Zielgruppe!«

»Außer er hat sehr jung angefangen«, witzelt Artemis.

Ich werde rot, komme mir wie eine dumme Gans vor und tue so, als würde ich die Teebeutel sortieren.

Ehrlich gesagt bin ich ein bisschen verletzt. Warum sagt Connor so was? Ich weiß, dass er bei der Arbeit ganz professionell und korrekt mit mir umgehen will. Aber deswegen muss er doch nicht so gemein sein, oder? Ich würde mich immer hinter ihn stellen.

»Meine Meinung ist«, sagt Artemis, »dass wir den Panther-Riegel aus dem Programm nehmen sollten, wenn er sich nicht verkauft. Er ist ja offensichtlich ein Sorgenkind.«

Bestürzt sehe ich auf. Die können doch den Panther-Riegel nicht kippen! Was soll Grandpa denn dann zu seinen Bowling-Turnieren mitnehmen?

»Mit einem kostenbasierten, kundenorientierten Rebranding könnte man bestimmt …«, fängt jemand an.

»Das sehe ich nicht so.« Artemis beugt sich vor. »Wenn wir unsere konzeptionellen Innovationen funktional und logistisch maximieren wollen, müssen wir uns unbedingt auf unsere strategischen Kernkompetenzen fokussieren …«

»Entschuldigung«, sagt Jack Harper und hebt die Hand. Er spricht zum ersten Mal, und alle sehen ihn an. Flirrende Erwartung liegt in der Luft, und Artemis strotzt vor Selbstgefälligkeit. »Ja, Mr. Harper?«

»Ich verstehe kein Wort«, sagt er.

Der ganze Raum erstarrt vor Schreck, und ich pruste los, ohne es zu wollen.

»Sie wissen ja, dass ich mich eine Zeit lang aus dem Geschäft zurückgezogen hatte.« Er lächelt. »Könnten Sie das, was Sie gerade sagten, bitte in ganz normales Englisch übersetzen?«

»Oh«, sagt Artemis verunsichert. »Nun, ich meinte nur, dass wir von der Strategie her, ungeachtet unserer unternehmerischen Visionen …« Sie verstummt angesichts seiner Miene.

»Versuchen Sie es noch mal«, sagt er freundlich. »Ohne das Wort strategisch.«

»Oh«, sagt Artemis noch einmal. »Also, ich wollte nur sagen, dass … wir … uns auf das konzentrieren sollten … was wir am besten können.«

»Ach so!« Jack Harpers Augen leuchten. »Jetzt verstehe ich. Bitte, fahren Sie fort.«

Er sieht mich an, verdreht die Augen und grinst, und ich kann nicht anders als vorsichtig zurückgrinsen.

Nach dem Meeting wird noch weitergeredet, und der Raum leert sich langsam, während ich um die Tische gehe und die Kaffeetassen einsammle.

»Es war sehr interessant, Sie kennen zu lernen«, sagt Connor eifrig. »Wenn Sie eine Kopie meiner Präsentation haben möchten ...«

»Ach, ich denke, das wird nicht nötig sein«, sagt Jack in diesem trockenen, spöttischen Ton. »Ich denke, ich habe es mehr oder weniger mitbekommen.«

Du lieber Gott. *Merkt* Connor denn nicht, dass er sich viel zu sehr bemüht?

Ich staple die Tassen zu riskanten Türmen auf den Wagen, dann klaube ich die Kekspapierchen zusammen.

»Ich habe genau jetzt einen Termin im Designstudio«, sagt Jack Harper, »aber ich weiß schon gar nicht mehr, wo das ist ...«

»Emma!«, bellt Paul. »Würden Sie Jack bitte zum Designstudio begleiten? Sie können dann später weiter aufräumen.«

Ich erstarre und kralle mich an einer orangefarbenen Kaffeesahneverpackung fest.

Bitte nicht schon wieder.

»Natürlich«, bringe ich schließlich heraus. »Es ist mir ... ein Vergnügen. Hier geht es lang.«

Unbeholfen geleite ich Jack Harper aus dem Konferenzraum, und wir gehen nebeneinander den Flur entlang. Mein Gesicht kribbelt ein bisschen, die Leute versuchen, uns nicht anzustarren, und ich merke, dass auf dem Gang alle zu verunsicherten Robotern mutieren, sobald sie ihn sehen. In den angrenzenden Büros stoßen die Leute sich aufgeregt an, und mindestens einmal höre ich jemanden zischen: »Er kommt!«

Ist das immer so, wenn Jack Harper irgendwo auftaucht?

»So«, macht er nach einer Weile Konversation. »Dann ziehen Sie also mit Ken zusammen.«

»Er heißt *Connor*«, sage ich. »Und, ja.«

»Freuen Sie sich schon darauf?«

»Ja. Klar freue ich mich.«

Wir sind bei den Aufzügen angekommen, und ich drücke auf den Knopf. Ich spüre seinen spöttischen Blick auf mir.

»Was?«, wehre ich mich und drehe mich zu ihm um.

»Habe ich etwas gesagt?« Er zieht die Augenbrauen hoch. Sein Gesichtsausdruck verletzt mich. Was weiß er denn schon?

»Ich weiß, was Sie denken«, sage ich und hebe trotzig das Kinn. »Aber das stimmt nicht.«

»Das stimmt nicht?«

»Nein! Sie haben da etwas … missverstanden.«

»*Missverstanden*?«

Er sieht aus, als unterdrücke er ein Lachen, und eine leise Stimme in meinem Innern sagt, dass ich aufhören soll. Kann ich aber nicht. Ich muss ihm erklären, wie es ist.

»Also. Ich weiß, dass ich im Flugzeug vielleicht ein paar … Bemerkungen gemacht habe«, fange ich an und balle die Fäuste. »Aber Sie müssen bedenken, dass dieses Gespräch unter Druck stattfand, in einer Extremsituation, und da habe ich eine Menge Dinge gesagt, die ich nicht so gemeint habe. Ziemlich viele sogar!«

Ha! Jetzt habe ich es ihm aber gegeben.

»Verstehe«, sagt Jack Harper nachdenklich. »Also … *mögen* Sie in Wirklichkeit gar kein Double-Chocolate-Chip-Eis von Häagen-Dazs.«

Verunsichert starre ich ihn an.

»Ich …« Ich muss mich mehrfach räuspern. »Manche Sachen *waren* natürlich auch ernst gemeint …«

Die Tür macht Ping, und wir sehen beide auf.

»Jack!«, sagt Cyril, der auf der anderen Seite der Tür steht. »Ich habe Sie schon gesucht.«

»Ich habe mich nett mit Emma unterhalten«, sagt Jack. »Sie war so freundlich, mir den Weg zu zeigen.«

»Aha.« Cyril sieht mich abschätzig an. »Nun ja, Sie werden schon bei den Designern erwartet.«

»Also, dann … dann gehe ich mal«, sage ich befangen.

»Bis später«, sagt Jack und grinst. »War nett, mit Ihnen zu plaudern, Emma.«

9

Als ich abends aus dem Büro gehe, fühle ich mich ganz durchgeschüttelt, wie eine Schneekugel. Ich war eigentlich ganz glücklich damit, ein gewöhnliches, langweiliges, kleines Dorf in der Schweiz zu sein. Und dann kommt dieser Jack Harper daher und schüttelt mich, und plötzlich wirbeln überall Schneeflocken herum.

Und ein bisschen Geglitzer. Winzige Stückchen funkelnder, heimlicher Erregung.

Immer, wenn ich seinem Blick begegne oder seine Stimme höre, trifft mich ein kleiner Pfeil in die Brust.

Was ja wohl albern ist. Albern.

Connor ist mein Freund. Connor ist meine Zukunft. Er liebt mich, und ich liebe ihn, und wir ziehen zusammen. Und wir werden Holzfußboden und Fensterläden haben und Arbeitsplatten aus Granit. Also.

Also.

Zu Hause kniet Lissy im Wohnzimmer auf dem Boden und

hilft Jemima, sich in das engste schwarze Wildlederkleid zu zwängen, das ich je gesehen habe.

»Wow!«, sage ich und stelle meine Tasche ab. »Das sieht ja toll aus!«

»So!«, keucht Lissy und setzt sich auf die Fersen. »Der Reißverschluss wäre zu. Kriegst du noch Luft?«

Jemima bewegt nicht einen Muskel. Lissy und ich sehen uns an.

»Jemima!«, sagt Lissy erschrocken. »Kannst du atmen?«

»Geht so«, sagt Jemima schließlich. »Wird schon reichen.« Sehr langsam und sehr steif taumelt sie auf ihre Louis-Vuitton-Tasche zu, die auf einem Stuhl liegt.

»Was passiert, wenn du aufs Klo musst?«, frage ich und starre sie an.

»Oder mit zu ihm gehst!«, sagt Lissy und kichert.

»Das ist erst unser zweites Date! Ich gehe bestimmt nicht mit zu ihm!«, sagt Jemima schockiert. »So bekommt man keinen …«, sie schnappt nach Luft, »Diamanten am Finger!«

»Und was ist, wenn euch die Leidenschaft übermannt?«

»Oder wenn er dich im Taxi angrapscht?«

»So *ist* er nicht«, sagt Jemima und verdreht die Augen. »Er ist *zufällig* Erster Stellvertretender Staatssekretär im Finanzministerium.«

Ich begegne Lissys Blick und kann nicht dagegen an, ich pruste los.

»Emma, lach doch nicht so blöd«, sagt Lissy mit unbewegtem Gesicht. »Sekretär ist doch ein ehrenwerter Beruf. Er kann ja immer noch aufsteigen, sich weiterbilden …«

»Oh, haha, sehr witzig«, sagt Jemima genervt. »Irgendwann wird er zum Ritter geschlagen. Dann macht ihr euch nicht mehr lustig.«

»Och, ich glaube doch«, sagt Lissy. »Dann erst recht.« Plötzlich starrt sie Jemima an, die immer noch neben dem

Stuhl steht und versucht, an ihre Tasche zu kommen. »Auweia! Du kannst nicht mal deine Tasche vom Stuhl nehmen, was?«

»Doch!«, sagt Jemima in einem letzten verzweifelten Versuch, sich hinunterzubeugen. »Natürlich kann ich das. Na bitte!« Mit einem künstlichen Fingernagel angelt sie nach dem Träger der Tasche und wirft sie sich triumphierend über die Schulter. »Seht ihr?«

»Und was ist, wenn er tanzen möchte?«, fragt Lissy boshaft. »Was machst du dann?«

Kurz flackert helle Panik in Jemimas Gesicht auf, dann verschwindet sie wieder.

»Wird er schon nicht«, sagt sie verächtlich. »Engländer wollen nie tanzen.«

»Auch wieder wahr.« Lissy grinst. »Viel Spaß.«

Als Jemima zur Tür hinaus ist, lasse ich mich aufs Sofa fallen und greife nach einer Zeitschrift. Dann werfe ich einen Blick zu Lissy hinüber, aber sie starrt konzentriert ein Loch in die Luft.

»Konditionalis!«, sagt sie plötzlich. »Natürlich! Wie konnte ich denn so *blöd* sein?«

Sie wühlt unter dem Sofa, zieht ein paar alte Zeitungs-Kreuzworträtsel hervor und durchsucht sie.

Also ehrlich. Als wenn Spitzenanwältin zu sein nicht genügend Gehirnkapazität in Anspruch nehmen würde, verbringt Lissy auch noch ihre gesamte Freizeit mit Kreuzworträtseln, Fernschach und irgendwelchen Denksportaufgaben, die sie von ihrem beknackten Verein der Superschlauen bekommt. (Der *heißt* natürlich nicht so. Er heißt so ähnlich wie »Denkart – für Menschen, die gerne denken«. Und im Kleingedruckten steht dann irgendwo, dass man einen IQ von mindestens 600 haben muss, um Mitglied zu werden.)

Wenn sie mit einem Rätsel nicht weiterkommt, schmeißt sie es nicht einfach weg und sagt »dämliches Rätsel«, wie ich das tun würde. Sondern sie hebt es auf. Und dann, drei Monate später, wenn wir gerade *EastEnders* gucken oder so, fällt ihr plötzlich die Lösung ein. Und dann ist sie ganz verzückt! Nur, weil ihr das letzte Wort für ein Kästchen noch eingefallen ist.

Lissy ist meine beste Freundin, und ich mag sie wirklich sehr. Aber manchmal verstehe ich sie einfach *nicht*.

»Was ist denn das?«, frage ich, als sie die Lösung einträgt. »Ein Kreuzworträtsel von 1993?«

»Haha«, sagt sie abwesend. »Und, was hast du heute Abend vor?«

»Ich glaube, ich mache es mir einfach zu Hause gemütlich«, sage ich und blättere in der Zeitschrift. »Eigentlich könnte ich mal meine Klamotten durchsehen«, füge ich hinzu, als mein Blick auf den Artikel »Regelmäßige Kleiderschrank-Pflege« fällt.

»Bitte was?«

»Ich dachte, ich könnte mal alles auf fehlende Knöpfe und runterhängende Säume überprüfen«, sage ich, als ich den Artikel lese. »Und mit der Kleiderbürste über meine Jacken gehen.«

»Hast du überhaupt eine Kleiderbürste?«

»Dann eben mit einer Haarbürste.«

»Ach so.« Sie zuckt mit den Schultern. »Na gut. Schade, ich wollte dich gerade fragen, ob du Lust hast auszugehen.«

»Ooooh!« Die Zeitschrift rutscht zu Boden. »Wohin?«

»Rat mal, was ich hier habe?« Sie zieht verführerisch die Augenbraue hoch und wühlt in ihrer Tasche. Sehr langsam zieht sie einen großen, rostigen Schlüsselring heraus, an dem ein nigelnagelneuer Yale-Schlüssel hängt.

»Was ist das?«, fange ich erstaunt an – dann kapiere ich es plötzlich. »Nein!«

»Doch! Ich bin drin!«

»Wahnsinn! Lissy!«

»Ich weiß!« Lissy strahlt mich an. »Ist das nicht der Hammer?«

Der Schlüssel in Lissys Hand ist der coolste Schlüssel der Welt. Er gehört zur Tür eines super-angesagten Privatclubs in Clerkenwell, in den man als Normalsterblicher nicht reinkommt.

Und Lissy hat's geschafft!

»Lissy, du bist die Coolste!«

»Nein, bin ich nicht«, sagt sie geschmeichelt. »Es war Jasper aus meiner Kanzlei. Der hat seine Beziehungen spielen lassen.«

»Mir doch egal, wer es war. Ich bin schwer beeindruckt!«

Ich nehme ihr den Schlüssel ab und starre ihn fasziniert an, aber es ist nichts Besonderes dran. Kein Name, keine Adresse, kein Logo, kein gar nichts. Er sieht ein bisschen aus wie der Schlüssel zu Dads Gartenhütte, stelle ich in Gedanken fest. Aber natürlich viel, viel cooler, schiebe ich hastig hinterher.

»Was glaubst du, wer alles da ist?« Ich schaue auf. »Madonna ist anscheinend Mitglied. Und Jude & Sadie! Und dieser süße neue Schauspieler aus *EastEnders*. Obwohl alle sagen, der sei schwul …«

»Emma«, unterbricht Lissy mich. »Du weißt, dass es keine Promi-Garantie gibt.«

»Ja, ich weiß«, sage ich etwas beleidigt.

Also ehrlich. Was denkt Lissy denn, wer ich bin? Ich bin eine coole und kultivierte Londonerin. Ich flippe doch wegen ein paar blöder Berühmtheiten nicht gleich aus. Ich habe es ja nur *erwähnt*, sonst nichts.

»Wahrscheinlich«, sage ich nach einer Pause, »verdirbt es sowieso nur die Stimmung, wenn der ganze Laden voller Promis ist. Ich meine, stell dir mal vor, wie ätzend das ist, wenn du einfach nur da sitzen und dich nett unterhalten willst, und um

dich rum sind lauter Schauspieler und Supermodels und ...
und Popstars ...«

Wir denken beide einen Moment lang darüber nach.

»Na dann«, sagt Lissy beiläufig. »Dann können wir uns ja
mal fertig machen.«

»Okay«, sage ich ebenso beiläufig.

Es ist ja keine große Sache. Ich ziehe einfach eine Jeans an.
Und wasche mir vielleicht noch eben die Haare, das wollte ich
sowieso.

Und vielleicht schnell eine Gesichtsmaske.

Eine Stunde später erscheint Lissy an meiner Zimmertür,
sie trägt Jeans, eine schwarze Korsage und die hochhackigen
Bertie-Schuhe, von denen ich zufällig weiß, dass sie darin immer Blasen bekommt.

»Was meinst du?«, fragt sie im gleichen beiläufigen Ton.
»Ich habe mich jetzt nicht besonders aufgedonnert ...«

»Ich auch nicht«, sage ich und puste die zweite Schicht Na-
gellack trocken. »Ich meine, wir gehen ja auch nur ganz normal
aus. Ich mache auch kein großes Theater mit dem Make-up.«
Ich sehe auf und starre Lissy an. »Sind das falsche Wimpern?«

»Nein! Also ... ja. Aber das soll man gar nicht merken. Sie
heißen Natural Look.« Sie geht zum Spiegel und schlägt prüfend die Augen nieder. »Fallen sie so sehr auf?«

»Nein!«, sage ich beschwichtigend und greife nach dem
Rouge-Pinsel. Als ich wieder aufsehe, stiert Lissy meine
Schulter an.

»Was ist das denn?«

»Was?«, frage ich unschuldig und berühre das kleine Strass-
Herz auf meinem Schulterblatt. »Ach *das*. Das klebt man einfach auf. Ich hab's nur so aus Spaß draufgemacht.« Ich greife
nach einem Neckholder-Top, binde es um und schlüpfe in die
spitzen Wildlederstiefel. Ich habe sie vor einem Jahr gebraucht

im Sue-Ryder-Laden gekauft, und sie sind ein bisschen abgeschabt, aber im Dunkeln fällt es kaum auf.

»Meinst du, wir haben es übertrieben?«, fragt Lissy, als ich mich neben sie vor den Spiegel stelle. »Was ist, wenn sie alle Jeans tragen?«

»Wir tragen doch auch Jeans.«

»Aber wenn alle dicke Schlabberpullis anhaben und wir echt blöd aussehen?«

Lissy ist völlig paranoid, wenn es darum geht, was alle anderen tragen. Bei der ersten Weihnachtsfeier in ihrer Kanzlei war sie unsicher, ob »Abendanzug« so viel wie langes Abendkleid bedeutet oder nur Glitzertop, und ich musste mitgehen und mit sechs verschiedenen Outfits in Plastiktüten vor der Tür warten, damit sie sich nötigenfalls schnell hätte umziehen können. (Natürlich war ihr Kleid perfekt. Hatte ich ihr auch *gesagt*.)

»Da trägt bestimmt niemand Schlabberpullis«, sage ich. »Also, wollen wir los?«

»Geht nicht!« Lissy guckt auf die Uhr. »Ist noch zu früh.«

»Ach, Quatsch. Könnte ja sein, dass wir auf dem Weg zu einer *anderen* Promi-Party dort nur schnell etwas trinken.«

»Stimmt auch wieder.« Lissy strahlt. »Cool. Dann mal los!«

Der Bus braucht etwa eine Viertelstunde von Islington nach Clerkenwell. Lissy führt mich eine menschenleere Straße in der Nähe von Smithfield Market entlang, in der lauter Lagerhallen und leere Bürogebäude stehen. Wir gehen um eine Ecke und um noch eine, und stehen in einer kleinen Allee.

»Okay«, sagt Lissy und sieht unter einer Straßenlampe auf einen winzigen Zettel. »Es ist irgendwo ganz versteckt.«

»Hängt kein Schild draußen?«

»Nein. Das ist ja gerade der Witz, dass außer den Mitgliedern niemand weiß, wo es ist. Man muss an der richtigen Tür klopfen und nach Alexander fragen.«

»Wer ist Alexander?«

»Keine Ahnung.« Lissy zuckt die Schultern. »Das ist nur das Codewort.«

Codewort! Das wird ja immer cooler. Lissy studiert eine Gegensprechanlage an einer Hauswand, und ich sehe mich um. Die Straße ist völlig unscheinbar. Um nicht zu sagen schäbig. Sie besteht aus reihenweise identischen Türen, verrammelten Fenstern und kaum einem Lebenszeichen. Aber schon der Gedanke: Hinter dieser trostlosen Fassade trifft sich die Londoner Highsociety!

»Hi, ist Alexander da?«, sagt Lissy nervös. Nach einem Moment Stille klickt wie von Zauberhand die Tür auf.

Ach du lieber Gott. Das ist ja wie bei Aladin oder so. Erwartungsfroh gehen wir einen erleuchteten, von Musik pulsierenden Gang entlang. Wir kommen an eine flache Edelstahltür, und Lissy zückt den Schlüssel. Als die Tür aufgeht, zupfe ich mein Top zurecht und fahre mir lässig durchs Haar.

»Okay«, murmelt Lissy. »Nicht hingucken. Niemanden anstarren. Ganz cool bleiben.«

»Alles klar«, murmele ich zurück und folge Lissy in den Club. Als sie dem Mädchen am Tresen ihren Mitgliedsausweis zeigt, starre ich ihr intensiv auf den Rücken, und als wir den großen, schummrigen Raum betreten, konzentriere ich mich auf den beigen Teppich. Ich werde hier keine Promis anglotzen. Ich starre niemanden an. Ich werde nicht …

»Pass doch auf!«

Ups. Ich war so beschäftigt damit, den Boden zu fixieren, dass ich Lissy angerempelt habe.

»Tut mir Leid«, flüstere ich. »Wo setzen wir uns hin?«

Ich traue mich nicht mal, nach freien Plätzen Ausschau zu halten; nicht, dass ich zufällig Madonna sehe und sie glaubt, ich glotze sie an. »Hier«, sagt Lissy und deutet mit einem seltsamen Kopfrucken auf einen Holztisch.

Irgendwie schaffen wir es, uns zu setzen, die Handtaschen zu verstauen und die Cocktailkarte in die Hand zu nehmen.

»Hast du jemanden gesehen?«, murmle ich.

»Nein. Du?«

»Nein.« Ich lasse meinen Blick über die Cocktailkarte schweifen. Herrgott, ist das anstrengend. Mir tun schon die Augen weh. Ich will mich jetzt umsehen. Ich will den Laden endlich in Augenschein nehmen.

»Lissy«, zische ich. »Ich schaue mich jetzt mal um.«

»Echt?« Lissy starrt mich besorgt an. »Na gut … Okay. Aber sei vorsichtig. Und vor allem *diskret*.«

»Natürlich. Ich benehme mich.«

Also, auf geht's. Ein schneller, nicht-glotzender Rundblick. Ich lehne mich im Sessel zurück, atme tief ein, lasse meinen Blick durch den Raum schweifen und versuche, dabei möglichst schnell möglichst viele Details zu erfassen. Gedämpfte Beleuchtung … jede Menge lila Sofas und Sessel … ein paar Typen in T-Shirts … drei junge Frauen in Jeans und Pullovern, Gott, Lissy wird ausflippen … ein flüsterndes Pärchen … ein Bärtiger, der *Private Eye* liest … und das war's.

Das kann ja wohl nicht alles sein.

Das kann ja wohl nicht wahr sein. Wo ist Robbie Williams? Wo sind Jude & Sadie? Wo sind die ganzen Supermodels?

»Und, wen siehst du?«, zischt Lissy, die immer noch auf die Cocktailkarte stiert.

»Ich weiß nicht«, flüstere ich unsicher. »Ist der Typ da hinten mit dem Bart vielleicht Schauspieler?«

Betont ungezwungen dreht Lissy sich um und guckt ihn an.

»Ich glaube nicht«, sagt sie schließlich und dreht sich wieder zu mir.

»Und was ist mit dem da, im grauen T-Shirt?«, frage ich hoffnungsvoll. »Ist der nicht in einer Boygroup oder so?«

»Mmm … nein. Ich glaube nicht.«

Schweigend sehen wir uns an.

»Ist *irgendein* Promi hier?«, frage ich schließlich.

»Es gibt doch keine Promi-Garantie!«, rechtfertigt sich Lissy.

»Ich weiß! Aber man denkt doch …«

»Hi!« Wir werden von zwei Mädchen in Jeans unterbrochen, die an unseren Tisch gekommen sind. Eine von ihnen lächelt mich nervös an. »Ich möchte mich nicht aufdrängen, aber meine Freundinnen und ich waren uns nicht sicher – sind Sie nicht die Neue aus *Hollyoaks*?«

Ach du meine Güte.

Na ja. Was soll's. Wir sind ja nicht hergekommen, um schmierigen Promis beim Colatrinken und Angeben zuzugucken. Wir sind hier, um zusammen in aller Ruhe nett etwas zu trinken.

Wir bestellen Erdbeer-Daiquiris und eine Nussmischung (4,50 Pfund für ein kleines Schälchen. Nach den Getränkepreisen *fragt* man besser gar nicht erst.) Und ich bin zugegebenermaßen ein bisschen entspannter, seit ich weiß, dass kein Prominenter hier ist, den ich beeindrucken muss.

»Und, wie läuft's bei der Arbeit?«, frage ich und nippe an meinem Drink.

»Och, ganz gut«, sagt Lissy und zuckt leicht mit den Schultern. »Ich habe mich heute mit dem Betrüger von Jersey getroffen.«

Der Betrüger von Jersey ist ein Mandant von Lissy, der dauernd wegen Betrugs angeklagt wird, Berufung einlegt und schließlich – weil Lissy so brillant ist – wieder freigelassen wird. Eben noch in Handschellen, trägt er im nächsten Moment schon wieder maßgeschneiderte Anzüge und führt Lissy zum Essen ins Ritz aus.

»Er wollte mir eine Diamantbrosche kaufen«, sagt Lissy und verdreht die Augen. »Er kam mit dem Katalog von Asprey's an und hat dauernd gesagt, ›die hier ist doch ganz hübsch‹. Und ich habe immer nur gesagt, ›Humphrey, Sie sind im Knast! Reißen Sie sich zusammen!‹« Sie schüttelt den Kopf, trinkt einen Schluck und sieht mich an. »Und selbst … was ist mit deinem Typen?«

Ich weiß genau, dass sie Jack meint, aber ich will nicht zugeben, dass ich auch sofort an ihn gedacht habe, also setze ich ein unschuldiges Gesicht auf und frage, »mit wem, Connor?«

»Nein, du Dussel! Dein Fremder aus dem Flugzeug. Der alles über dich weiß.«

»Ach *der*.« Ich spüre, dass ich rot werde, und blicke konzentriert auf den geprägten Bierdeckel.

»Ja, der! Konntest du ihm aus dem Weg gehen?«

»Nein«, gestehe ich. »Der Mistkerl lässt mich einfach nicht in Ruhe.«

Ich unterbreche mich, als der Kellner zwei frische Erdbeer-Daiquiris bringt. Als er wieder weg ist, sieht Lissy mich forschend an.

»Emma, hast du dich in den Typen verguckt?«

»Nein, ich habe mich natürlich nicht in ihn *verguckt*«, sage ich mit Nachdruck. »Er … verwirrt mich nur, sonst nichts. Das ist ja wohl total normal. Würde dir auch so gehen. Es ist auch sowieso egal, ich muss nur noch bis Freitag durchhalten. Dann fährt er.«

»Und dann ziehst du mit Connor zusammen.« Lissy trinkt einen Schluck Daiquiri und beugt sich vor. »Ich glaube ja, dass er dir demnächst einen Heiratsantrag macht.«

Ich spüre einen kleinen Ruck im Magen, aber das ist bestimmt nur der Drink, der unten ankommt oder so was.

»Du hast vielleicht ein Glück«, sagt Lissy wehmütig. »Neulich hat er doch in meinem Zimmer die Regale aufgebaut, ohne dass ich auch nur darum gebeten hätte! Welcher Mann macht das schon?«

»Ich weiß. Er ist wirklich … toll.« Es entsteht eine Pause, in der ich meinen Bierdeckel zu kleinen Schnipseln verarbeite. »Die einzige *winzige* Kleinigkeit ist, dass es nicht mehr ganz so romantisch ist wie am Anfang.«

»Es kann ja auch nicht ewig romantisch bleiben«, sagt Lissy. »Die Dinge verändern sich ja. Mit der Zeit wird man einfach gesetzter.«

»Das weiß ich doch auch!«, sage ich. »Wir sind reife, vernünftige Menschen, und wir führen eine liebevolle Beziehung in ruhigen Bahnen. Was eigentlich genau das ist, was ich mir wünsche. Nur …« Ich räuspere mich. »Wir haben halt auch nicht mehr *so oft* Sex …«

»Das ist ja häufig ein Problem in längeren Beziehungen«, sagt Lissy sachkundig. »Ihr müsst es eben ein bisschen aufpeppen.«

»Wie das denn?«

»Habt ihr es schon mal mit Handschellen versucht?«

»Nein! Du?« Ich starre sie gebannt an.

»Ist schon eine Weile her«, sagt sie und tut es mit einem Achselzucken ab. »War nicht so … Ähm … vielleicht müsst ihr es mal woanders versuchen. Macht es doch mal im Büro!«

Im Büro! Das ist ja mal eine richtig gute Idee. Lissy ist wirklich schlau.

»Okay!«, sage ich, »das probiere ich mal aus.«

Ich hole einen Stift aus der Tasche und schreibe mir »Vögeln@Büro« auf die Hand, gleich neben »n. verg.: Schatz«.

Plötzlich bin ich voller Begeisterung. Das ist wirklich ein Superplan. Ich werde Connor morgen im Büro vögeln, und es wird der sensationellste Sex, den wir je hatten, und dann kommt das Kribbeln zurück, und wir werden wieder total verliebt sein. Ist doch ganz einfach. Dann kann Jack Harper mal sehen.

Blödsinn. Mit Jack Harper hat das überhaupt nichts zu tun. Keine Ahnung, warum der mir jetzt da reingerutscht ist.

Es gibt da nur ein winziges Problem: Sex am Arbeitsplatz ist nämlich nicht so einfach, wie es klingt. Bisher war mir gar nicht bewusst gewesen, wie *offen* bei uns in der Firma alles ist. Und wie viele gläserne Wände wir haben. Und wie viele Leute da den ganzen Tag herumlaufen.

Morgens um elf habe ich immer noch keinen richtigen Plan. Ich hatte wohl gedacht, wir könnten es einfach hinter irgendeiner Topfpflanze machen, aber wenn ich mir die so ansehe, sind Topfpflanzen doch ganz schön klein! Und so blätterig. Keine Chance, uns hinter so einer zu verstecken, ganz zu schweigen von jeglicher … Bewegung.

Auf den Toiletten geht es nicht. In den Damentoiletten sind immer Leute, die den neuesten Tratsch austauschen und sich nachschminken, und die Herrentoiletten … igitt. Kommt nicht in Frage.

In Connors Büro geht es auch nicht, weil die Wände dort komplett aus Glas sind und es keine Rollos oder so was gibt. Außerdem laufen dauernd Leute rein und raus und holen irgendwas aus seinem Aktenschrank.

Ach, das ist ja lächerlich. Wer eine Affäre hat, muss doch dauernd Sex im Büro haben. Gibt es hier irgendwo ein geheimes Fickzimmer, von dem ich nichts weiß?

Ich kann Connor auch nicht einfach eine E-Mail schicken und ihn um Vorschläge bitten, das Wichtigste ist schließlich, dass ich ihn überrasche. Der Überraschungseffekt wird ihn richtig antörnen, und dann wird es prickelnd heiß und romantisch. Außerdem besteht die kleine Gefahr, dass er, wenn ich ihn vorwarne, plötzlich total geschäftlich wird und darauf besteht, dass wir dafür eine Stunde unbezahlte Freizeit nehmen oder so.

Ich überlege gerade, ob wir vielleicht auf die Feuertreppe rausklettern können, als Nick aus Pauls Büro kommt und irgendwas von Gewinnspannen erzählt.

Mein Kopf ruckt hoch, und mir wird ganz mulmig. Seit dem großen Meeting gestern versuche ich, meinen Mut zusammenzunehmen und ihm etwas zu sagen.

»Hey, Nick«, sage ich, als er an meinem Tisch vorbeigeht. »Der Panther-Riegel ist doch dein Produkt, oder?«

»Wenn man *das* Produkt nennen will«, sagt er und verdreht die Augen.

»Soll er gekippt werden?«

»Ziemlich sicher.«

»Hör mal«, sage ich schnell. »Kann ich ein winziges Bisschen vom Marketing-Budget abhaben, um eine Couponanzeige zu schalten?« Nick stemmt die Hände in die Seiten und starrt mich an.

»Um was?«

»Eine Anzeige zu schalten. Wird nicht mal teuer, versprochen. Es wird gar nicht erst jemand bemerken.«

»Wo?«

»*Bowling Monthly*«, sage ich und erröte ein bisschen. »Mein Grandpa liest die.«

»Bowling *was*?«

»Bitte! Du brauchst überhaupt nichts zu machen. Ich regle alles. Es ist doch nur ein Tropfen auf den heißen Stein, im Vergleich zu den ganzen Anzeigen, die du schon geschaltet hast.« Ich sehe ihn flehentlich an. »Bitte … bitte …«

»Na gut!«, sagt er ungeduldig. »Das Ding ist eh im Eimer.«

»Danke!« Ich strahle ihn an und wähle, sobald er außer Hörweite ist, Grandpas Nummer.

»Hi, Grandpa«, sage ich, als sein Anrufbeantworter piept, »ich schalte eine Couponanzeige für Panther-Riegel in der *Bowling Monthly*. Kannst du auch deinen Freunden erzählen! Da könnt ihr euch noch mal günstig eindecken. Bis dann!«

»Emma?«, dröhnt Grandpas Stimme mir plötzlich ins Ohr. »Ich bin da! Ich hab dich nur abgehört.«

»Abgehört?« Ich bemühe mich, nicht zu überrascht zu klingen. Grandpa hört ab?

»Das ist mein neues Hobby. Kennst du das gar nicht? Man hört zu, wie die Freunde Nachrichten hinterlassen, und amüsiert sich über sie. Macht richtig Spaß. Hör mal, Emma, ich wollte dich auch schon anrufen. Gestern war etwas in den Nachrichten, wirklich erschreckend, über Straßenräuber in London.«

Nicht schon wieder.

»Grandpa …«

»Versprich mir, dass du nicht mit öffentlichen Verkehrsmitteln fährst, Emma.«

»Ich, äh … versprochen«, sage ich und kreuze die Finger. »Grandpa, ich muss Schluss machen. Aber ich rufe bald wieder an. Tschüss.«

»Tschüss, meine Kleine.«

Als ich auflege, bin ich richtig zufrieden. Wieder etwas erledigt.

Und was ist jetzt mit Connor?

»Ich muss nur eben ins Archiv und es suchen«, sagt Caroline auf der anderen Seite des Büros, und mir kommt die Idee.

Das Archiv. Natürlich. Natürlich! Ins Archiv geht kein Schwein, wenn es nicht unbedingt sein muss. Es liegt ganz unten im Keller, es ist stockduster und fensterlos, es ist voll gestopft mit Büchern und Zeitschriften, und am Ende kriecht man meistens auf dem Boden herum, um zu finden, was man braucht.

Perfekt.

»Ich geh schon«, sage ich möglichst gleichgültig. »Wenn du willst. Was brauchst du denn?«

»Das würdest du tun?«, fragt Caroline dankbar. »Danke, Emma. Es geht um eine alte Anzeige in einer inzwischen eingestellten Zeitschrift. Hier sind die Daten …« Sie bringt mir einen Zettel, den ich zitternd vor Aufregung entgegennehme. Als sie weg ist, wähle ich betont unaufgeregt Connors Nummer.

»Hi, Connor«, sage ich mit gedämpfter, heiserer Stimme. »Komm runter ins Archiv. Ich muss dir was zeigen.«

»Was denn?«

»Komm einfach«, sage ich und fühle mich wie Sharon Stone.

Ha! Sex am Arbeitsplatz, jetzt komme ich!

Ich eile im Höchsttempo den Gang entlang, aber als ich an der Verwaltung vorbeikomme, fängt mich Wendy Smith ab und fragt, ob ich nicht im Korbballteam mitspielen will. Also bin ich erst ein paar Minuten später im Keller, und als ich die Tür öffne, steht Connor schon da und sieht auf die Uhr.

Wie blöd. Ich wollte doch ihn dort erwarten! Ich hatte geplant, mich auf einen Stapel Bücher zu setzen, den ich dafür schnell hätte aufbauen müssen, die Beine übereinander zu schlagen und den Rock verführerisch hochrutschen zu lassen.

Na gut.

»Hi«, sage ich mit meiner heiseren Stimme.

»Hi«, sagt Connor stirnrunzelnd. »Emma, was soll das? Ich habe heute echt viel zu tun.«

»Ich hatte solche Sehnsucht nach dir. Wie verrückt.« Mit einer lasziven Geste werfe ich die Tür zu und streiche mit einem Finger seinen Brustkorb hinunter, wie in einer Aftershave-Werbung. »Wir vögeln nie mehr einfach so spontan.«

»Was?«

»Komm schon.« Ich knöpfe ihm mit sinnlichem Gesichtsausdruck das Hemd auf. »Wir machen es. Hier, sofort.«

»*Spinnst* du?«, fragt Connor, schiebt meine Hand weg und knöpft hastig sein Hemd wieder zu. »Emma, wir sind hier im Büro!«

»Na und? Wir sind jung, wir sollen verliebt sein …« Meine

Hand streicht noch weiter hinunter, und Connor fallen fast die Augen aus dem Kopf.

»Hör auf!«, zischt er. »Hör sofort damit auf! Emma, bist du betrunken, oder was?«

»Ich möchte nur Sex! Ist das zu viel verlangt?«

»Ist es zu viel verlangt, das im Bett zu tun, wie ganz normale Menschen?«

»Aber wir *tun* es ja nicht im Bett! Ich meine, fast nie!«

Eisiges Schweigen.

»Emma«, sagt Connor schließlich. »Das ist jetzt wohl nicht der richtige Zeitpunkt und nicht der richtige Ort …«

»Doch, ist es! Oder könnte es sein! So können wir das Feuer wieder entfachen! Lissy meint …«

»Du diskutierst unser Liebesleben mit Lissy?« Connor ist erschüttert.

»Ich habe natürlich nicht von *uns* gesprochen«, mache ich hastig einen Rückzieher. »Wir haben nur über … über Paare im Allgemeinen gesprochen, und sie meinte, es bei der Arbeit zu machen, wäre … aufregend! Ach komm schon, Connor!« Ich rücke noch näher an ihn heran und schiebe seine Hand in meinen BH. »Findest du das nicht erregend? Schon der Gedanke, dass genau jetzt jemand den Gang entlangkommen könnte …« Ich breche ab, weil ich ein Geräusch höre.

Ich glaube, es *kommt* genau jetzt jemand den Gang entlang.

Ach du Scheiße.

»Da sind Schritte!«, zischt Connor, und zieht sich ruckartig zurück, aber seine Hand bleibt, wo sie ist, in meinem BH. Er gerät in Panik. »Ich stecke fest! Diese beschissene Uhr. Sie hängt in deinem Pulli fest!« Er zerrt daran. »Scheiße! Ich kann meinen Arm überhaupt nicht bewegen!«

»Zieh!«

»Ich *ziehe* doch!« Er ist ganz verzweifelt. »Gibt es hier keine Schere?«

»Du zerschneidest nicht meinen Pullover«, sage ich erschrocken.

»Hast du einen besseren Vorschlag?« Er zerrt wieder heftig, und ich lasse einen gedämpften Schrei los. »Aua! Hör auf! Du machst ihn ja kaputt!«

»Oh, ich mache ihn kaputt. Hast du gerade nichts Wichtigeres im Kopf?«

»Diese bescheuerte Uhr konnte ich sowieso nie leiden. Hättest du die getragen, die ich dir geschenkt habe …«

Ich breche ab. Das sind definitiv Schritte, die da kommen. Sie sind schon fast vor der Tür.

»Scheiße!« Connor sieht sich hilflos um. »Scheiß … scheiß …«

»Bleib mal locker! Lass uns da drüben in die Ecke gehen«, zische ich. »Vielleicht kommen sie ja auch gar nicht rein.«

»War ja eine tolle Idee, Emma«, murmelt er wütend. »Echt klasse.«

»Was kann ich denn dafür?«, gebe ich zurück. »Ich wollte doch nur ein bisschen Leidenschaft in unsere Beziehung …«
Mir friert das Blut in den Adern, als die Tür aufgeht.

Nein. Um Himmels willen.

Der Schreck macht mich ganz benommen.

In der Tür steht Jack Harper mit einem großen Packen alter Zeitschriften in der Hand.

Langsam lässt er seinen Blick über uns wandern, über Connors offensichtliche Wut, seine Hand in meinem BH, und mein gequältes Gesicht.

»Mr. Harper«, fängt Connor an zu stottern. »Es tut mir wirklich sehr Leid. Wir sind … wir haben nicht …« Er räuspert sich. »Das ist mir alles wahnsinnig peinlich … uns beiden …«

»Das glaube ich Ihnen gern«, sagt Jack mit unbewegtem und unergründlichem Gesicht und in seinem typischen trockenen

144

Tonfall. »Vielleicht können Sie beide sich wieder richtig anziehen, bevor Sie an Ihre Plätze zurückkehren?«

Er schließt die Tür hinter sich, und wir bleiben so regungs-
los stehen wie Wachsfiguren.

»Mann, kannst du vielleicht mal langsam deine bescheuerte
Hand aus meinem BH nehmen?«, sage ich schließlich und
ärgere mich plötzlich wahnsinnig über Connor. Die Lust auf
Sex ist mir jedenfalls gründlich vergangen. Ich bin ziemlich
sauer auf mich selbst. Und auf Connor. Und alle.

10

Jack Harper reist heute ab.

Gott sei Dank. Gott sei Dank. Denn ich könnte *ihn* jetzt
wirklich nicht noch länger ertragen. Wenn ich den Kopf gesenkt halten und *ihm* bis fünf Uhr aus dem Weg gehen kann
und dann sofort hinausstürme, wird alles gut. Es wird wieder
Alltag einkehren, und ich werde mich nicht mehr fühlen, als
würde mein Radar von einem unsichtbaren Magnetfeld gestört.

Ich weiß auch nicht, warum ich im Moment so launisch und
reizbar bin. Denn das gestern war zwar zum Sterben peinlich,
aber ansonsten läuft es eigentlich ganz gut. Erstens sieht es
nicht so aus, als würden Connor und ich wegen Sex am Arbeitsplatz gefeuert, was ich erst befürchtet hatte. Und zweitens ist mein ausgefuchster Plan voll aufgegangen. Sobald wir
wieder an unseren Schreibtischen saßen, fing Connor an, mir
Entschuldigungs-E-Mails zu schreiben. Und heute Nacht
hatten wir Sex. Zweimal. Mit Duftkerzen.

Connor muss irgendwo gelesen haben, dass Frauen Duftkerzen zum Sex mögen. Vielleicht in der *Cosmopolitan*. Denn
jedes Mal, wenn er sie auspackt, guckt er mich mit diesem

»Bin ich nicht aufmerksam?«-Blick an, und dann muss ich sagen: »Oh! Duftkerzen! Wie reizend!«

Also, nicht dass ich falsch verstanden werde. Mir machen Duftkerzen *nichts aus*. Aber es ist ja nicht so, dass sie irgendwas bewirken würden. Sie stehen nur herum und brennen. Und dann, im entscheidenden Moment, denke ich plötzlich so was wie »Hoffentlich fällt die Kerze nicht um«, was mich ein bisschen ablenkt.

Na ja. Jedenfalls hatten wir Sex.

Und heute Abend schauen wir uns zusammen eine Wohnung an. Sie hat zwar keinen Holzboden und keine Fensterläden – aber einen Whirlpool im Bad, was natürlich cool ist. So läuft mein Leben eigentlich ganz prima. Ich weiß auch nicht, warum ich so genervt bin. Ich weiß überhaupt nicht, was …

Ich will nicht mit Connor zusammenziehen, sagt eine leise Stimme in meinem Gehirn, bevor ich sie daran hindern kann.

Quatsch. Das kann ja wohl nicht sein. Das kann ja wohl überhaupt gar nicht sein. Connor ist perfekt. Weiß doch jeder.

Aber ich will nicht …

Halt die Klappe. Wir sind ein Traumpaar. Wir zünden zum Sex Duftkerzen an. Und wir gehen am Fluss spazieren. Und wir lesen sonntags im Schlafanzug bei einer Tasse Kaffee die Zeitung. Was Traumpaare eben so tun.

Aber …

Aufhören!

Ich muss heftig schlucken. Connor ist das einzig Gute in meinem Leben. Wenn ich Connor nicht hätte, was hätte ich denn schon?

Das Klingeln des Telefons unterbricht meine Gedanken, und ich nehme ab.

»Hallo, Emma?«, vernehme ich den bekannten trockenen Ton. »Hier ist Jack Harper.«

Mein Herz macht vor Angst einen riesengroßen Hüpfer,

und ich verschütte beinahe den Kaffee. Seit dem Hand-im-BH-Zwischenfall habe ich ihn nicht mehr gesehen. Und ich will ihn auch gar nicht mehr sehen.

Ich hätte nicht abnehmen sollen.

Ich hätte heute überhaupt nicht zur Arbeit kommen sollen.

»Oh«, sage ich. »Äh, hi!«

»Könnten Sie bitte kurz in mein Büro kommen?«

»Was … ich?«, frage ich nervös.

»Ja, Sie.«

Ich räuspere mich.

»Soll ich … irgendwas mitbringen?«

»Nein, brauchen Sie nicht.«

Er legt auf, ich starre einen Moment lang das Telefon an, und mich durchläuft ein Schauer. Das konnte ja auch gar nicht wahr sein. Jetzt wird er mich doch noch feuern. Grobe … Fahrlässigkeit … fahrlässige Grobheit.

Ich meine, das ist ja nun wirklich grob, bei der Arbeit mit der Hand des Geliebten im Pulli erwischt zu werden.

Okay. Ich kann es jetzt nicht mehr ändern.

Ich atme tief ein, stehe auf und mache mich auf den Weg in den elften Stock. Vor Jack Harpers Tür steht ein Tisch, der aber nicht besetzt ist, also gehe ich gleich durch und klopfe an.

»Herein.«

Vorsichtig öffne ich die Tür. Der Raum ist riesig, hell und vertäfelt, und Jack sitzt an einem runden Tisch, noch sechs weitere Personen um sich herum geschart. Sechs Leute, die ich noch nie gesehen habe, wird mir bewusst. Sie haben alle Zettel in der Hand und nippen Wasser, die Atmosphäre ist angespannt.

Sind die alle hergekommen um zuzugucken, wie ich gefeuert werde? Ist das so eine Art Trainingslager fürs Leutefeuern?

»Guten Tag«, sage ich so gefasst wie möglich. Aber mein Gesicht ist ganz heiß, und ich weiß, dass ich verstört wirke.

147

»Hi.« Jacks Gesicht verzieht sich zu einem Lächeln. »Emma, entspannen Sie sich. Es ist alles in Ordnung. Ich wollte Sie nur etwas fragen.«

»Ach so«, sage ich verdattert.

Also jetzt verstehe ich gar nichts mehr. Was zum Teufel soll er mich schon fragen?

Jack hält einen Zettel hoch, sodass ich ihn gut sehen kann. »Was sehen Sie auf diesem Bild?«, fragt er.

Ach du liebe Scheiße.

Das ist ja ein Alptraum. Das ist wie damals beim Vorstellungsgespräch in der Laines Bank, als sie mir einen Schnörkel zeigten, und ich sagte, das sehe aus wie ein Schnörkel.

Alle starren mich an. Ich will unbedingt das Richtige sagen. Wenn ich nur wüsste, was das ist.

Mit klopfendem Herzen glotze ich das Bild an. Es zeigt eine Grafik mit zwei rundlichen Objekten. In etwas unregelmäßiger Form. Ich habe nicht den Schimmer einer Ahnung, was sie darstellen sollen. Aber überhaupt nicht. Sie sehen aus wie … sie sehen aus wie …

Plötzlich sehe ich es.

»Das sind Nüsse! Zwei Walnüsse!«

Jack bricht in schallendes Gelächter aus, ein paar andere kichern leise und unterdrücken es schnell wieder.

»Na also, da haben Sie es«, sagt Jack.

»Sind das keine Walnüsse?« Ich schaue mich hilflos um.

»Es sollen Eierstöcke sein«, sagt ein Mann mit randloser Brille angespannt.

»*Eierstöcke*?« Ich sehe mir das Blatt noch einmal an. »Ach so, klar! Jetzt, wo Sie es sagen, sehe ich es auch, das sind eindeutig … eierstockartige …«

»Walnüsse.« Jack Harper wischt sich die Tränen aus den Augen.

»Wie ich bereits sagte, sind die Eierstöcke nur *eine* von vie-

148

len Möglichkeiten, Weiblichkeit symbolisch darzustellen«, verteidigt sich ein dünner Mann. »Die Eierstöcke stehen für Fruchtbarkeit, die Augen für Weisheit, der Baum für die Mutter Erde …«

»Es geht ja darum, dass die Symbole für die gesamte Produktpalette einsetzbar sind«, sagt eine Frau mit schwarzem Haar und lehnt sich vor. »Den Gesundheitsdrink, Kleidung, einen Duft …«

»Der Zielmarkt reagiert positiv auf abstrakte Symbole«, fügt Mr. Randlose Brille hinzu. »Die Marktanalyse hat gezeigt …«

»Emma.« Jack sieht mich wieder an. »Würden Sie einen Drink kaufen, auf dem Eierstöcke abgebildet sind?«

»Äh …« Ich räuspere mich und bemerke einige feindselige Gesichter. »Na ja … wahrscheinlich eher nicht.«

Ein paar Leute schauen sich viel sagend an.

»Das ist doch völlig irrelevant«, murmelt jemand.

»Jack, wir haben mit drei Kreativ-Teams daran gearbeitet«, sagt die schwarzhaarige Dame ernst. »Wir können doch nicht einfach wieder von vorn anfangen. Das geht einfach nicht.«

Jack trinkt einen Schluck Wasser aus einer Evian-Flasche, putzt sich den Mund ab und sieht sie an.

»Wissen Sie, dass ich den Slogan ›Don't Pause‹ in zwei Minuten auf einer Kneipen-Serviette entworfen habe?«

»Ja, wissen wir«, murmelt der Typ mit der randlosen Brille.

»Wir verkaufen kein Getränk mit Eierstöcken drauf.« Er atmet scharf aus und fährt sich mit der Hand durchs Haar. Dann schiebt er den Stuhl zurück. »Okay, wir machen eine Pause. Emma, würden Sie mir wohl helfen, diese Ordner ins Svens Büro runterzubringen?«

Herrje, was das jetzt wohl wieder sollte. Ich traue mich nicht zu fragen. Jack marschiert den Gang entlang, in den Aufzug hinein und drückt den Knopf für den neunten Stock, ohne ein

Wort zu sagen. Als wir ungefähr zwei Sekunden gefahren sind, drückt er den Not-Halt, und der Aufzug bleibt stehen. Dann sieht er mich endlich an.

»Sind Sie und ich eigentlich die einzigen zurechnungsfähigen Menschen in diesem Gebäude?«

»Äh …«

»Haben die keinen Instinkt?« Er kann es gar nicht fassen. »Niemand kann mehr eine gute Idee von einer grauenhaften unterscheiden. Eierstöcke.« Er schüttelt den Kopf. »Beschissene *Eierstöcke*!«

Ich kann nicht anders. Er ist so empört, und es kommt mir plötzlich so witzig vor, wie er »Eierstöcke!« sagt, dass ich anfange zu lachen. Einen Moment lang wirkt Jack erstaunt, dann verzieht sich plötzlich sein Gesicht, und schließlich lacht er auch. Er kräuselt die Nase, wenn er lacht, wie ein Baby, und dadurch wirkt es noch tausend Mal lustiger.

O Gott. Ich bekomme einen richtigen Lachanfall. Ich schnaube, und meine Rippen schmerzen, und immer, wenn ich ihn ansehe, muss ich wieder glucksen. Mir läuft die Nase, und ich habe kein Taschentuch … Ich werde mich noch in das Bild von den Eierstöcken schnäuzen müssen …

»Emma, warum sind Sie mit diesem Typen zusammen?«

»Was?« Ich sehe auf, immer noch lachend, bis ich merke, dass Jack damit aufgehört hat. Er sieht mich mit undurchdringlichem Gesicht an.

»Warum sind Sie mit diesem Typen zusammen?«, wiederholt er.

Mein Glucksen erstirbt, und ich streiche mir das Haar aus dem Gesicht.

»Was meinen Sie?«, frage ich, um Zeit zu gewinnen.

»Connor Martin. Er macht Sie doch nicht glücklich. Er bringt Ihnen doch keine Erfüllung.«

Darauf war ich jetzt überhaupt nicht vorbereitet.

»Wer sagt das denn?«

»Ich habe Connor kennen gelernt. Ich habe mit ihm in Meetings gesessen. Ich weiß, wie er tickt. Er ist ein netter Kerl – aber Sie brauchen mehr als einen netten Kerl.« Er sieht mich lange intensiv an. »Ich glaube ja, Sie wollen gar nicht mit ihm zusammenziehen, Sie haben nur Angst davor, jetzt noch einen Rückzieher zu machen.«

Ich bin ziemlich entrüstet. Wie kann er es wagen, meine Gedanken zu lesen und sie so ... so *falsch* zu verstehen. Natürlich will ich mit Connor zusammenziehen.

»Da liegen Sie aber ganz schön daneben«, sage ich scharf. »Ich freue mich darauf, mit ihm zusammen zu wohnen. Tatsächlich ... tatsächlich saß ich gerade am Schreibtisch und konnte es gar nicht mehr erwarten!«

Dem habe ich es gegeben.

Jack schüttelt den Kopf.

»Sie brauchen jemanden mit mehr Esprit. Der Sie anregt.«

»Ich habe Ihnen doch gesagt, dass ich das im Flugzeug nicht so *gemeint* habe. Ich *finde* Connor anregend!« Ich werde trotzig. »Ich meine ... als Sie uns das letzte Mal gesehen haben, da waren wir gerade ziemlich leidenschaftlich, oder?«

»Ach, das.« Jack zuckt mit den Schultern. »Das sah mir eher aus wie ein verzweifelter Versuch, Ihr Liebesleben aufzupeppen.«

Jetzt werde ich langsam wütend.

»Das war kein verzweifelter Versuch, mein Liebesleben aufzupeppen!« Fast spucke ich ihn an. »Das war einfach ein ... spontaner Akt der Leidenschaft.«

»Entschuldigung«, sagt Jack sanft. »Da habe ich mich wohl vertan.«

»Und überhaupt, was geht Sie das an?« Ich verschränke die Arme. »Was geht es Sie an, ob ich glücklich bin oder nicht?«

Wir schweigen kurz, und ich merke, dass ich ziemlich

schnell atme. Kurz begegne ich seinem dunkeläugigen Blick und sehe schnell wieder weg.

»Das habe ich mich auch schon gefragt«, sagt Jack. Er zuckt mit den Schultern. »Vielleicht ist es, weil wir diesen unglaublichen Flug zusammen überstanden haben. Vielleicht, weil Sie der einzige Mensch in dieser Firma sind, der mir nicht irgendwas vorgespielt hat.«

Ich hätte Ihnen aber etwas vorgespielt!, entgegne ich fast. Wenn ich die Wahl gehabt hätte!

»Ich glaube, was ich sagen will, ist … Sie sind mir schon fast eine Freundin geworden«, sagt er. »Und meine Freunde liegen mir am Herzen.«

»Oh«, sage ich und reibe mir die Nase.

Gerade will ich höflich antworten, dass er auch wie ein Freund für mich ist, als er hinzufügt, »außerdem *kann* jemand, der komplette Woody-Allen-Filme auswendig kennt, nur ein Trottel sein.«

Ich werde in Connors Namen richtig wütend.

»Was wissen Sie denn schon!«, schreie ich. »Mann, hätte ich doch bloß nicht neben Ihnen in diesem blöden Flieger gesessen! Sie laufen hier rum und sagen diese ganzen Sachen, nur um mich zu ärgern, und benehmen sich, als kennen Sie mich besser als sonst jemand …«

»Vielleicht tue ich das«, sagt er mit blitzenden Augen.

»Was?«

»Vielleicht kenne ich Sie wirklich besser als sonst jemand.«

Ich starre ihn an und bin atemlos vor Wut und Freude. Ich fühle mich plötzlich, als spielten wir Tennis. Oder als tanzten wir.

»Sie kennen mich nicht besser als sonst jemand!«, gebe ich so spöttisch ich kann zurück.

»Ich weiß, dass Sie nicht mit Connor Martin zusammen bleiben.«

»Wissen Sie nicht.«

»Doch, tue ich.«

»Nein.«

»Doch.«

Er lacht.

»Nein, tun Sie nicht! Und wissen Sie was, ich werde Connor wahrscheinlich sogar heiraten!«

»Connor heiraten?«, fragt Jack, als wäre das der beste Witz, den er je gehört hat.

»Ja! Warum auch nicht? Er ist groß, er sieht gut aus, er ist freundlich, er ist sehr … er ist …« Ich gerate ins Stottern. »Und überhaupt ist das meine Privatsache. Sie sind mein Chef, Sie kennen mich erst seit einer Woche, und ehrlich gesagt geht Sie das überhaupt gar nichts an.«

Jacks Lachen erstirbt. Er sieht aus, als hätte ich ihn geohrfeigt. Einige Momente lang starrt er mich an und sagt nichts. Dann tritt er einen Schritt zurück und startet den Aufzug wieder.

»Sie haben Recht«, sagt er mit völlig veränderter Stimme. »Ihr Privatleben geht mich nichts an. Ich bin zu weit gegangen und entschuldige mich dafür.«

Plötzlich bin ich bestürzt.

»Ich … ich wollte doch nicht …«

»Nein. Sie haben Recht.« Er starrt kurz auf den Boden, dann sieht er auf. »Ich fliege morgen zurück in die Staaten. Der Aufenthalt hier war sehr schön, und ich danke Ihnen für Ihre Hilfe. Kommen Sie heute Abend zur Abschiedsparty?«

»Ich … weiß noch nicht«, sage ich.

Die Atmosphäre ist kaputt.

Es ist schrecklich. Ganz furchtbar. Ich möchte etwas sagen, es soll wieder so sein wie vorher, alles locker und scherzhaft. Aber mir fehlen die Worte.

Wir kommen im neunten Stock an, die Tür geht auf.

»Ich denke, von hier an schaffe ich es allein«, sagt Jack. »Ich hatte Sie nur gebeten mitzukommen, um Gesellschaft zu haben.«

Unbeholfen reiche ich ihm die Ordner.

»Also, Emma«, sagt er in seinem förmlichen Ton, »falls wir uns nicht mehr sehen, es war nett, Sie kennen zu lernen.« Er sieht mir in die Augen und hat wieder den alten, warmen Schimmer im Gesicht. »Und das meine ich ernst.«

»Gleichfalls«, sage ich mit einem Kloß im Hals.

Ich will nicht, dass er geht. Es soll nicht so enden. Am liebsten würde ich ihn auf einen Drink einladen. Am liebsten würde ich nach seiner Hand greifen und sagen: Geh nicht.

Himmel, was ist denn mit mir los?

»Gute Reise«, bringe ich schließlich heraus, als er mir die Hand gibt. Er macht auf dem Absatz kehrt und geht den Gang hinunter.

Ich öffne mehrfach den Mund, um ihm etwas hinterherzurufen – aber was sollte ich sagen? Es gibt nichts zu sagen. Morgen früh sitzt er im Flugzeug zurück in sein Leben. Und ich bleibe hier in meinem.

Den Rest des Tages fühle ich mich bleiern. Alle reden über Jack Harpers Abschiedsparty, aber ich gehe eine halbe Stunde früher als sonst nach Hause. Dort mache ich mir eine heiße Schokolade, und als Connor in die Wohnung kommt, sitze ich auf dem Sofa und starre ein Loch in die Luft.

Als er das Zimmer betritt, sehe ich auf und weiß sofort, dass etwas anders ist. Nicht mit ihm. Er hat sich überhaupt nicht verändert.

Aber ich. Ich habe mich verändert.

»Hi«, sagt er und küsst mich zärtlich auf den Kopf. »Wollen wir gehen?«

»Gehen?«

»Die Wohnung in der Edith Road angucken. Wir müssen uns beeilen, wenn wir noch rechtzeitig zur Party kommen wollen. Ach ja, meine Mutter hat uns ein Geschenk für die Wohnung geschickt, es ist ins Büro geliefert worden.«

Er reicht mir eine Pappschachtel. Ich nehme eine gläserne Teekanne heraus und sehe sie verblüfft an.

»Da sind die Teeblätter vom Wasser getrennt. Mum sagt, der Tee schmeckt wirklich besser …«

»Connor«, höre ich mich sagen, »ich kann das nicht.«

»Es ist ganz einfach. Man muss nur den …«

»Nein.« Ich schließe die Augen, nehme all meinen Mut zusammen und öffne sie wieder. »Ich kann *das* nicht. Ich kann nicht mit dir zusammenziehen.«

»Was?« Connor starrt mich an. »Ist irgendwas passiert?«

»Ja. Nein.« Ich schlucke. »Ich habe schon seit einer Weile Zweifel. An uns. Und jetzt haben sie sich … gefestigt. Einfach so weiterzumachen wäre geheuchelt. Und das wäre nicht fair.«

»*Was?*« Connor reibt sich das Gesicht. »Emma, heißt das etwa, du willst … willst …«

»Ich möchte Schluss machen«, sage ich und sehe auf den Teppich.

»Das ist ja wohl ein Scherz.«

»Das ist kein Scherz!« Plötzlich tut es mir weh. »Das ist kein Scherz, verstehst du?«

»Aber … das ist doch lächerlich! Das ist lächerlich!« Connor läuft im Zimmer auf und ab wie ein wütender Löwe. Plötzlich sieht er mich an.

»Es war dieser Flug.«

»Was?« Ich zucke zusammen, als hätte ich mich verbrannt. »Wie meinst du das?«

»Seit diesem Flug von Schottland bist du anders.«

»Bin ich nicht!«

»Doch, bist du! Du bist nervös, du bist angespannt …«

Connor hockt sich vor mich hin und ergreift meine Hände. »Emma, vielleicht leidest du an einer Art Trauma. Du könntest dich mal beraten lassen.«

»Connor, ich brauche keine Therapie!« Ich ziehe meine Hände weg. »Aber vielleicht hast du Recht. Vielleicht hat dieser Flug …«, ich schlucke, »… mich verändert. Vielleicht hat er einiges zurechtgerückt und mir sind ein paar Lichter aufgegangen. Und eins dieser Lichter ist, dass wir nicht zusammenpassen.«

Langsam und fassungslos sinkt Connor auf dem Teppich zusammen.

»Aber es war doch alles so schön! Wir hatten jede Menge Sex …«

»Ja, schon …«

»Hast du einen anderen?«

»Nein!«, sage ich scharf. »Natürlich habe ich keinen anderen!« Ich reibe heftig auf dem Sofa herum.

»Das meinst du doch alles nicht so«, sagt Connor plötzlich. »Das ist nur so eine Laune. Ich lasse dir ein schönes, heißes Bad ein, mache ein paar Duftkerzen an …«

»Connor, bitte!«, jaule ich. »Keine Duftkerzen mehr! Hör mir doch mal zu. Und glaub es.« Ich schaue ihm in die Augen. »Ich möchte Schluss machen.«

»Ich *glaube* es aber nicht!«, sagt er und schüttelt den Kopf. »Ich *kenne* dich doch, Emma! So bist du doch gar nicht. Du wirfst nicht einfach so etwas weg. Du würdest nie …«

Er bricht schockiert ab, als ich ohne Vorwarnung die Glaskanne auf den Boden schleudere.

Fasziniert starren wir beide darauf.

»Die hätte kaputt gehen sollen«, erkläre ich nach einer Pause. »Und das sollte symbolisieren, dass ich durchaus etwas wegwerfe. Wenn ich weiß, dass es nicht das Richtige für mich ist.«

»Ich glaube, sie ist kaputt«, sagt Connor, hebt sie auf und untersucht sie. »Jedenfalls ist hier ein kleiner Haarriss.«

»Na also.«

»Wir können sie trotzdem noch benutzen.«

»Nein, können wir nicht.«

»Wir können es mit Klebeband versuchen.«

»Aber es würde nicht richtig funktionieren.« Ich balle die Fäuste. »Es würde … einfach nicht funktionieren.«

»Verstehe«, sagt Connor nach einer Weile.

Und ich glaube, das tut er auch endlich.

»Na ja … dann gehe ich mal«, sagt er schließlich. »Ich rufe bei den Leuten mit der Wohnung an und sage ihnen, dass wir …« Er unterbricht sich und wischt sich hastig über die Nase.

»Okay«, sage ich mit einer völlig fremden Stimme. »Können wir es im Büro bitte noch nicht herumposaunen?«, füge ich hinzu. »Jedenfalls erst mal.«

»Natürlich«, sagt er barsch. »Von mir erfährt es keiner.«

Als er schon halb durch die Tür ist, dreht er sich plötzlich noch einmal um und greift in die Tasche. »Emma, hier sind die Tickets für das Jazzfestival«, sagt er mit erstickter Stimme. »Nimm du sie.«

»Was?« Entsetzt starre ich sie an. »Nein! Connor, behalt sie! Sie gehören dir!«

»*Du* sollst sie haben. Ich weiß doch, wie sehr du dich auf das Dennisson Quartet gefreut hast.« Er drückt mir die knallbunten Tickets in die Hand und schließt meine Finger darüber.

»Ich … ich …« Ich schlucke. »Connor … ich will … ich weiß nicht, was ich sagen soll.«

»Uns bleibt immer der Jazz«, sagt Connor mit brüchiger Stimme und zieht die Tür hinter sich zu.

11

Also habe ich jetzt keine Beförderung *und* keinen Freund. Und verquollene Augen vom Heulen. Und alle denken, ich spinne.

»Du spinnst«, sagt Jemima schätzungsweise alle zehn Minuten. Es ist Samstagmorgen, und wir pflegen unser übliches Ritual aus Morgenmänteln, Kaffee und Katzenjammer. Oder in meinem Fall Trennungsjammer. »Dir ist aber schon klar, dass du ihn so weit hattest?« Sie beäugt kritisch ihre Zehennägel, die sie gerade babyrosa lackiert. »Ich hatte innerhalb von sechs Monaten mit einem Diamanten an deinem Finger gerechnet.«

»Ich dachte, du hättest gesagt, dass ich mir alle Chancen verbaue, wenn ich mit ihm zusammenziehe«, gebe ich mürrisch zurück.

»Na ja, in Connors Fall würde ich sagen, du hattest deine Schäfchen im Trockenen.« Sie schüttelt den Kopf. »Du hast sie nicht mehr alle.«

»Findest du auch, dass ich sie nicht mehr alle habe?«, wende ich mich an Lissy, die im Schaukelstuhl sitzt, die Arme um die Knie geschlungen, und eine Scheibe Rosinenbrot isst. »Sei ehrlich.«

»Äh … nö«, sagt sie wenig überzeugend. »Natürlich nicht!«

»Also ja.«

»Es ist nur … ihr kamt mir immer vor wie ein gutes Team.«

»Ich weiß. Ich weiß, dass nach außen hin alles toll aussah.« Ich versuche, es zu erklären. »Aber in Wirklichkeit habe ich mich nie ganz wie ich selbst gefühlt. Es war immer, als würden wir uns etwas vorspielen. Ihr wisst schon. Irgendwie kam es mir so *unecht* vor.«

»Das ist *alles*?«, unterbricht mich Jemima und sieht mich an, als sei ich gestört. »Deswegen hast du Schluss gemacht?«

»Ist doch ein ziemlich guter Grund«, springt Lissy mir bei. Jemima starrt uns verblüfft an.

»So ein Blödsinn! Emma, wenn du einfach drangeblieben wärst und weiter Traumpaar gespielt hättest, dann wärt ihr irgendwann ein Traumpaar *geworden*!«

»Aber … aber wir wären nicht glücklich gewesen!«

»Ihr wärt ein Traumpaar gewesen«, sagt Jemima, als würde sie einem sehr dummen Kind etwas erklären. »*Natürlich* wärt ihr glücklich gewesen.« Sie steht vorsichtig auf, pinkfarbene Schaumstoffstückchen zwischen den Zehen, und stakst zur Tür. »Und überhaupt. Jeder täuscht in Beziehungen was vor.«

»So ein Quatsch! Oder jedenfalls sollte man das nicht tun.«

»Natürlich muss man das! Diese ganze Ehrlichkeit wird total überschätzt.« Sie guckt wissend. »Meine Mutter ist seit dreißig Jahren mit meinem Vater verheiratet, und er hat immer noch keine Ahnung, dass sie nicht naturblond ist.«

Sie verschwindet, und ich wechsle einen Blick mit Lissy.

»Glaubst du, sie hat Recht?«, frage ich.

»Nein«, sagt Lissy unsicher. »Natürlich nicht! Beziehungen müssen auf Vertrauen … und Aufrichtigkeit … gründen.« Sie unterbricht sich und sieht mich bekümmert an. »Emma, du hast mir gar nicht erzählt, dass du dich so gefühlt hast.«

»Das … habe ich niemandem erzählt.«

Das ist nicht ganz wahr, merke ich sofort. Aber ich werde meiner besten Freundin wohl kaum sagen, dass ich einem Fremden mehr erzählt habe als ihr.

»Wäre schön gewesen, wenn du dich mir mehr anvertraut hättest«, sagt Lissy ernst. »Emma, wollen wir uns nicht etwas vornehmen? Wir sollten einander *alles* erzählen. Wir sollten überhaupt keine Geheimnisse voreinander haben. Wir sind doch beste Freundinnen!«

»Gute Idee«, sage ich in einer plötzlichen Gefühlsaufwallung. Spontan beuge ich mich zu ihr und nehme sie in den Arm.

Lissy hat Recht. Wir sollten uns einander anvertrauen. Wir sollten keine Geheimnisse voreinander haben. Ich meine, wir kennen uns seit über zwanzig Jahren, du lieber Gott.

»Also wenn wir uns alles erzählen …« Lissy beißt in ihr Rosinenbrot und wirft mir einen Seitenblick zu. »Dass du mit Connor Schluss gemacht hast, hat das was mit diesem Typen zu tun? Dem Mann aus dem Flugzeug?«

Das versetzt mir einen kleinen Stich, den ich überspiele, indem ich einen Schluck Kaffee trinke.

Hat es etwas mit ihm zu tun? Nein. Nein, hat es nicht.

»Nein«, sage ich, ohne aufzuschauen. »Hat es nicht.«

Wir gucken beide einen Moment lang zu, wie im Fernsehen Kylie Minogue interviewt wird.

»Ach ja!«, sage ich, weil mir plötzlich etwas einfällt. »Wo wir gerade dabei sind … was hast du *wirklich* mit diesem Jean-Paul in deinem Zimmer gemacht?«

Lissy holt tief Luft.

»Und erzähl mir nicht, ihr hättet Fälle durchgesprochen«, füge ich hinzu, »denn das hätte nicht so gerumpelt und gepumpelt.«

»Oh«, sagt Lissy in die Ecke gedrängt. »Okay. Na ja, wir … wir haben …« Sie trinkt einen Schluck Kaffee und weicht meinem Blick aus. »Ich habe … äh … mit ihm geschlafen.«

»Was?« Ich bin irritiert.

»Ja. Wir hatten Sex. Deswegen habe ich es dir nicht erzählt. Ich habe mich geniert.«

»Du hast mit Jean-Paul geschlafen?«

»Ja!« Sie räuspert sich. »Wir hatten leidenschaftlichen … scharfen … animalischen Sex.«

Irgendwas stimmt hier nicht.

»Das glaube ich dir nicht«, sage ich und sehe sie eindringlich an. »Ihr habt nicht miteinander geschlafen.«

Die rosa Flecken auf Lissys Wangen werden dunkler.

160

»Doch, haben wir!«

»Nein, habt ihr nicht! Lissy, was habt ihr *wirklich* gemacht?«

»Wir hatten Sex, okay?«, sagt Lissy aufgebracht. »Er ist mein neuer Freund und … das haben wir halt gemacht! Lass mich doch in Ruhe.« Nervös steht sie auf, krümelt alles mit Rosinenbrot voll und stolpert beim Hinausgehen auch noch über den Teppich.

Ich starre ihr völlig gebannt hinterher.

Warum lügt sie mich an? Was um alles in der Welt hat sie da drin gemacht? Und was ist noch peinlicher als Sex? Ich finde das so spannend, dass es mich fast schon aufmuntert.

Ehrlich gesagt ist es nicht das tollste Wochenende meines Lebens. Es wird noch weniger toll, als eine Postkarte von Mum und Dad aus dem Le Spa Meridien ankommt, auf der sie schreiben, wie sehr sie ihren Aufenthalt dort genießen. Und *noch* weniger toll, als ich in meinem Horoskop in der *Mail* lese, dass ich möglicherweise gerade einen großen Fehler begangen habe.

Montagmorgen geht es mir schon besser. Ich *habe* keinen Fehler gemacht. Heute fängt ein neues Leben an. Ich werde einfach nicht mehr an Liebe und Romantik denken, sondern mich auf meine Karriere konzentrieren. Vielleicht suche ich mir sogar einen neuen Job.

Als ich aus der U-Bahn-Station komme, gefällt mir dieser Gedanke schon richtig gut. Ich bewerbe mich als Marketing Executive bei Coca-Cola oder so. Und ich bekomme die Stelle. Dann merkt Paul, dass er einen Riesenfehler gemacht hat, mich nicht zu befördern. Und dann bittet er mich zu bleiben, und ich sage: »Tut mir Leid, jetzt ist es zu spät.« Er wird betteln: »Emma, kann ich irgendwas tun, damit Sie es sich noch mal anders überlegen?« Und dann sage *ich* …

Scheiße. Etwas gerät in mein Blickfeld, und ich bleibe mit

der Hand an der Glastür stehen. Da ist ein blonder Kopf im Foyer.

Connor. Eine Panikwelle durchflutet mich. Ich kann da nicht reingehen. Ich kann nicht. Ich …

Der Kopf bewegt sich, und es ist überhaupt nicht Connor, sondern Andrea aus der Buchhaltung. Ich schiebe die Tür auf und fühle mich idiotisch. Ich bin völlig durch den Wind. Ich muss mich zusammenreißen, denn früher oder später werde ich Connor begegnen, und dann muss ich damit umgehen können.

Wenigstens weiß es noch niemand im Büro, denke ich, als ich die Treppe hochgehe. Das würde es ja noch tausend Mal schlimmer machen. Wenn die Leute auf mich zukämen und sagten …

»Emma, das tut mir so Leid mit dir und Connor!«

»Was?« Schockiert blicke ich auf und sehe eine Frau namens Nancy auf mich zukommen.

»Das kam ja wie ein Blitz aus heiterem Himmel! So viele Paare trennen sich, aber ihr beide doch nicht! Aber da sieht man es mal wieder, man kann nie wissen …«

Ich bin ganz benommen.

»Woher … woher weißt du das?«

»Ach, das wissen doch alle!«, sagt Nancy. »Am Freitag war doch diese kleine Party! Na ja, Connor war da und hat sich ziemlich betrunken. Und er hat es allen erzählt. Er hat sogar eine kleine Rede gehalten.«

»Er … er hat was?«

»Es war eigentlich ziemlich rührend. Es ging darum, dass die Panther Corporation für ihn so etwas wie eine Familie sei und dass er sicher sei, dass wir ihm in dieser schwierigen Phase den Rücken stärken würden. Und dir natürlich auch«, schiebt sie hinterher. »Obwohl, du hast ja schließlich Schluss gemacht, und Connor ist der Verletzte.« Sie beugt sich vertraulich zu mir herüber. »Ehrlich gesagt, einige von den Mädels haben gesagt, du hättest wohl eine Schraube locker.«

Ich fasse es nicht. Connor hat eine Rede über unsere Trennung gehalten. Nachdem er mir versprochen hat, es für sich zu behalten. Und jetzt sind alle auf *seiner* Seite.

»Nun denn«, sage ich schließlich. »Ich muss dann mal los.«

»Es ist so schade.« Nancy sieht mich forschend an. »Ihr wart immer so ein Traumpaar!«

»Ich weiß.« Ich zwinge mich zu lächeln. »Na ja. Wir sehen uns.«

Ich steuere die neue Kaffeemaschine an, glotze dumpf vor mich hin und versuche, damit klarzukommen, als eine zitternde Stimme mich unterbricht.

»Emma?« Ich sehe auf, und mir rutscht das Herz in die Hose. Es ist Katie, die mich anstarrt, als hätte ich grüne Punkte im Gesicht.

»Oh, hi!«, sage ich und versuche, unbekümmert zu klingen.

»Stimmt das?«, fragt sie. »Ist das wahr? Ich glaube das nämlich nicht, bis ich es aus deinem eigenen Mund gehört habe.«

»Ja«, sage ich widerstrebend. »Es stimmt. Connor und ich haben uns getrennt.«

»O Gott.« Katies Atmung wird immer schneller. »O mein Gott. Es stimmt. Ogottogott, ich halte das nicht aus …«

Mist. Sie hyperventiliert. Ich greife nach einer leeren Zuckertüte und halte sie ihr vor den Mund.

»Katie, beruhige dich!«, sage ich hilflos. »Einatmen … ausatmen …«

»Ich habe schon das ganze Wochenende Panikattacken«, bringt sie zwischen den Atemzügen heraus. »Heute Nacht bin ich schweißgebadet aufgewacht und habe gedacht, wenn das wahr ist, dann sehe ich überhaupt keinen Sinn mehr im Leben. Es gibt einfach keinen Sinn.«

»Katie, wir haben uns nur getrennt! Sonst nichts. Es trennen sich dauernd Leute.«

»Aber du und Connor, ihr wart nicht einfach Leute. Ihr wart *das* Paar. Ich meine, wenn ihr es schon nicht schafft, wieso sollen wir anderen es überhaupt erst versuchen?«

»Katie, wir waren nicht *das* Paar!«, sage ich und versuche, mich nicht aufzuregen. »Wir waren *ein* Paar. Und es hat nicht funktioniert ... so was passiert nun mal.«

»Aber ...«

»Und ehrlich gesagt möchte ich gar nicht darüber sprechen.«

»Oh«, sagt sie und starrt mich über die Tüte hinweg an. »O Gott, natürlich. Tut mir Leid, Emma. Ich wollte nicht ... ich habe nur ... es war einfach so ein Schock!«

»Ach, komm schon. Du hast mir noch gar nicht erzählt, wie dein Date mit Phillip gelaufen ist«, sage ich fest. »Du kannst mich ja mit guten Neuigkeiten aufmuntern.«

Katies Atmung hat sich inzwischen beruhigt, und sie nimmt die Tüte vom Mund.

»Ach, es war wirklich sehr schön«, sagt sie. »Wir wollen uns wiedersehen.«

»Na also«, sage ich ermutigend.

»Er ist so charmant. Und liebenswert. Und wir haben den gleichen Humor und mögen die gleichen Dinge.« Auf Katies Gesicht breitet sich ein verschämtes Lächeln aus. »Er ist einfach wunderbar!«

»Das klingt doch toll! Siehst du?« Ich drücke ihr den Arm. »Du und Phillip, ihr werdet bestimmt ein besseres Paar als Connor und ich es je waren. Möchtest du einen Kaffee?«

»Nein, danke, ich muss los. Wir haben ein Meeting mit Jack Harper wegen des Personals. Bis dann.«

»Okay, bis dann«, sage ich geistesabwesend.

Etwa fünf Sekunden später rastet mein Gehirn wieder ein.

»Warte mal.« Ich stürze den Gang entlang und packe sie an der Schulter. »Hast du gerade Jack Harper gesagt?«

»Ja.«

»Aber … er ist doch weg. Er ist doch Freitag abgereist.«

»Nein, ist er nicht. Er hat es sich anders überlegt.«

Ungläubig starre ich sie an.

»Er hat es sich anders überlegt?«

»Ja.«

»Also …« Ich schlucke. »Also ist er hier?«

»Natürlich ist er hier!«, sagt Katie und lacht. »Er ist oben.«

Plötzlich bekomme ich weiche Knie.

»Warum …« Ich räuspere mich, weil ich plötzlich ein bisschen heiser bin. »Warum hat er es sich denn anders überlegt?«

»Wer weiß?« Katie zuckt mit den Schultern. »Er ist der Boss, er kann tun, was er will, oder? Wobei ich ihn ziemlich bodenständig finde.« Sie fischt ein Päckchen Kaugummi aus der Tasche und bietet mir einen an. »Er war richtig nett zu Connor nach seiner kleinen Rede …«

Ich erleide den nächsten Schock.

»Jack Harper hat Connors Rede gehört? Darüber, dass wir uns getrennt haben?«

»Ja! Er stand direkt neben ihm.« Katie wickelt sich einen Kaugummi aus. »Und dann hat er ihm etwas total Nettes gesagt, so was wie, dass er sich gut vorstellen kann, wie es Connor jetzt geht. Ist das nicht süß?«

Ich muss mich setzen. Ich muss nachdenken. Ich muss …

»Emma, alles klar?«, sagt Katie besorgt. »Herrgott, ich bin so unsensibel …«

»Nein, alles in Ordnung«, sage ich ganz benommen. »Alles okay. Bis später.«

Als ich in die Marketing-Abteilung komme, fegt durch meinen Kopf ein Wirbelsturm.

So war das ja nun nicht gedacht. Jack Harper sollte längst wieder in Amerika sein. Er sollte überhaupt nicht mitbekommen, dass ich nach unserem Gespräch schnurstracks nach Hause gegangen bin und mich von Connor getrennt habe.

Ich fühle mich gedemütigt. Er denkt doch bestimmt, dass ich Connor wegen dem verlassen habe, was er im Aufzug zu mir gesagt hat. Er wird glauben, es sei nur seinetwegen. Was es nicht ist. Aber überhaupt nicht.

Jedenfalls nicht nur …

Vielleicht ist er deswegen …

Nein. Was für ein lächerlicher Gedanke, dass sein Bleiben irgendwas mit mir zu tun haben könnte. Lächerlich. Ich weiß auch nicht, warum ich so angespannt bin.

Als ich zu meinem Schreibtisch komme, sieht Artemis von ihrer *Marketing Week* auf.

»Ach, Emma. Tut mir Leid, das mit dir und Connor.«

»Danke«, sage ich, »aber ich möchte lieber nicht darüber reden, wenn's geht.«

»Klar«, sagt Artemis. »Egal. War nur nett gemeint.« Sie guckt auf eine Notiz auf ihrem Schreibtisch. »Ich habe übrigens eine Nachricht für dich, von Jack Harper.«

»Was?« Ich schrecke auf.

Scheiße. Das sollte nicht so panisch klingen. »Ich meine, worum geht es denn?«, füge ich ruhiger hinzu.

»Du möchtest ihm bitte die …«, sie schielt auf ihren Zettel, »… Akte Leopold bringen. Er sagt, du wüsstest schon, was das ist. Wenn du sie nicht finden kannst, macht es auch nichts.«

Ich starre sie mit hämmerndem Herzen an.

Die Akte Leopold.

Es war nur eine Ausrede, um eine kleine Pause einzulegen.

Sein Geheimcode. Er will mich sehen.

Ach du lieber Gott. Ach du lieber Gott.

Ich war noch nie so aufgeregt und gespannt und verschreckt. Alles auf einmal.

Erst mal setze ich mich und starre eine Minute lang meinen Monitor an. Dann nehme ich mir mit zitternden Fingern eine neue Mappe, und als Artemis sich abwendet, schreibe ich »Leopold« darauf, allerdings mit verstellter Schrift.

Und jetzt?

Nun ja, was wohl. Ich bringe sie rauf in sein Büro.

Außer … Ach du Scheiße. Bin ich gerade total bescheuert? Gibt es tatsächlich eine Akte Leopold?

Hastig rufe ich die Firmen-Datenbank auf und suche nach »Leopold«. Aber der Rechner findet nichts.

Okay. Dann hatte ich also doch Recht.

Ich will schon den Stuhl zurückschieben, als mich ein paranoider Gedanke ereilt. Was, wenn mich jemand anhält und fragt, was die Akte Leopold ist? Oder wenn ich sie fallen lasse und alle sehen, dass sie leer ist?

Schnell öffne ich ein neues Dokument, entwerfe einen peppigen Briefkopf und tippe einen Brief von einem Mr. Ernest P. Leopold an die Panther Corporation. Ich schicke den Druckauftrag los, schlendre zum Drucker hinüber und ziehe das Blatt heraus, bevor es jemand sieht. Nicht, dass sich irgendwer auch nur im Geringsten dafür interessieren würde.

»Gut«, sage ich beiläufig und lege das Blatt in die Pappmappe. »Ich bringe dann mal eben die Akte hoch …«

Artemis hebt nicht einmal den Kopf.

Als ich die Gänge entlanglaufe, dreht sich mir der Magen um, ich fühle mich unsicher und angespannt, als ob jeder im Gebäude wissen müsste, was ich hier tue. Ein Aufzug ist schon da, aber ich nehme die Treppe, erstens, damit ich nicht mit irgendwem sprechen muss, und zweitens, weil mein Herz so hämmert, dass ich erst einmal ein bisschen Nervosität abreagieren muss.

Warum will Jack Harper mich sehen? Denn wenn er mir nur sagen will, dass er die ganze Zeit Recht hatte wegen Connor, dann kann er gerade … dann kann er verdammt noch mal … Mein Magen krampft sich zusammen. Was, wenn es so richtig peinlich wird? Was, wenn er sauer auf mich ist?

Ich muss ja nicht dorthin gehen, fällt mir ein. Er hat mir die Wahl gelassen. Ich könnte einfach seine Sekretärin anrufen und sagen, »tut mir Leid, ich habe die Akte Leopold nicht gefunden«, und das wäre es.

Einen Moment lang zögere ich auf den Marmorstufen, meine Finger krampfen sich um die Akte. Und dann gehe ich weiter.

Als ich auf Jack Harpers Bürotür zugehe, stelle ich fest, dass sie nicht von einer der Sekretärinnen bewacht wird, sondern von Sven.

O Gott. Ich weiß, dass Jack gesagt hat, er sei sein bester Freund, aber ich kann nicht dagegen an. Mir ist der Typ unheimlich.

»Hi«, sage ich. »Äh … Mr. Harper hat mich gebeten, ihm die Akte Leopold zu bringen.«

Sven sieht mich an, und einen Moment lang läuft eine Art schweigende Kommunikation zwischen uns ab. Er weiß es, oder? Wahrscheinlich benutzt er den Leopold-Code selbst. Er nimmt den Telefonhörer ab und sagt nach einem Moment, »Jack, Emma Corrigan ist mit der Akte Leopold hier.« Dann legt er wieder auf und sagt, ohne zu lächeln: »Sie können gleich durchgehen.«

Ganz kribbelig und verunsichert gehe ich hinein. Jack sitzt an einem großen Holzschreibtisch in dem riesigen, getäfelten Raum. Als er aufschaut, sieht er mich warm und freundlich an, und ich entspanne mich ein winziges bisschen.

»Hallo«, sagt er.

»Hallo«, antworte ich, und wir schweigen kurz.

»Also, ähm, hier ist die Akte Leopold«, sage ich und reiche ihm die Mappe.

»Die Akte Leopold.« Er lacht. »Sehr schön.« Dann öffnet er sie und schaut überrascht auf das Blatt. »Was ist das denn?«

»Das ist ein … ein Brief von Mr. Leopold von Leopold und Co.«

»Sie haben einen Brief von Mr. Leopold aufgesetzt?« Er klingt erstaunt und plötzlich komme ich mir richtig blöd vor.

»Nur für den Fall, dass mir die Akte runterfällt und jemand sie sieht«, murmele ich. »Ich dachte, da denke ich mir lieber schnell etwas aus. Ist ja nicht wichtig.« Ich versuche, den Brief wieder an mich zu nehmen, aber Jack zieht ihn mir weg.

»Aus dem Büro von Ernest P. Leopold«, liest er laut, und sein Gesicht verzieht sich vergnügt. »Ich lese hier, dass er 6.000 Kisten Panther Cola bestellen möchte. Scheint ein Großverbraucher zu sein, dieser Leopold.«

»Es ist für ein Event in seiner Firma«, erkläre ich. »Normalerweise haben sie immer Pepsi, aber neulich hat einer der Angestellten Panther Cola probiert, und die war so lecker …«

» … dass sie einfach den Lieferanten wechseln mussten«, beendet Jack den Satz. »Lassen Sie mich hinzufügen, dass ich mit sämtlichen Produkten Ihres Unternehmens äußerst zufrieden bin und neuerdings einen Panther-Jogginganzug trage; er ist der bequemste, den ich je besaß.« Er starrt den Brief an und sieht dann lächelnd auf. Zu meiner Überraschung glänzen seine Augen ein bisschen. »Pete hätte das wundervoll gefunden.«

»Pete Laidler?«, frage ich zögernd.

»Jep. Pete hat sich das ganze Akte-Leopold-Manöver ausgedacht. So was hat er die ganze Zeit gemacht.« Er klopft auf den Brief. »Kann ich den behalten?«

»Natürlich«, sage ich, etwas erstaunt.

Er faltet den Brief, steckt ihn sich in die Tasche, und einige Augenblicke lang herrscht Schweigen.

»So«, sagt Jack schließlich. Er hebt den Kopf und sieht mich mit undurchdringlichem Gesicht an. »Sie haben sich also von Connor getrennt.«

Ich weiß nicht, was ich sagen soll.

»So.« Ich schiebe trotzig das Kinn vor. »Sie haben also beschlossen zu bleiben.«

»Ja, na ja …« Er streckt die Finger vor sich aus und betrachtet sie kurz. »Ich dachte, ich könnte mir einige der europäischen Niederlassungen noch etwas genauer ansehen.« Er sieht hoch. »Und Sie?«

Er will, dass ich sage, ich hätte mich seinetwegen von Connor getrennt, oder? Nun, das werde ich nicht tun. Auf gar keinen Fall.

»Das Gleiche«, nicke ich. »Europäische Niederlassungen.«

Jacks Mundwinkel zucken, bis er widerstrebend lächelt.

»Verstehe. Und … wie geht es Ihnen?«

»Mir geht es gut. Ich genieße die Freiheiten des Single-Daseins.« Ich gestikuliere raumgreifend. »Sie wissen schon, das Ungebundene, die Unabhängigkeit …«

»Wunderbar. Na ja, vielleicht ist das gerade nicht der beste Zeitpunkt, um …« Er bricht ab.

»Um was?«, frage ich ein bisschen zu schnell.

»Sie sind sicher noch verletzt«, sagt er vorsichtig. »Aber ich dachte nur.« Er macht eine Pause, die gar nicht mehr zu enden scheint, und mir hämmert das Herz gegen die Rippen. »Würden Sie mal mit mir essen gehen?«

Er will mit mir ausgehen. Er will mit mir ausgehen.

Fast bekomme ich den Mund nicht auf.

»Ja«, sage ich schließlich. »Ja, das wäre nett.«

»Schön!« Er macht eine Pause. »Allerdings ist mein Leben im Moment etwas kompliziert. Und mit der Situation hier im

Büro …« Er breitet die Hände aus. »Es wäre vielleicht besser, das für uns zu behalten.«

»Oh, das sehe ich genauso«, sage ich schnell. »Da sollten wir diskret sein.«

»Also, sagen wir … wie wäre es denn morgen Abend? Passt es Ihnen da?«

»Morgen Abend ist prima.«

»Dann hole ich Sie ab. Vielleicht mailen Sie mir noch Ihre Adresse. Um acht?«

»Gut, acht Uhr!«

Als ich aus Jacks Büro gehe, sieht Sven auf und zieht eine Augenbraue hoch, aber ich sage nichts. Ich gehe wieder in die Marketing-Abteilung und gebe mir redlich Mühe, ganz ruhig zu wirken. Aber mir ist ganz schlecht vor Aufregung, und ich grinse wie ein Honigkuchenpferd.

Ach du lieber Gott. Ach du meine Güte. Ich gehe mit Jack Harper essen. Ich kann … ich kann einfach nicht glauben …

So ein Quatsch. Ich wusste doch, dass es so kommen würde. Sobald ich gehört hatte, dass er nicht nach Amerika gefahren ist. Ich wusste es.

12

So entsetzt habe ich Jemima noch nie erlebt.

»Er kennt all deine *Geheimnisse*?« Sie sieht mich an, als hätte ich sie gerade voller Stolz darüber in Kenntnis gesetzt, dass ich mit einem Massenmörder ausgehe. »Was um alles in der Welt meinst du denn damit?«

»Ich habe im Flugzeug neben ihm gesessen und ihm alles über mich erzählt.«

Ich ziehe vor dem Spiegel die Stirn kraus und zupfe mir noch ein Augenbrauenhaar aus. Es ist sieben Uhr, ich habe gebadet, mir das Haar geföhnt und bin jetzt mit dem Make-up beschäftigt.

»Und jetzt will er mit ihr ausgehen«, sagt Lissy und umschlingt die Knie mit den Armen. »Ist das nicht romantisch?«

»Du machst wohl Witze«, sagt Jemima erschüttert. »Sag, dass du das nicht ernst meinst.«

»Natürlich meine ich das ernst! Wo ist das Problem?«

»Du gehst mit einem Mann aus, der alles über dich weiß.«

»Ja.«

»Und da fragst du mich, wo das *Problem* ist?« Ihre Stimme wird immer schriller. »Bist du *wahnsinnig*?«

»Ich bin überhaupt nicht wahnsinnig!«

»Ich *wusste*, dass er dir gefällt«, sagt Lissy ungefähr zum tausendsten Mal. »Ich wusste es. Schon als du mir zum ersten Mal von ihm erzählt hast.« Sie sieht mich im Spiegel an. »Ich würde die rechte Augenbraue mal langsam in Ruhe lassen.«

»Echt?« Ich sehe mein Gesicht prüfend an.

»Emma, man erzählt Männern nicht alles über sich! Man muss auch etwas für sich behalten! Meine Mummy sagt immer, zeige einem Mann nie deine Gefühle oder den Inhalt deiner Handtasche.«

»Na ja, zu spät«, sage ich etwas trotzig. »Das hat er schon alles gesehen.«

»Dann wird sowieso nichts daraus«, sagt Jemima. »Er wird dich einfach nicht respektieren.«

»Doch, das wird er.«

»Emma«, sagt Jemima fast mitleidig. »Verstehst du das nicht? Du hast schon verloren.«

»Wieso das denn?«

Manchmal glaube ich, für Jemima sind Männer keine Menschen, sondern eine Art außerirdische Roboter, die unter allen Umständen besiegt werden müssen.

»Du bist nicht gerade eine große Hilfe, Jemima«, wirft Lissy ein. »Komm schon. Du hattest doch schon jede Menge Dates mit reichen Businesstypen, du musst doch ein paar gute Tipps haben!«

»Na gut.« Jemima seufzt und stellt die Handtasche ab. »Es ist zwar ein hoffnungsloser Fall, aber ich versuche es mal.« Sie zählt die Punkte an den Fingern ab. »Erstens musst du so gut wie möglich aussehen.«

»Was glaubst du, warum ich mir gerade die Augenbrauen zupfe?«, sage ich und schneide eine Grimasse.

»Gut. Okay, das Nächste ist, du könntest dich für seine Hobbys begeistern. Wofür interessiert er sich denn?«

»Keine Ahnung. Autos, glaube ich. Er hat anscheinend lauter Oldtimer auf seiner Ranch.«

»Gut!« Jemima strahlt. »Ist doch klasse. Tu so, als würdest du dich für Autos interessieren, du kannst ja vorschlagen, zu einer Autoshow zu gehen. Blätter einfach auf dem Weg dahin eine Autozeitschrift durch.«

»Geht nicht«, sage ich und trinke einen Schluck von meinem Date-Vorbereitungs-Entspannungsdrink Harveys Bristol Cream. »Ich hab ihm schon im Flugzeug erzählt, dass ich Oldtimer beknackt finde.«

»Du hast *was*?« Jemima sieht aus, als würde sie mich am liebsten schlagen. »Du hast dem Mann, mit dem du ausgehst, erzählt, dass du sein Hobby beknackt findest?«

»Ich wusste ja schließlich nicht, dass ich mit ihm ausgehen würde!«, verteidige ich mich und greife nach der Foundation. »Und außerdem stimmt es. Ich finde Oldtimer beknackt. Die Leute da drin sehen immer so selbstgefällig und eingebildet aus.«

»Was hat denn die *Wahrheit* damit zu tun?« Jemima kreischt vor Erregung. »Emma, es tut mir Leid, ich kann dir nicht helfen. Das ist ja eine Katastrophe. Du bist total verletzbar. Das ist, als wenn man im Nachthemd in die Schlacht zieht.«

»Jemima, ich ziehe doch nicht in die Schlacht«, gebe ich zurück und verdrehe die Augen. »Ich spiele auch nicht Schach. Ich gehe mit einem netten Mann Abendessen!«

»Du bist so zynisch, Jemima«, springt Lissy mir bei. »*Ich* finde das total romantisch! Das wird ein perfektes Date, weil es diese peinlichen Momente erst gar nicht geben wird. Er kennt Emmas Vorlieben. Er weiß, wofür sie sich interessiert. Offensichtlich passen sie schon wunderbar zusammen.«

»Also ich wasche meine Hände in Unschuld«, sagt Jemima und schüttelt immer noch den Kopf. »Was ziehst du an?« Ihre Augen verengen sich. »Wo ist dein Outfit?«

»Das schwarze Kleid«, sage ich unschuldig. »Und die Riemchensandalen.« Ich zeige auf die Rückseite der Tür, wo das Kleid hängt.

Jemimas Augen verengen sich noch mehr. Sie würde einen guten Vernehmungsbeamten abgeben, denke ich manchmal.

»Du leihst dir jedenfalls nichts von mir.«

»Nein!«, sage ich entrüstet. »Also echt, Jemima, ich habe doch nun wirklich meine eigenen Klamotten.«

»Dann ist es ja gut. Viel Spaß.«

Lissy und ich warten, bis ihre Schritte den Flur entlanggeklappert sind und die Wohnungstür zuschlägt.

»Dann mal los!«, sage ich aufgeregt, aber Lissy hebt die Hand.

»Warte mal.«

Ein paar Minuten lang sitzen wir beide ganz still. Dann hören wir, wie die Wohnungstür ganz vorsichtig wieder geöffnet wird.

»Sie versucht, uns auf frischer Tat zu ertappen«, zischt Lissy. »Hi!«, ruft sie etwas lauter. »Ist da jemand?«

»Oh, hi«, sagt Jemima und taucht an der Schwelle auf. »Ich habe mein Lipgloss vergessen.« Ihr Blick flitzt schnell durch das Zimmer.

»Hier ist es bestimmt nicht«, sagt Lissy unschuldig.

»Nee. Gut.« Wieder wandert ihr Blick misstrauisch durchs Zimmer. »Na ja. Schönen Abend noch!«

Wieder trippeln ihre Schritte den Flur entlang, und wieder schlägt die Tür zu.

»Okay!«, sagt Lissy. »Auf geht's!«

Wir knibbeln das Klebeband von Jemimas Zimmertür, und Lissy markiert die Stelle. »Warte mal!«, sagt sie, als ich die Tür öffnen will. »Da unten ist noch eins.«

»Du hättest Geheimagentin werden sollen.« Ich sehe ihr beim Abknibbeln zu.

»Okay«, sagt sie, die Stirn konzentriert in Falten gelegt. »Sie hat uns doch bestimmt noch mehr Fallen gestellt.«

»Am Schrank klebt auch noch Tesa«, sage ich. »Und … ach du lieber Gott!« Ich zeige nach oben. Auf der Schranktür steht ein Glas Wasser, das uns durchnässen würde, wenn wir die Tür aufmachen.

»So eine Ziege!«, sagt Lissy, als ich das Glas herunternehme. »Ich musste neulich den ganzen Abend Anrufe für sie annehmen, und sie hat sich nicht einmal bedankt.«

Sie wartet, bis ich das Wasser sicher beiseite gestellt habe, dann öffnet sie die Tür. »Bist du bereit?«

»Ich bin bereit.«

Lissy atmet tief ein, dann öffnet sie die Schranktür. Eine laute, schrille Sirene fängt an zu heulen. »Lalüü-lalüü-lalüü …«

»Scheiße!«, sagt sie und knallt die Tür wieder zu. »Scheiße! Wie hat sie das denn gemacht?«

»Das jault immer noch!«, sage ich erschrocken. »Mach das aus. Mach das aus!«

»Ich weiß doch auch nicht, wie! Wahrscheinlich braucht man einen Code!«

Wir hämmern verzweifelt auf den Schrank ein, tätscheln ihn vorsichtig und suchen nach einem Aus-Knopf.

»Da ist nirgends ein Knopf oder Schalter oder so was ...«

Plötzlich hört das Heulen auf, und wir sehen uns leicht keuchend an.

»Übrigens«, sagt Lissy nach einer ganzen Weile, »übrigens könnte das eine Auto-Alarmanlage irgendwo draußen gewesen sein.«

»Oh«, sage ich. »Na klar. Ja, vielleicht war es das.«

Kleinlaut und vorsichtig fasst Lissy an die Schranktür, und diesmal bleibt alles ruhig. »Okay«, sagt sie, »auf geht's.«

»Wow«, sagen wir wie aus einem Mund, als die Tür aufschwingt.

Jemimas Kleiderschrank ist das reinste Schatzkästchen. Wie die Geschenke unterm Weihnachtsbaum. Die neuen, schimmernden, entzückenden Kleider, eins neben dem anderen, alle akkurat auf Duftbügel gehängt, wie im Geschäft. Alle Schuhe in Schuhkartons mit Polaroidfotos drauf. Alle Gürtel ordentlich an Haken. Alle Taschen hübsch auf einem Bord aufgereiht. Es ist schon eine Weile her, dass ich mir etwas von Jemima geborgt habe, und seitdem scheint sie alles ausgetauscht zu haben.

»Sie muss ja jeden Tag eine Stunde damit verbringen, das so ordentlich zu halten«, sage ich mit einem kleinen Seufzer, denn in meinem Schrank herrscht ein einziges Chaos.

»Tut sie auch«, sagt Lissy. »Ich habe es gesehen.«

Lissys Schrank sieht wohlgemerkt noch schlimmer aus als meiner. Er besteht aus einem Stuhl in ihrem Zimmer, auf dem alles zu einem großen Haufen aufgetürmt ist. Sie sagt, vom Aufräumen bekomme sie Kopfschmerzen, und solange es sauber ist, was soll's?

»So«, sagt Lissy grinsend und greift nach einem weißen Glitzerkleid. »Welchen Look wünschen Madame heute Abend?«

Ich trage nicht das weiße Glitzerkleid. Aber ich probiere es an. Ehrlich gesagt probieren wir beide alles Mögliche an, und dann müssen wir es sehr sorgfältig wieder einsortieren. Noch einmal geht draußen eine Alarmanlage los, und wir zucken beide erschrocken zusammen und tun dann sofort so, als hätte es uns völlig kalt gelassen. Am Ende entscheide ich mich für Jemimas abgefahrenes neues rotes Top mit geschlitzten Schultern, meine eigene schwarze Chiffonhose von DKNY (25 Pfund im Secondhand-Laden vom Notting Hill Housing Trust) und Jemimas silberne Stöckelschuhe von Prada. Und dann habe ich mir im letzten Moment noch, ohne es zu wollen, eine kleine schwarze Gucci-Tasche geschnappt.

»Du siehst umwerfend aus!«, sagt Lissy, als ich mich vor ihr drehe. »Absolut fantastisch!«

»Bin ich nicht zu aufgedonnert?«

»Natürlich nicht! Hör mal, du gehst mit einem Multimillionär essen!«

»*Sag* das doch nicht!«, kreische ich, und mir krampft sich langsam der Magen zusammen. Ich sehe auf die Uhr. Es ist fast acht.

Oh Gott. Jetzt werde ich langsam wirklich kribbelig. Es hat so einen Spaß gemacht, mich fertig zu machen, dass ich fast vergessen habe, wofür.

Ganz ruhig, sage ich mir. Es ist nur ein Abendessen. Mehr nicht. Nichts Besonderes. Nichts, was nicht ...

»Mist!« Lissy guckt aus dem Wohnzimmerfenster. »Mist! Da ist ein riesengroßes Auto draußen!«

»Was? Wo?« Mit galoppierendem Herzen stürze ich zu ihr. Ich folge ihrem Blick und halte die Luft an.

Ein riesiges, vornehmes Auto steht vor unserem Haus. Also wirklich riesig. Es glänzt silbern und fällt in unserer kleinen Straße fürchterlich auf. Im Haus gegenüber sehe ich Leute neugierig aus dem Fenster gucken.

Und plötzlich habe ich richtig Angst. Was mache ich bloß? Ich kenne diese glitzernde Welt doch überhaupt nicht. Im Flugzeug waren Jack und ich einfach zwei ganz normale Menschen. Aber jetzt? Er lebt doch in einer völlig anderen Welt als ich.

»Lissy«, sage ich mit schwacher Stimme, »ich will da nicht hin.«

»Na, komm schon!«, sagt Lissy – aber ich sehe ihr an, dass sie genauso durcheinander ist wie ich.

Es klingelt, und wir zucken zusammen.

Mir wird richtig schlecht.

Okay. Okay. Auf geht's.

»Hi«, sage ich in die Gegensprechanlage. »Ich ... bin sofort unten.« Ich hänge den Hörer ein und sehe Lissy an. »So«, sage ich mit zitternder Stimme. »Ich gehe dann mal!«

»Emma.« Lissy nimmt meine Hand. »Bevor du gehst. Vergiss, was Jemima gesagt hat. Genieß einfach den Abend.« Sie drückt mich fest. »Ruf mal an, wenn sich die Gelegenheit ergibt.«

»Mach ich.«

Ich begutachte mich ein letztes Mal im Spiegel, dann gehe ich zur Tür hinaus und die Treppe hinunter.

Unten vor der Tür steht Jack in Schlips und Kragen. Er lächelt mich an, und meine Sorgen fliegen davon wie Schmetterlinge. Jemima hat Unrecht. Es geht nicht um mich gegen ihn. Sondern um mich *mit* ihm.

»Hi«, sagt er und lächelt herzlich. »Sie sehen toll aus.«

»Danke.«

Ich fasse an den Türgriff, aber ein Mann mit einer Schirmmütze eilt hinzu, um mir zuvorzukommen.

»Wie dumm von mir!«, sage ich nervös.

Ich kann es gar nicht fassen, dass ich in dieses Auto steige. Ich. Emma Corrigan. Ich fühle mich wie eine Prinzessin. Oder wie ein Filmstar.

Ich lasse mich auf den luxuriösen Polstern nieder und versuche, nicht darüber nachzudenken, wie anders das hier ist als alle Autos, in denen ich je gesessen habe.

»Alles klar?«, fragt Jack.

»Ja! Alles wunderbar!«, quieke ich nervös.

»Emma«, sagt Jack. »Wir machen uns einen richtig schönen Abend. Versprochen. Haben Sie Ihren Date-Vorbereitungs-Sherry schon getrunken?«

Woher weiß er …

Ach ja. Habe ich ihm im Flugzeug erzählt.

»Ehrlich gesagt, ja«, gebe ich zu.

»Möchten Sie noch einen?« Er öffnet die Bar, und auf dem Silbertablett steht eine Flasche Harveys Bristol Cream.

»Haben Sie die extra für mich besorgt?«, frage ich ungläubig.

»Nein, das ist mein Lieblingsdrink.« Sein Gesichtsausdruck ist so ungerührt, dass ich lachen muss. »Ich trinke auch einen«, sagt er und reicht mir ein Glas. »Ich habe das noch nie probiert.« Er schenkt sich ein ordentliches Glas ein, trinkt einen Schluck und prustet los. »Ist das Ihr Ernst?«

»Es ist total lecker! Schmeckt wie Weihnachten!«

»Das schmeckt wie …« Er schüttelt den Kopf. »Ich sage lieber nicht, wie das schmeckt. Ich bleibe doch beim Whisky, wenn es Ihnen recht ist.«

»Klar«, sage ich achselzuckend. »Aber Sie verpassen was.« Ich trinke noch einen Schluck und grinse ihn glücklich an. Ich bin schon völlig entspannt.

Das wird das perfekte Date.

13

Wir fahren in ein Restaurant in Mayfair, in dem ich noch nie war. Ich bin mir nicht einmal sicher, ob ich überhaupt schon mal in Mayfair war. Hier ist alles dermaßen vornehm, weshalb sollte ich hier schon mal gewesen sein?

»Es ist eine Art Privatclub«, murmelt Jack, als wir über einen Säulenhof gehen, »den nicht viele kennen.«

»Mr. Harper. Miss Corrigan«, sagt ein Mann im Nehru-Anzug, der plötzlich aus dem Nichts erscheint. »Bitte hier entlang.«

Wow! Die wissen, wie ich heiße!

Wir gleiten an weiteren Säulen vorbei in einen prunkvollen Raum, in dem noch ungefähr drei weitere Paare sitzen. Ein Paar sitzt rechts von uns, und als wir an dem Tisch vorbeigehen, sieht die mittelalte Frau mit platinblondem Haar und goldenem Jäckchen mich an.

»Ach, hallo!«, sagt sie. »Rachel!«

»Bitte?« Völlig verdattert sehe ich mich um. Meint die mich?

Sie steht auf, schwankt auf mich zu und gibt mir einen Kuss. »Wie geht es dir, Liebes? Wir haben dich ja schon ewig nicht gesehen!«

Na gut, man riecht ihre Alkoholfahne zehn Meter gegen den Wind. Ich sehe zu ihrem Partner hinüber, und er sieht genauso schlimm aus.

»Ich glaube, Sie verwechseln mich«, sage ich höflich. »Ich bin nicht Rachel.«

»Oh!« Die Dame starrt mich einen Moment lang an. Dann wirft sie einen kurzen Blick auf Jack und bekommt einen verständnisvollen Gesichtsausdruck. »Ach so! Verstehe. Natürlich sind Sie nicht Rachel.« Sie zwinkert mir zu.

»Nein!«, sage ich entsetzt. »Sie verstehen nicht. Ich bin *wirklich* nicht Rachel. Ich heiße Emma.«

»Emma. Natürlich!« Sie nickt verschwörerisch. »Na denn, genieß das Essen! Und ruf mal wieder an.«

Als sie zu ihrem Platz zurückstolpert, sieht Jack mich spöttisch an.

»Möchten Sie mir irgendwas sagen?«

»Ja«, sage ich. »Diese Frau ist sturzbetrunken.« Ich begegne seinem Blick und kann ein Kichern nicht unterdrücken, und auch seine Mundwinkel zucken.

»Also, wollen wir uns setzen? Oder möchten Sie noch mehr lang vermisste Bekannte begrüßen?«

Ich sehe mich aufmerksam um.

»Nein, ich glaube, das war's.«

»Sind Sie sicher? Lassen Sie sich ruhig Zeit. Der ältere Herr da drüben ist nicht zufällig Ihr Großvater?«

»Ich *glaube* nicht ...«

»Sie sollten wissen, ich habe kein Problem mit Decknamen«, fügt Jack hinzu. »Ich nenne mich manchmal Egbert.«

Ich pruste los und reiße mich gleich wieder zusammen. Dies ist schließlich ein vornehmes Restaurant. Die Leute gucken schon.

Wir werden an einen Tisch in der Ecke geführt, neben dem Kamin. Ein Kellner rückt mir den Stuhl zurecht und schüttelt mir eine Serviette auf den Schoß, ein anderer schenkt mir Wasser ein, und noch ein anderer bietet mir Brot an. Auf der anderen Seite des Tischs passiert Jack das Gleiche. Sechs Leute tanzen um uns herum und bedienen uns! Ich möchte Jacks Blick begegnen und lachen, aber er sieht so unbekümmert aus, als sei das ganz normal.

Vielleicht *ist* es für ihn normal, schießt es mir durch den Kopf. O Gott. Vielleicht hat er einen Butler, der ihm jeden Tag den Tee kocht und die Zeitung bügelt.

Und wenn? Das darf mich alles nicht aus dem Konzept bringen.

»Also«, sage ich, als die Kellner sich verkrümeln, »was trinken wir?« Ich habe schon den Drink im Auge, den die Dame in Gold vor sich stehen hat. Er ist pink und mit Wassermelonenstücken dekoriert und sieht fantastisch aus.

»Alles schon geregelt«, sagt Jack mit einem Lächeln, als auch schon einer der Kellner eine Flasche Champagner bringt, sie öffnet und uns einschenkt. »Sie haben mir doch im Flugzeug erzählt, dass das perfekte Date für Sie damit anfängt, dass wie von Zauberhand eine Flasche Champagner auf dem Tisch erscheint.«

»Oh«, sage ich und zügle meine leise Enttäuschung. »Äh … ja! Das habe ich gesagt.«

»Prost«, sagt Jack und stößt mit mir an.

»Prost.« Ich trinke einen Schluck, und der Champagner ist wunderbar. Wirklich. Ganz trocken und köstlich.

Wie der Wassermelonendrink wohl schmeckt?

Hör auf. Champagner ist perfekt. Jack hat Recht, das ist der perfekte Beginn für ein Date.

»Ich habe zum ersten Mal Champagner getrunken, als ich sechs war«, fange ich an.

»Bei Ihrer Tante Sue«, sagt Jack und lächelt. »Sie haben sich komplett ausgezogen und Ihre Kleider in den Teich geworfen.«

»Ach ja«, sage ich, mittendrin gebremst. »Das habe ich Ihnen wohl schon erzählt, was?«

Dann brauche ich ihn mit dieser Anekdote ja nicht mehr zu langweilen. Ich nippe am Champagner und überlege, was ich sonst sagen könnte. Etwas, das er noch nicht weiß.

Gibt es etwas, das er noch nicht weiß?

»Ich habe ein ganz besonderes Gericht ausgesucht, das Sie bestimmt mögen«, sagt Jack. »Alles schon vorbestellt, nur für Sie.«

»Wow!«, sage ich überrascht. »Das ist ja … toll!«

Ein extra für mich vorbestelltes Gericht! Wahnsinn. Unglaublich.

Allerdings … sich etwas zu essen auszusuchen gehört doch eigentlich dazu, oder? Das macht mir beim Ausgehen eigentlich fast den größten Spaß.

Egal. Macht ja nichts. Es wird perfekt sein. Es *ist* perfekt.

Na, dann wollen wir mal ein Gespräch anfangen.

»Was machen Sie eigentlich in Ihrer Freizeit?«, frage ich, und Jack zuckt mit den Schultern.

»Ich hänge rum, gucke Baseball, schraube an meinen Autos herum …«

»Ach, Sie sammeln ja Oldtimer! Stimmt ja. Wow. Ich finde das wirklich … äh …«

»Sie finden Oldtimer albern.« Er lächelt. »Ich weiß.«

Mist. Ich hatte gehofft, er hätte das vergessen.

»Gegen die Autos an sich habe ich ja nichts«, sage ich schnell. »Ich finde bloß die Leute blöd, die … die …«

Scheiße. Das ist ja wohl danebengegangen. Schnell trinke ich einen Schluck Champagner, bekomme ihn aber in die falsche Kehle und muss fürchterlich husten. Du lieber Gott, ich spucke ja richtig. Mir tränen die Augen.

Und die restlichen sechs Leute im Raum starren mich an.

»Geht's wieder?«, fragt Jack besorgt. »Trinken Sie einen Schluck Wasser. Sie trinken gern Evian, oder?«

»Äh … ja. Danke.«

Verdammter Mist. Ich gebe ja nur ungern zu, dass Jemima mit irgendwas Recht hat. Aber es wäre tatsächlich einfacher gewesen, wenn ich strahlend hätte sagen können: »Oh, ich finde Oldtimer wundervoll!«

Na ja. Egal.

Als ich das Wasser trinke, materialisiert sich vor meiner Nase plötzlich ein Teller gebratene Paprika.

»Wow!«, sage ich erfreut. »Ich liebe gebratene Paprika!«

»Daran habe ich mich erinnert.« Jack wirkt ein bisschen stolz. »Sie haben im Flugzeug gesagt, dass das Ihr Leibgericht sei.«

»Echt?« Überrascht starre ich ihn an.

Irre. Ich erinnere mich überhaupt nicht mehr daran. Ich meine, ich *mag* gebratene Paprika, aber ich würde doch nicht behaupten …

»Also habe ich im Restaurant angerufen und sie extra für Sie zubereiten lassen. Ich vertrage leider keine Paprika«, fügt er hinzu, als ein Teller Jakobsmuscheln vor ihm erscheint, »sonst hätte ich Ihnen Gesellschaft geleistet.«

Ich glotze auf seinen Teller. O mein Gott. Diese Muscheln sehen herrlich aus. Ich *liebe* Jakobsmuscheln.

»Bon appétit!«, sagt Jack fröhlich.

»Äh, ja. Bon appétit.«

Ich koste die gebratene Paprika. Sie ist köstlich. Und wie süß von ihm, daran zu denken.

Aber mit den Augen verschlinge ich seine Muscheln. Mir läuft das Wasser im Mund zusammen. Und diese grüne Soße! Ich könnte wetten, dass die Muscheln saftig sind und perfekt zubereitet …

»Möchten Sie mal probieren?«, fragt Jack, der meinen Blick bemerkt hat.

»Nein!«, sage ich erschrocken. »Nein danke. Die Paprikas sind absolut – perfekt!« Ich strahle ihn an und esse einen großen Happen.

Plötzlich klopft Jack sich mit der Hand auf die Tasche.

»Mein Handy«, sagt er. »Emma, würde es Sie sehr stören, wenn ich rangehe? Es könnte wirklich wichtig sein.«

»Natürlich nicht«, sage ich. »Gehen Sie nur ran.«

Als er weg ist, kann ich mich nicht mehr beherrschen. Ich greife hinüber und spieße mir eine seiner Muscheln auf. Beim

Kauen schließe ich die Augen und lasse das Aroma auf meine Geschmacksknospen wirken. Es ist einfach himmlisch. Das ist das Allerbeste, was ich in meinem ganzen Leben gegessen habe. Ich überlege gerade, ob ich, wenn ich die restlichen Muscheln auf dem Teller ein bisschen umschichte, unauffällig noch eine zweite nehmen kann, als mir eine Ginfahne in die Nase steigt. Die Dame im goldenen Jäckchen steht direkt neben mir.

»Sag schon, schnell!«, sagt sie. »Was läuft denn hier?«

»Wir … essen zu Abend.«

»Das sehe ich!«, sagt sie ungeduldig. »Aber was ist mit Jeremy? Weiß er davon?«

O Gott.

»Hören Sie mal«, sage ich hilflos. »Ich bin nicht die, für die Sie mich halten …«

»Das sehe ich! Ich hätte nie gedacht, dass so was in dir steckt!« Die Frau drückt mir den Arm. »Na ja, umso besser für dich. Jedenfalls wünsche ich dir viel Spaß! Du hast sogar den Ehering abgelegt«, fügt sie hinzu und schielt auf meine linke Hand. »Ganz schön schlau … Huch! Er kommt! Dann gehe ich wohl besser.«

Sie torkelt von dannen, und ich beuge mich vor, kann das Kichern kaum noch unterdrücken. Jack wird Spaß daran haben.

»Wissen Sie was?«, sage ich. »Ich habe einen Ehemann namens Jeremy. Hat meine Freundin da drüben mir gerade erzählt. Was meinen Sie – hat Jeremy auch ein Techtelmechtel?«

Jack schweigt, dann sieht er mit angespanntem Gesichtsausdruck auf.

»Wie bitte?«, sagt er.

Er hat mir überhaupt nicht zugehört.

Ich kann nicht alles noch mal sagen, da käme ich mir blöd vor. Eigentlich komme ich mir jetzt schon blöd vor. »Ach, nichts«, sage ich und zwinge mich zu einem Lächeln.

Wir schweigen wieder, und ich suche nach einem Gesprächs-thema. »Ähm, ich muss Ihnen etwas beichten«, sage ich und zeige auf seinen Teller. »Ich habe mir eine Muschel gemopst.«

Ich rechne damit, dass er so tut, als sei er schockiert oder sauer. Oder *irgendwas*.

»Schon okay«, sagt er abwesend und fängt an, sich die rest-lichen Muscheln in den Mund zu schieben.

Ich verstehe das nicht. Was ist denn passiert? Keine Spötte-lei mehr? Er ist völlig verändert.

Als wir mit dem Estragon-Hühnchen mit Rucolasalat und Pommes frites fertig sind, fühle ich mich nur noch elend. Die-ses Date ist eine Katastrophe. Eine absolute Katastrophe. Ich habe mir alle Mühe gegeben, ein Gespräch anzufangen und witzig und spritzig zu sein. Aber Jack hat noch zwei weitere Te-lefonate angenommen und war von da an mit seinen Gedanken ganz woanders. Mich hat er gar nicht mehr wahrgenommen.

Vor Enttäuschung würde ich am liebsten heulen. Ich verste-he das einfach nicht. Es lief doch so gut. Wir haben uns so gut verstanden. Was ist denn schief gegangen?

»Ich gehe mich mal eben frisch machen«, sage ich, als nach dem Hauptgang abgeräumt wird, und Jack nickt nur.

Die Damentoilette wirkt eher wie ein Palast als wie ein Klo, mit goldenen Spiegeln, vornehmen Stühlen und einer uni-formierten Dame, die einem das Handtuch reicht. Einen Mo-ment lang geniere ich mich, vor ihr mit Lissy zu telefonieren, aber sie kennt so was ja bestimmt.

»Hi«, sage ich, als Lissy abnimmt. »Ich bin's.«

»Emma! Wie läuft's?«

»Es ist furchtbar«, sage ich traurig.

»Wieso das denn?«, fragt sie entsetzt. »Wieso ist es furcht-bar? Was ist denn passiert?«

»Das ist das Allerschlimmste.« Ich lasse mich auf einen

Stuhl plumpsen. »Es fing alles ganz toll an. Wir haben gelacht und Witze gemacht, und das Restaurant ist der helle Wahnsinn, und er hat extra ein besonderes Menü für mich bestellt, mit meinen ganzen Leibgerichten …«

Ich schlucke. So formuliert klingt es alles ziemlich perfekt.

»Hört sich doch toll an«, sagt Lissy erstaunt. »Und wieso ist …«

»Und dann hat sein Handy geklingelt.« Ich schnäuze mich. »Und seitdem hat er kaum noch ein Wort mit mir gesprochen. Er verschwindet dauernd zum Telefonieren, und ich sitze allein da, und wenn er zurückkommt, machen wir total angespannt und verkrampft Konversation, und er hört mir offensichtlich kaum zu.«

»Vielleicht hat er Sorgen, mit denen er dich nicht belasten will«, sagt Lissy nach einer Pause.

»Ja, vielleicht«, sage ich langsam. »Er wirkt ziemlich bedrückt.«

»Vielleicht ist irgendwas Schlimmes passiert, und er will die Stimmung nicht verderben. Sprich ihn doch einfach darauf an. Vielleicht kannst du seine Sorgen mit ihm teilen!«

»Okay«, sage ich, und es geht mir schon ein bisschen besser. »Gut, das mache ich. Danke, Lissy.«

Etwas optimistischer gehe ich zum Tisch zurück. Ein Kellner taucht wie aus dem Nichts auf und schiebt mir den Stuhl zurecht, und als ich mich setze, lächle ich Jack so herzlich und mitfühlend an, wie ich kann. »Jack, ist alles in Ordnung?«

Er runzelt die Stirn.

»Wieso fragen Sie?«

»Na ja, Sie verschwinden dauernd. Ich dachte, vielleicht … möchten Sie über irgendwas sprechen.«

»Es ist alles okay«, sagt er schroff. »Danke.« Sein Tonfall sagt »Thema beendet«, aber so schnell gebe ich nicht auf.

»Haben Sie schlechte Nachrichten bekommen?«

»Nein.«

»Ist es … etwas Geschäftliches?«, hake ich nach. »Oder … oder ist es eine persönliche …«

Jack sieht mich an, und in seinen Augen blitzt Wut auf.

»Ich habe doch gesagt, es ist nichts. Hören Sie einfach auf damit.«

Na toll. Jetzt hat er's mir aber gezeigt.

»Möchten Sie ein Dessert?«, unterbricht mich der Kellner, und ich lächle ihn angespannt an.

»Nein, danke, lieber nicht.«

Mir reicht es für heute. Ich will es nur noch hinter mich bringen und nach Hause gehen.

»Gut.« Der Kellner lächelt mich an. »Kaffee?«

»Doch, sie möchte Dessert«, sagt Jack über meinen Kopf hinweg.

Bitte? *Was* hat er da gerade gesagt? Der Kellner sieht mich fragend an.

»Nein, möchte ich nicht!«, sage ich entschlossen.

»Kommen Sie, Emma«, sagt Jack, und da ist sein warmer, spöttischer Tonfall wieder. »Mir brauchen Sie doch nichts vorzumachen. Sie haben mir doch im Flieger erzählt, dass Sie das immer sagen. Sie sagen, Sie möchten kein Dessert, aber in Wirklichkeit möchten Sie doch.«

»Diesmal möchte ich wirklich keins.«

»Es ist extra für Sie gemacht worden.« Jack beugt sich zu mir herüber. »Häagen-Dazs, Meringe, Bailey's-Soße extra …«

Plötzlich finde ich ihn sehr gönnerhaft. Woher will er wissen, was ich möchte? Vielleicht möchte ich einfach nur Obst. Vielleicht möchte ich gar nichts. Er kennt mich überhaupt nicht. Kein bisschen.

»Ich habe keinen Appetit mehr.« Ich schiebe meinen Stuhl zurück.

»Emma, ich kenne Sie doch. Sie möchten doch …«

»Sie kennen mich *überhaupt* nicht!«, schreie ich wütend, ich kann mich nicht beherrschen. »Jack, Sie wissen vielleicht ein paar beliebige Details über mich, aber das heißt nicht, dass Sie mich kennen!«

»Was?« Jack starrt mich an.

»Wenn Sie mich kennen würden«, sage ich mit zitternder Stimme, »dann hätten Sie bemerkt, dass ich es gerne habe, wenn mein Gesprächspartner mir zuhört. Mir ein bisschen Respekt entgegenbringt und mir nicht sagt, ich soll ›einfach damit aufhören‹, wenn ich mich um ein bisschen Konversation bemühe …«

Jack glotzt mich erstaunt an.

»Emma, ist alles in Ordnung?«

»Nichts ist in Ordnung! Sie haben mich praktisch den ganzen Abend ignoriert!«

»Das ist nicht fair.«

»Doch! Sie waren komplett auf Autopilot. Seit Ihr Handy anfing zu klingeln …«

»Also gut.« Jack reibt sich das Gesicht. »Im Moment passieren einige Dinge in meinem Leben, die sehr wichtig sind …«

»Meinetwegen. Dann lassen Sie sie ohne mich passieren.«

Mir schießen die Tränen in die Augen, als ich aufstehe und nach meiner Tasche greife. Ich hatte mir so sehr einen perfekten Abend gewünscht. Ich hatte so große Hoffnungen. Ich kann gar nicht glauben, dass es so schief gegangen ist.

»Genau! Gib's ihm!«, kommt lautstark die Unterstützung von der Dame in Gold quer durch den Raum. »Wissen Sie, diese Frau hat einen wunderbaren Ehemann zu Hause!«, ruft sie Jack zu. »Sie hat Sie nicht nötig!«

»Danke für das Essen«, sage ich und starre auf die Tischdecke, als einer der Kellner plötzlich mit meinem Mantel neben mir auftaucht.

»Emma«, sagt Jack und steht ungläubig auf. »Sie wollen doch jetzt nicht gehen.«

»Doch.«

»Geben Sie mir noch eine Chance. Bitte. Bleiben Sie noch, trinken Sie einen Kaffee. Ich verspreche Ihnen, ich spreche ...«

»Ich möchte keinen Kaffee«, sage ich, als der Kellner mir in den Mantel hilft.

»Dann Pfefferminztee. Pralinen! Ich habe eine Schachtel Godiva-Trüffel für Sie bestellt ...« Sein Tonfall hat etwas Flehendes, und einen Moment lang zögere ich. Ich liebe Godiva-Trüffel.

Aber nein, ich habe mich entschlossen.

»Mir doch egal.« Ich muss schlucken. »Ich gehe. Vielen Dank«, sage ich zu dem Kellner. »Woher wussten Sie, dass ich meinen Mantel haben wollte?«

»Es ist unser Beruf, das zu wissen«, sagt er taktvoll.

»Sehen Sie?«, sage ich zu Jack. »*Die* kennen mich.«

Einen Moment lang starren wir uns an.

»Gut«, sagt Jack schließlich und zuckt resigniert mit den Achseln. »Gut. Daniel bringt Sie nach Hause. Er wartet draußen im Auto.«

»Ich fahre nicht mit Ihrem Auto nach Hause!«, sage ich entsetzt. »Ich komme schon allein zurecht.«

»Emma. Seien Sie nicht dumm.«

»Wiedersehen. Und vielen Dank«, füge ich an den Kellner gerichtet hinzu. »Sie waren alle sehr aufmerksam und freundlich.«

Ich stürme aus dem Restaurant und stelle fest, dass es zu regnen begonnen hat. Und ich habe keinen Schirm.

Na ja, egal. Ich gehe ja sowieso. Ich marschiere durch die Straßen, rutsche ein bisschen auf dem nassen Gehweg aus, und in meinem Gesicht vermischt sich der Regen mit den Tränen. Ich habe keine Ahnung, wo ich bin. Ich weiß noch nicht mal, wo die nächste U-Bahn-Station ist, oder wo …

Moment mal. Da ist eine Bushaltestelle. Ich sehe mir die Nummern an und finde eine Linie, die nach Islington fährt.

Na, wunderbar. Fahre ich einfach mit dem Bus nach Hause. Und mache mir eine schöne Tasse heiße Schokolade. Und genehmige mir vielleicht ein Eis vor dem Fernseher.

Die Bushaltestelle ist überdacht, und ich setze mich auf einen der kleinen Sitze, dankbar, dass mein Haar nicht noch nasser wird. Mit leerem Blick starre ich eine Autoreklame an und frage mich, wie dieser Häagen-Dazs-Nachtisch geschmeckt hätte und ob es die knusprige, weiße Meringe war oder diese herrliche karamelartige, als ein großes, silbernes Auto an den Bürgersteig heranschnurrt.

Ich fasse es nicht.

»Bitte«, sagt Jack und steigt aus, »lassen Sie sich doch nach Hause bringen.«

»Nein«, sage ich, ohne den Kopf zu wenden.

»Sie können doch hier nicht im Regen hocken.«

»Doch, kann ich. Wissen Sie, manche Leute leben in der Realität.«

Ich wende mich ab und gebe vor, mich auf ein Poster über AIDS zu konzentrieren. Im nächsten Moment ist Jack in der Bushaltestelle. Er setzt sich auf den Platz neben mir, und eine Weile lang sind wir beide still.

»Ich weiß, dass ich heute keine angenehme Gesellschaft war«, sagt er schließlich. »Und es tut mir Leid. Es tut mir auch Leid, dass ich Ihnen den Grund dafür nicht sagen kann. Aber mein Leben ist … kompliziert. Und manches ist ziemlich heikel. Verstehen Sie?«

Nein, möchte ich sagen. Nein, verstehe ich nicht, nachdem ich Ihnen jede kleine Einzelheit aus meinem Leben erzählt habe.

»Vielleicht«, sage ich mit leichtem Achselzucken.

Der Regen wird immer heftiger, prasselt auf das Dach der Haltestelle und durchnässt meine – Jemimas – Silbersandalen. Gott, hoffentlich gehen sie nicht kaputt.

»Es tut mir Leid, dass der Abend so eine Enttäuschung für Sie war«, übertönt Jack den Lärm.

»War er nicht«, sage ich und fühle mich plötzlich schäbig. »Ich wollte nur … ich hatte mich so darauf gefreut! Ich wollte Sie ein bisschen besser kennen lernen, und ich wollte Spaß haben … zusammen lachen … und ich wollte so einen pinkfarbenen Cocktail, keinen Champagner …«

Scheiße. *Scheiße*. Das ist mir so rausgerutscht, ich konnte nicht an mich halten.

»Aber … Sie trinken doch so gern Champagner!«, sagt Jack verblüfft. »Haben Sie gesagt. Ein perfektes Date würde mit Champagner anfangen.«

Ich kann ihm nicht in die Augen sehen.

»Ja, na ja. Da konnte ich schließlich noch nichts von pinkfarbenen Cocktails wissen, oder?«

Jack wirft den Kopf zurück und lacht.

»Da haben Sie Recht. Sehr Recht sogar. Und ich habe Ihnen keine Wahl gelassen, richtig?« Er schüttelt reuig den Kopf. »Wahrscheinlich saßen Sie da und dachten, weiß dieser Trottel denn nicht, dass ich einen pinkfarbenen Cocktail möchte?«

»Nein!«, sage ich sofort, aber meine Wangen färben sich purpurrot, und Jack sieht mich mit so einem komischen Gesichtsausdruck an, dass ich ihn am liebsten in den Arm nehmen würde.

»Ach, Emma. Es tut mir Leid.« Er schüttelt den Kopf. »Ich wollte Sie auch besser kennen lernen. Und ich wollte auch einen netten Abend verbringen. Sieht so aus, als wollten wir das Gleiche. Und ich habe es vermasselt.«

»Ist doch nicht *Ihre* Schuld«, murmle ich betreten.

»So hatte ich das alles nicht geplant.« Er sieht mich ernst an. »Geben Sie mir noch eine Chance?«

Ein großer roter Doppeldeckerbus kommt an die Haltestelle gerumpelt, und wir sehen auf.

»Ich muss gehen«, sage ich und stehe auf. »Das ist mein Bus.«

»Emma, machen Sie keine Dummheiten. Steigen Sie ins Auto.«

»Nein. Ich fahre mit dem Bus.«

Die automatischen Türen öffnen sich, und ich steige ein. Ich zeige dem Fahrer meine Monatskarte, und er nickt.

»Sie wollen ernsthaft mit diesem Ding fahren?«, fragt Jack und steigt hinter mir ein. Skeptisch schaut er die übliche bunte Mischung der Nachtfahrer an. »Ist das *sicher*?«

»Sie reden wie mein Grandpa! Natürlich ist es sicher. Er fährt direkt bis zu meiner Straße.«

»Beeilen Sie sich!«, sagt der Fahrer ungeduldig zu Jack. »Wenn Sie nicht zahlen können, steigen Sie aus.«

»Ich habe meine American-Express-Karte dabei«, sagt Jack und greift in die Tasche.

»Man kann doch im Bus nicht mit Kreditkarte bezahlen!« Ich verdrehe die Augen. »Wissen Sie denn gar nichts? Und überhaupt.« Ich starre ein paar Sekunden lang meine Monatskarte an. »Ich wäre jetzt lieber allein, wenn es geht.«

»Verstehe«, sagt Jack mit veränderter Stimme. »Dann steige ich wohl besser wieder aus«, sagt er zum Fahrer. Dann sieht er mich an. »Sie haben mir noch nicht geantwortet. Versuchen wir es noch mal? Morgen Abend. Und dann machen wir alles, was Sie möchten. Sie sind die Bestimmerin.«

»Okay.« Ich versuche, den Vorschlag mit einem unverbindlichen Schulterzucken zu quittieren, aber als ich seinem Blick begegne, muss ich doch lächeln.

»Wieder um acht?«

»Um acht. Und ohne Auto«, füge ich fest hinzu. »Morgen gehen wir auf meine Art aus.«

»Wunderbar! Ich freue mich drauf. Gute Nacht, Emma.«

»Gute Nacht.«

Als er sich umdreht, um auszusteigen, gehe ich die Stufen zum Oberdeck hoch. Ich steuere den vordersten Sitz an, auf dem ich als Kind auch immer gesessen habe, und starre in die dunkle, regnerische Londoner Nacht hinaus. Wenn ich lange genug starre, verschwimmt das Licht der Straßenlampen wie in einem Kaleidoskop. Wie im Märchenland.

In meinem Kopf schwirren Bilder von der Dame in Gold herum, dem pinkfarbenen Cocktail, Jacks Gesicht, als ich sagte, dass ich gehe, dem Kellner mit meinem Mantel, Jacks Auto an der Bushaltestelle … Ich kann keinen klaren Gedanken fassen. Ich kann nur hier sitzen, hinausstarren und auf die vertrauten, tröstlichen Geräusche hören. Das altmodische Mahlen und Dröhnen des Busmotors. Das Zischen der auf- und zugehenden Türen. Das schrille Klingeln des Halteknopfs. Leute, die die Treppe herauf- und wieder hinuntertrampeln.

Ich spüre, wie der Bus in den Kurven schwankt, aber ich merke kaum, wo wir sind. Bis nach einer Weile vertraute Anblicke in mein Bewusstsein dringen und ich merke, dass wir uns meiner Straße nähern. Ich reiße mich zusammen, greife nach meiner Handtasche und wanke zur Treppe.

Plötzlich biegt der Bus scharf nach links ab, ich grabsche nach einem Haltegriff und klammere mich fest. Warum biegen wir hier ab? Ich sehe aus dem Fenster, denke, dass mir das gerade noch gefehlt hätte, jetzt laufen zu müssen, und blinzle erstaunt.

Wir werden doch nicht …

Wir können doch wohl nicht …

Tun wir aber. Ich spähe durchs Fenster und bin sprachlos. Wir sind in meiner winzigen Straße.

Und haben genau vor unserem Haus angehalten.

Ich eile die Treppe hinunter, breche mir fast den Knöchel, und starre den Fahrer an.

»Ellerwood Road 41«, sagt er schwungvoll.

Nein. Das gibt's doch gar nicht.

Verwirrt sehe ich mich im Bus um, und ein paar betrunkene Teenies starren verdutzt zurück.

»Was geht denn hier ab?« Ich sehe den Fahrer an. »Hat er Sie dafür *bezahlt*?«

»Fünfhundert Pfund«, sagt der Fahrer und zwinkert mir zu. »Wer auch immer er ist, Mädchen, den würde ich nicht mehr loslassen.«

Fünfhundert Pfund? Ach du lieber Gott.

»Danke«, sage ich benommen. »Ich meine, danke fürs Fahren.«

Wie im Traum steige ich aus dem Bus und gehe auf die Haustür zu. Aber Lissy ist schon da und öffnet.

»Ist das ein *Bus*?«, fragt sie und glotzt. »Was macht der denn hier?«

»Es ist mein Bus«, sage ich, »und er hat mich nach Hause gebracht.«

Ich winke dem Fahrer zu, der zurückwinkt, und der Bus rumpelt in die Nacht.

»Das glaube ich ja nicht!«, sagt Lissy langsam und starrt ihm hinterher, als er um die Ecke verschwindet. Dann dreht sie sich um und sieht mich an.

»Dann … war es am Ende doch noch okay?«

»Ja«, sage ich. »Ja, es war … okay.«

14

Okay. Nichts weitererzählen. Bloß nicht.

Ich darf niemandem erzählen, dass ich gestern Abend ein Date mit Jack Harper hatte.

Es ist ja nicht so, dass ich ausdrücklich vorhabe, es auszuplaudern. Aber als ich am nächsten Morgen bei der Arbeit ankomme, bin ich fast überzeugt, dass ich es versehentlich einfach tue.

Oder dass jemand von selbst drauf kommt. Ich meine, das muss man mir doch an der Nasenspitze ansehen. An der Kleidung. Daran, wie ich gehe. Es kommt mir vor, als würde alles, was ich tue, schreien: »Hey, was glaubt ihr, was ich gestern Abend gemacht habe?«

»Hi«, sagt Caroline, als ich mir einen Kaffee mache. »Wie geht's?«

»Gut, danke!«, sage ich und fühle mich schuldig. »Ich habe mir gestern einfach einen ruhigen Abend gemacht. Ganz gemütlich. Mit meiner Mitbewohnerin. Wir haben drei Videos geguckt, *Pretty Woman, Notting Hill* und *Vier Hochzeiten*. Nur wir beide. Sonst niemand.«

»Aha«, sagt Caroline verwundert. »Schön!«

O Gott. Ich verliere die Kontrolle. So werden Verbrecher überführt, das weiß man doch. Sie liefern zu viele Details und verstricken sich.

Also, kein Geplapper mehr. Nur noch einsilbige Antworten.

»Hi«, sagt Artemis, als ich mich an meinen Platz setze.

»Hi«, sage ich und zwinge mich, nichts hinzuzufügen. Nicht mal darüber, was für eine Pizza Lissy und ich gestern bestellt haben, obwohl ich eine komplette Story darüber parat habe, dass der Pizzaservice dachte, wir hätten grüne Paprika statt Peperoni bestellt, ha ha, was für ein Durcheinander!

Ich soll heute Morgen die Ablage machen, aber stattdessen erwische ich mich dabei, dass ich auf einem Blatt Papier eine Liste möglicher Ziele anlege, zu denen ich Jack heute Abend ausführen könnte.

1. Kneipe. Nein. Viel zu langweilig.
2. Kino. Nein. Zu viel rumsitzen, zu wenig reden.
3. Eislaufen. Ich habe keine Ahnung, warum ich das aufschreibe, ich kann überhaupt nicht Schlittschuh laufen. Aber in *Splash* gab es so eine Szene.
4.

Hilfe, mir gehen schon die Ideen aus. Wie bescheuert ist das denn? Ich starre dumpf das Blatt an und höre mit halbem Ohr, was um mich herum geredet wird.

» ...wirklich wahr, dass sie an einem geheimen Projekt arbeiten, oder ist das nur ein Gerücht?«

» ...Firma in eine neue Richtung, anscheinend, aber keiner weiß genau, was er ...«

» ... *ist* dieser Sven überhaupt? Ich meine, welche Position hat er?«

»Er ist mit Jack zusammen, oder?«, sagt Amy, die in der Finanzabteilung arbeitet und auf Nick steht und deswegen dauernd unter irgendeinem Vorwand zu uns ins Büro kommt. »Er ist Jacks Lover.«

»*Was*?« Ich sitze plötzlich aufrecht und zerbreche meinen Bleistift. Zum Glück tratschen alle so eifrig, dass sie mich gar nicht bemerken.

Jack schwul? Jack schwul?

Deswegen hat er mir keinen Gutenachtkuss gegeben. Er will mich nur als Freundin. Er wird mir Sven vorstellen, und dann muss ich so tun, als mache mir das alles nichts aus, als hätte ich es die ganze Zeit gewusst ...

»Jack Harper ist schwul?«, fragt Caroline erstaunt.

»Das dachte ich«, sagt Amy achselzuckend. »Er sieht doch irgendwie schwul aus, findet ihr nicht?«

»Eigentlich nicht«, sagt Caroline und verzieht das Gesicht. »Nicht geschniegelt genug.«

»Ich finde auch nicht, dass er schwul aussieht!«, sage ich und bemühe mich, unbekümmert und nur am Rande interessiert zu klingen.

»Er ist nicht schwul«, schreitet Artemis bestimmt ein. »Ich habe ein altes Porträt über ihn in der *Newsweek* gelesen, damals war er mit der Vorstandsvorsitzenden von Origin Software zusammen. Und vorher ist er mit einem Supermodel gegangen.«

Ich bin ja so erleichtert.

Ich wusste doch, dass er nicht schwul ist. Natürlich wusste ich, dass er nicht schwul ist.

Also wirklich, haben die nichts Besseres zu tun, als sich in dummen, hirnlosen Vermutungen über Leute zu ergehen, die sie gar nicht kennen?

»Und hat er im Moment eine Freundin?«

»Wer weiß?«

»Er ist doch ziemlich sexy, findet ihr nicht?«, sagt Caroline mit laszivem Lächeln. »Ich würde ihn nicht von der Bettkante schubsen.«

»Na klar«, sagt Nick. »Seinen Privatjet wahrscheinlich auch nicht.«

»Seit Pete Laidlers Tod hat er offensichtlich keine Freundin mehr gehabt«, sagt Artemis steif. »Ich glaube kaum, dass du eine Chance hast.«

»Pech gehabt, Caroline«, sagt Nick und lacht.

Mir wird richtig unbehaglich, wenn ich das höre. Vielleicht sollte ich einfach aus dem Raum verschwinden, bis sie fertig sind. Aber das könnte auch wieder die Aufmerksamkeit auf mich lenken.

Einen kurzen Augenblick lang erwische ich mich bei der Vorstellung, aufzustehen und zu sagen: »Ich war gestern Abend mit Jack Harper zum Abendessen aus.« Sie würden mich alle sprachlos anstarren, und vielleicht würde jemand nach Luft schnappen und …

Ach, so ein Blödsinn. Sie würden es noch nicht einmal glauben. Sie würden sagen, ich leide unter Halluzinationen.

»Hi, Connor«, unterbricht Carolines Stimme meine Gedanken.

Connor? Bestürzt sehe ich auf. Und da ist er, er kommt ohne Vorwarnung mit waidwundem Blick auf meinen Tisch zu.

Was will er hier?

Ich bekomme Herzklopfen und streiche mir nervös das Haar zurück. Ich habe ihn zwar schon ein paarmal irgendwo im Gebäude bemerkt, aber jetzt sehe ich ihn seit unserer Trennung zum ersten Mal von Angesicht zu Angesicht.

»Hi«, sagt er.

»Hi«, antworte ich betreten, und dann schweigen wir.

Plötzlich merke ich, dass die angefangene Liste mit Date-Ideen gut sichtbar auf meinem Tisch liegt. Mist. So beiläufig wie möglich greife ich nach dem Zettel, zerknülle ihn und werfe ihn lässig in den Papierkorb.

Der Tratsch über Sven und Jack ist erstorben. Ich weiß, dass das ganze Büro uns zuhört, auch wenn alle so tun, als wären sie mit irgendwas beschäftigt. Als wären wir die hausinterne Seifenoper oder so.

Und ich weiß auch, welche Rolle ich darin spiele. Ich bin die herzlose Zicke, die ihrem reizenden und liebenswürdigen Mann grundlos das Herz bricht.

O Gott. Das Dumme ist, ich fühle mich wirklich schuldig, ehrlich. Jedes Mal, wenn ich Connor sehe oder auch nur an ihn denke, schnürt es mir die Brust zusammen. Aber *muss* er seinen verletzten Stolz so offen zur Schau tragen? Er hat die ganze Zeit diesen Du-hast-mich-tödlich-verletzt-aber-ich-bin-so-ein-guter-Mensch-dass-ich-dir-verzeihe-Gesichtsausdruck. Ich spüre, wie mein Schuldgefühl einer gewissen Gereiztheit weicht.

»Ich wollte nur eben sagen«, sagt Connor schließlich, »dass ich uns beide eingetragen habe, zusammen beim Corporate Family Day eine Schicht am Pimm's-Stand zu übernehmen. Natürlich habe ich da noch gedacht, dass wir …« Er bricht ab und guckt verletzter denn je. »Na ja. Meinetwegen können wir das trotzdem machen. Natürlich nur, wenn es dir nichts ausmacht.«

Ich bin bestimmt nicht diejenige, die jetzt sagt, ich könnte es nicht ertragen, eine halbe Stunde lang neben ihm zu stehen.

»Nö, macht mir nichts aus«, sage ich.

»Gut.«

»Gut.«

Und wieder eine peinliche Pause.

»Ach, übrigens, ich habe noch dein blaues Hemd«, sage ich achselzuckend. »Ich bringe es demnächst mal mit.«

»Danke. Ich glaube, ich habe auch noch ein paar Sachen von dir …«

»Hey«, sagt Nick, der mit einem hinterhältigen, augenblitzenden Jetzt-wühlen-wir–mal-im-Dreck-Gesichtsausdruck herangekommen ist. »Ich habe dich gestern mit jemandem gesehen.«

Mein Herz macht einen großen, entsetzten Satz. Verdammt! Verdammt, verdammt, okay … okay … Alles okay. Er sieht mich nicht an. Er sieht Connor an.

Mit wem zum Teufel war Connor unterwegs?

»Das war nur eine Freundin«, sagt er steif.

»Sicher?«, fragt Nick. »Sah aber ziemlich innig aus.«

»Halt die Klappe, Nick«, sagt Connor gequält. »Es ist nun

wirklich noch zu früh, um an … was Neues zu denken. Oder, Emma?«

»Äh … ja.« Ich muss mehrmals schlucken. »Absolut. Unbedingt.«

O Gott.

Egal. Macht ja nichts. Ich mache mir doch wegen Connor keine Sorgen. Ich muss über ein wichtiges Date nachdenken. Und zum Glück ist mir dann doch noch die perfekte Idee gekommen. Eigentlich komisch, dass mir das nicht früher eingefallen ist. Es gibt nur einen einzigen, winzigen Haken – aber das kriege ich schon geregelt.

Tatsächlich brauche ich nur etwa eine halbe Stunde, um Lissy davon zu überzeugen, dass der Satz »Der Schlüssel darf unter keinen Umständen an ein Nicht-Mitglied weitergegeben werden«, der in der Hausordnung steht, gar nicht so ernst gemeint ist. Am Ende zieht sie den Schlüssel aus der Tasche und reicht ihn mir mit besorgter Miene.

»Aber nicht verlieren!«

»Natürlich nicht! Danke, Liss.« Ich umarme sie. »Ehrlich, ich gebe dir auch den Schlüssel, wenn ich mal Mitglied in einem exklusiven Club bin.«

»Das Passwort weißt du noch?«

»Ja. Alexander.«

»Wo gehst du hin?«, fragt Jemima, die ausgehfertig aufgedonnert in mein Zimmer kommt. Sie beäugt mich kritisch. »Schönes Top. Wo hast du das her?«

»Oxfam. Ich meine, Whistles.«

Ich habe beschlossen, heute mal nicht zu *versuchen*, mir etwas von Jemima zu borgen. Ich trage ausschließlich meine eigenen Klamotten, und wenn sie Jack nicht gefallen, hat er Pech gehabt.

»Was ich eigentlich fragen wollte«, sagt Jemima, und ihre

Augen verengen sich zu Schlitzen, »ihr wart gestern Abend nicht zufällig in meinem Zimmer, oder?«

»Nein«, sagt Lissy unschuldig. »Wieso, sah es so aus?«

Jemima war bis drei Uhr unterwegs gewesen, und als sie nach Hause kam, war alles wieder an seinem Platz, Klebeband und alles. Sorgfältiger ging es wirklich nicht.

»Nein«, gibt sie widerwillig zu. »Es war nichts verändert. Ich hatte nur so ein *Gefühl*. Als wenn jemand drin gewesen wäre.«

»Hast du das Fenster offen gelassen?«, fragt Lissy. »Ich habe da neulich so einen Artikel gelesen, dass sie jetzt Affen zum Stehlen in die Wohnungen klettern lassen.«

»*Affen*?« Jemima starrt sie an.

»Anscheinend. Sie werden von Einbrechern dressiert.«

Jemima guckt verdattert von Lissy zu mir, und ich muss mich zwingen, meine Gesichtszüge unter Kontrolle zu halten.

»Übrigens«, sage ich, um schnell das Thema zu wechseln, »vielleicht interessiert es dich, dass du wegen Jack Unrecht hattest. Ich gehe heute wieder mit ihm aus. Es war überhaupt keine Katastrophe!«

Ich muss ihr ja nicht das kleine Detail auf die Nase binden, dass wir einen Riesenkrach hatten und ich rausgestürmt bin und er mir an die Bushaltestelle hinterherfahren musste. Denn das Wichtigste ist ja, dass wir ein zweites Date haben.

»Ich habe trotzdem Recht«, sagt Jemima. »Wart's nur ab. Ich sage Unheil voraus.«

Als sie geht, schneide ich hinter ihrem Rücken eine Grimasse und lege Mascara auf. »Wie spät ist es?«, frage ich und runzle die Stirn, als ich mir versehentlich einen Klecks auf das Augenlid mache.

»Zehn vor acht«, sagt Lissy. »Wie kommt ihr dorthin?«

»Taxi.«

Plötzlich klingelt es, und wir sehen beide auf.

»Der ist aber früh«, sagt Lissy. »Komisch.«

»Er kann doch nicht einfach zu früh kommen!« Wir stürzen ins Wohnzimmer, und Lissy ist als Erste am Fenster.

»Ach du lieber Gott«, sagt sie, als sie auf die Straße hinuntersieht. »Es ist Connor.«

»*Connor*?« Ich starre sie schockiert an. »Connor ist hier?«

»Er hat einen Karton dabei. Soll ich ihm aufmachen?«

»Nein! Wir tun so, als wären wir nicht da.«

»Zu spät«, sagt Lissy und zieht ein Gesicht. »Tut mir Leid, er hat mich schon gesehen.«

Es klingelt wieder, und wir sehen uns hilflos an.

»Okay«, sage ich schließlich, »ich gehe runter.«

Verdammt, verdammt, verdammt ...

Ich flitze nach unten und öffne atemlos die Tür. Und da, auf der Treppe, steht Connor, mit dem gleichen Märtyrerausdruck im Gesicht wie schon im Büro.

»Hi«, sagt er. »Hier sind die Sachen, von denen ich gesprochen habe. Ich dachte, du brauchst sie vielleicht.«

»Äh, danke«, sage ich und nehme ihm den Karton ab, der anscheinend eine Flasche L'Oreal-Shampoo und einen Pullover enthält, den ich in meinem ganzen Leben noch nicht gesehen habe. »Ich habe dein Zeug noch nicht rausgesucht, ich bringe es dir einfach mit ins Büro, okay?«

Ich stelle den Karton auf die Treppe und drehe mich schnell wieder um, bevor Connor glaubt, ich würde ihn hineinbitten.

»Also, äh, danke«, sage ich. »Echt nett, dass du vorbeigekommen bist.«

»Kein Thema«, sagt Connor. Er seufzt tief. »Emma ... Ich dachte, vielleicht könnten wir die Gelegenheit nutzen, noch einmal miteinander zu reden. Wir könnten zusammen etwas trinken, oder vielleicht essen gehen.«

»Ja!«, sage ich strahlend. »Das wäre toll. Wirklich. Aber ehrlich gesagt ist das gerade nicht der allerbeste Moment.«

»Gehst du aus?« Er macht ein langes Gesicht.

»Ähm, ja, mit Lissy.« Ich schiele verstohlen auf die Uhr. Sechs Minuten vor acht. »Na ja, wir sehen uns. Weißt schon, im Büro ...«

»Warum bist du so nervös?« Connor starrt mich an.

»Ich bin nicht nervös!«, sage ich und lehne mich lässig an den Türrahmen.

»Was ist hier los?« Seine Augen verengen sich misstrauisch, und er sieht an mir vorbei in den Flur. »Ist irgendwas?«

»Connor«, ich lege ihm beruhigend die Hand auf den Arm. »Es ist überhaupt nichts. Das bildest du dir nur ein.«

In dem Moment taucht Lissy hinter mir in der Tür auf.

»Ähm, Emma, da ist ein sehr wichtiger Anruf für dich«, sagt sie ziemlich gespreizt. »Am besten kommst du sofort ... ach, hallo Connor!«

Dummerweise ist Lissy die schlechteste Lügnerin der Welt.

»Ihr wollt mich loswerden«, sagt Connor und sieht verdattert von Lissy zu mir.

»So ein Quatsch!«, sagt Lissy und läuft puterrot an.

»Warte mal«, sagt Connor plötzlich und starrt mein Outfit an. »Einen Moment. Ich will doch nicht ... hast du ein ... Date?«

Mein Hirn arbeitet auf Hochtouren. Wenn ich leugne, geraten wir wahrscheinlich in eine ausführliche Diskussion. Aber wenn ich es zugebe, zieht er vielleicht beleidigt ab.

»Du hast Recht«, sage ich. »Ich habe ein Date.«

Er schweigt schockiert.

»Das glaube ich ja nicht«, sagt Connor, schüttelt den Kopf und lässt sich zu meinem Entsetzen schwer auf die Gartenmauer sinken. Ich schiele auf die Uhr. Drei Minuten vor acht. Mist!

»Connor ...«

»Du hast gesagt, es gebe keinen anderen! Das hast du versprochen, Emma!«

»Es gab ja auch keinen. Aber … jetzt gibt es einen. Und er kommt gleich … Connor, das willst du dir doch nicht antun.« Ich packe ihn am Arm und versuche, ihn hochzuziehen, aber er wiegt fast achtzig Kilo. »Connor, bitte. Mach es doch nicht noch schwieriger für uns alle.«

»Wahrscheinlich hast du Recht.« Er steht endlich auf. »Dann gehe ich mal.«

Er geht zum Tor wie ein geprügelter Hund; ich fühle mich schuldig, und gleichzeitig wünsche ich mir sehnlichst, er möge schneller gehen. Sehr zu meinem Schrecken dreht er sich aber noch mal um.

»Und, wer ist es?«

»Es ist … du kennst ihn nicht«, sage ich und kreuze die Finger hinter dem Rücken. »Pass auf, wir gehen demnächst zusammen Mittag essen, und dann reden wir in Ruhe. Oder so, versprochen.«

»Okay«, sagt Connor und sieht verletzter aus denn je. »Gut. Ich habe verstanden.«

Ich halte die Luft an, als er das Gartentor schließt und langsam die Straße entlanggeht. Weitergehen … weitergehen … nicht anhalten …

Als er endlich um die Ecke verschwindet, taucht Jacks silberner Wagen am anderen Ende der Straße auf.

»Ach du lieber Gott«, sagt Lissy und starrt ihn an.

»Glotz nicht so!« Ich sinke auf das Mäuerchen. »Lissy, ich halte das nicht aus.«

Ich zittere. Ich brauche einen Drink. Und ich habe nur an einem Auge Mascara aufgetragen, fällt mir plötzlich ein.

Das silberne Auto bleibt vor dem Haus stehen, und der uniformierte Fahrer von gestern steigt aus. Er öffnet die hintere Tür, und Jack steigt aus.

»Hi!«, sagt er und wirkt überrascht, mich zu sehen. »Bin ich zu spät?«

»Nein! Ich habe nur … äh … hier gesessen. Sie wissen schon. Die Aussicht genießen.« Ich deute über die Straße und sehe jetzt erst, dass dort ein Mann mit einer enormen Wampe einen Reifen an seinem Wohnwagen wechselt. »Egal,«, sage ich und stehe hastig auf, »jedenfalls, ich bin noch nicht ganz fertig. Möchten Sie noch einen Moment mit raufkommen?«

»Klar«, sagt Jack und lächelt. »Das wäre nett.«

»Und schicken Sie Ihren Wagen weg. Den sollten Sie doch heute Abend gar nicht dabeihaben.«

»Und Sie sollten nicht vor der Haustür sitzen und mich erwischen«, entgegnet Jack grinsend. »Okay, Daniel, Sie können dann Feierabend machen.« Er nickt dem Fahrer zu. »Ich begebe mich jetzt in die Hände dieser Dame.«

»Das ist Lissy, meine Mitbewohnerin«, sage ich, als der Fahrer wieder ins Auto steigt. »Lissy, Jack.«

»Hi«, sagt Lissy mit unsicherem Lächeln, und sie geben sich die Hand.

Als wir die Treppe zu unserer Wohnung hinaufsteigen, wird mir plötzlich bewusst, wie schmal das Treppenhaus ist und dass der cremefarbene Anstrich ganz verschrammt ist und der Teppich nach Kohl riecht. Jack wohnt bestimmt in einer riesigen, eindrucksvollen Villa. Wahrscheinlich hat er eine Marmortreppe oder so.

Na und? Kann ja nicht jeder Marmor haben.

Wahrscheinlich ist das sowieso schrecklich. Kalt und laut. Wahrscheinlich rutscht man darauf dauernd aus, und dann platzt ständig etwas ab …

»Emma, wenn du dich fertig machen willst, mache ich Jack schnell einen Drink«, sagt Lissy mit einem Lächeln, das bedeutet: Er ist nett!

»Danke«, sage ich und funke einen »Ja, oder?«-Blick zurück. Ich flitze in mein Zimmer und trage schnell am anderen Auge Mascara auf.

Kurz darauf klopft es.

»Hi!«, sage ich und rechne mit Lissy. Aber stattdessen kommt Jack mit einem Glas süßem Sherry in der Hand herein.

»Oh, super!«, sage ich dankbar. »Ich kann jetzt was zu trinken gebrauchen.«

»Ich will auch gar nicht groß stören«, sagt er höflich.

»Nein, ist schon okay. Setzen Sie sich!«

Ich deute auf das Bett, aber es liegt voller Klamotten. Und auf dem Hocker am Frisiertisch türmen sich Zeitschriften. Mist, ich hätte ein bisschen aufräumen sollen.

»Ich bleibe einfach stehen«, sagt Jack und lächelt. Er trinkt einen Schluck, wahrscheinlich Whisky, und sieht sich fasziniert in meinem Zimmer um. »Das ist also Ihr Zimmer. Ihre Welt.«

»Ja.« Ich werde ein bisschen rot und hantiere mit Lipgloss herum. »Es ist ein bisschen chaotisch …«

»Es ist hübsch. So heimelig.« Ich sehe, dass er den Schuhberg in der Ecke registriert, das Fischmobile an der Lampe, die Ketten, die über den Spiegel hängen, und den neuen Rock an der Schranktür.

»Krebshilfe?«, fragt er erstaunt, als er das Label bemerkt. »Was heißt das …«

»Das ist eine Ladenkette«, sage ich, ein bisschen trotzig. »Secondhand-Läden.«

»Ach so«, er nickt taktvoll. »Hübsche Bettwäsche«, fügt er grinsend hinzu.

»Die ist ironisch gemeint«, sage ich hastig. »Eine ironische Aussage.«

O Gott, wie peinlich. Ich hätte frisch beziehen sollen.

Jetzt starrt er ungläubig in die Frisiertisch-Schublade, die mit Make-up voll gestopft ist. »Wie viele Lippenstifte haben Sie?«

»Ach, ein paar«, sage ich und schiebe die Lade zu.

Es war wohl keine besonders gute Idee, Jack hier reinzulassen. Er nimmt meine Vitaminpillen und studiert die Packung. Was ist denn an *Vitaminen* so interessant? Dann entdeckt er Katies Häkelgürtel.

»Was ist das denn? Eine Schlange?«

»Ein Gürtel«, sage ich und verziehe das Gesicht, als ich mir einen Ohrring anstecke. »Ich weiß. Er ist furchtbar. Ich kann Gehäkeltes nicht leiden.«

Wo ist der andere Ohrring? Wo?

Ach, da ist er ja. Was macht Jack denn jetzt?

Ich drehe mich um, und sehe ihn fasziniert vor meinem Trainingsplan stehen, den ich im Januar aufgestellt habe, nachdem ich die kompletten Weihnachtstage über Quality-Street-Bonbons in mich hineingestopft hatte.

»Montags, 7 Uhr«, liest er laut, »schnelles Joggen um den Block. Vierzig Sit-ups. Mittags: Yogakurs. Abends: Pilates-Video. Sechzig Sit-ups.« Er trinkt einen Schluck Whisky. »Ganz schön eindrucksvoll. Machen Sie das alles?«

»Na ja«, sage ich nach einer Pause. »Ich schaffe nicht unbedingt *alles* … Ich meine, das war aber auch ziemlich ehrgeizig … wissen Sie … äh … Gut!« Ich parfümiere mich schnell. »Auf geht's!«

Ich muss ihn schnell hier hinausbefördern, bevor er noch so was wie einen Tampon entdeckt und mich fragt, was das ist. Ich meine, also wirklich! Warum zum Teufel *interessiert* ihn das alles so?

15

Als wir in die milde Abendluft hinaustreten, fühle ich mich ganz leicht und beschwingt vor lauter Vorfreude. Die Stimmung ist schon ganz anders als gestern. Kein Furcht erregendes Auto; kein schniekes Restaurant. Viel entspannter. Viel lockerer.

»So«, sagt Jack, als wir zur Hauptstraße gehen. »Ausgehen nach Emmas Art.«

»Absolut!« Ich halte ein Taxi an und nenne dem Fahrer die Straße in Clerkenwell, von der die kleine Allee abzweigt.

»Mit dem Taxi fahren dürfen wir aber?«, fragt Jack sanft, als wir einsteigen. »Müssen wir nicht auf einen Bus warten?«

»Nur ausnahmsweise«, sage ich mit gespieltem Ernst.

»Und, gehen wir essen? Trinken? Tanzen?«, sagt Jack, als wir die Straße hinunterfahren.

»Abwarten!« Ich strahle ihn an. »Ich dachte, wir machen uns einfach einen entspannten, spontanen Abend.«

»Ich schätze, ich habe es gestern übertrieben mit der Planung«, sagt Jack nach einer Pause.

»Nein, es war wunderbar!«, sage ich freundlich. »Aber manchmal macht man sich *zu* viele Gedanken. Manchmal ist es besser, sich einfach treiben zu lassen und abzuwarten, was passiert.«

»Da haben Sie Recht.« Jack lächelt. »Ich freue mich schon darauf, mich treiben zu lassen.«

Als wir die Upper Street entlangbrausen, bin ich ziemlich stolz auf mich. Das alles zeigt, dass ich eine waschechte Londonerin bin. Ich kann meine Gäste in kleine Lokale abseits des Üblichen führen. Ich finde die versteckten Clubs, die nicht jeder kennt. Ich meine, natürlich war Jacks Restaurant der Hammer. Aber wie viel cooler ist denn meins? Ein geheimer Club! Und wer weiß, vielleicht ist Madonna heute da!

Nach ungefähr zwanzig Minuten kommen wir in Clerkenwell an. Ich bestehe darauf, das Taxi zu bezahlen, und führe Jack die Allee entlang.

»Interessant«, sagt Jack und sieht sich um. »Wo gehen wir hin?«

»Nun warten Sie's doch ab«, sage ich geheimniskrämerisch. Ich gehe auf die Tür zu, klingle und hole mit einem kleinen aufgeregten Schauer Lissys Schlüssel aus der Tasche.

Das wird ihn dermaßen beeindrucken. Es wird ihn *dermaßen* beeindrucken!

»Hallo?«, sagt eine Stimme.

»Hallo«, sage ich lässig. »Ich möchte bitte mit Alexander sprechen.«

»Wem?«, fragt die Stimme.

»Alexander«, wiederhole ich und lächle wissend. Offensichtlich müssen sie sich vergewissern.

»Gibt kein Alexander hier.«

»Sie verstehen mich nicht. A-lex-an-der«, artikuliere ich deutlich.

»Gibt kein Alexander.«

Plötzlich kommt mir der Verdacht, dass es die falsche Tür sein könnte. Ich meine, ich erinnere mich an die hier – aber vielleicht war es auch die andere da, mit dem Milchglas. Genau. Die sieht eigentlich ganz vertraut aus.

»Winziges Fehlerchen.« Ich lächle Jack an und drücke auf die andere Klingel.

Stille. Ich warte ein paar Minuten, dann klingle ich noch mal, und noch mal. Keine Reaktion. Okay. Dann … ist das wohl auch die falsche.

Scheiße.

Ich bin vielleicht bescheuert. Warum habe ich mir nicht die Adresse gemerkt? Ich war einfach sicher, dass ich es wieder finden würde.

»Gibt es ein Problem?«, fragt Jack.

»Nein!«, sage ich sofort und strahle ihn an. »Ich versuche nur, mich zu erinnern, wo genau …«

Ich schaue die Straße hinunter und versuche, nicht in Panik zu geraten. Wo war das denn noch gleich? Muss ich an jeder einzelnen Haustür in dieser Straße klingeln? Ich gehe ein paar Schritte den Bürgersteig entlang und versuche, mich zu erinnern. Und dann sehe ich durch einen Torbogen noch eine Allee, die fast genauso aussieht wie die hier.

Der Schreck trifft mich mit dumpfer Wucht. Bin ich überhaupt in der richtigen *Straße*? Ich stürze vor und gucke in die andere Allee. Sie sieht exakt genauso aus. Reihen unscheinbarer Haustüren und verrammelter Fenster.

Mein Herz klopft jetzt schneller. Was soll ich tun? Ich kann ja nicht jede Klingel in jeder Allee in der ganzen Gegend ausprobieren. Damit habe ich überhaupt nicht gerechnet. Überhaupt nicht. Ich habe noch nicht einmal bedacht, dass …

Ach, was bin ich blöd. Ich rufe einfach Lissy an! Sie kann es mir sagen. Ich hole mein Handy raus und wähle unsere Nummer, aber sofort geht der Anrufbeantworter an.

»Hi, Lissy, ich bin's«, sage ich und versuche, locker und ungezwungen zu klingen. »Mir ist ein kleines Missgeschick passiert, nämlich, ich kann mich nicht mehr genau erinnern, hinter welcher Tür der Club war. Geschweige denn … in welcher Straße. Rufst du mich bitte kurz an, wenn du das hörst? Danke!«

Ich merke, dass Jack mich beobachtet.

»Alles klar?«

»Nur eine kleine Panne«, sage ich und schicke einen entspannten Lacher hinterher. »Es gibt hier irgendwo einen geheimen Club, aber ich weiß nicht mehr genau, wo.«

»Macht ja nichts«, sagt Jack freundlich. »Kann passieren.«

Ich hämmere noch einmal unsere Nummer ein, aber es ist besetzt. Schnell wähle ich Lissys Handynummer, aber sie hat es ausgeschaltet.

Ach du Scheiße. Scheiße. Wir können ja nicht den ganzen Abend hier auf der Straße rumstehen.

»Emma«, sagt Jack vorsichtig, »soll ich was reservieren, im …«

»Nein!« Ich zucke zusammen, als hätte mich etwas gestochen. Jack wird überhaupt nichts reservieren. Ich habe gesagt, dass ich den Abend organisiere, und das tue ich auch. »Nein, danke. Ich weiß was.« Ich entscheide mich kurzerhand um. »Kleine Planänderung. Wir gehen einfach zu Antonio's.«

»Ich könnte den Wagen kommen lassen ...«, fängt Jack an.

»Den brauchen wir nicht!« Zielstrebig gehe ich zur Hauptstraße zurück, und Gott sei Dank kommt ein freies Taxi angefahren. Ich halte es an, öffne Jack die Tür und sage dem Fahrer: »Hi, zum Antonio's in der Sanderstead Road in Clapham, bitte.«

Hurra. Ich bin erwachsen und entschlossen und habe die Situation gerettet.

»Wo ist das Antonio's?«, fragt Jack, als das Taxi losflitzt.

»Ein bisschen ab vom Schuss, in Südlondon. Es ist wirklich nett. Lissy und ich sind da gerne hingegangen, als wir noch in Wandsworth gewohnt haben. Sie haben dort riesige Kiefernholztische und wunderbares Essen und Sofas und so. Und sie bedrängen einen nicht.«

»Klingt perfekt.« Jack lächelt, und ich lächle stolz zurück.

Na ja, es sollte von Clerkenwell bis Clapham nicht *so* lange dauern. Wir sollten schon längst da sein. Ich meine, es ist doch nur die Straße runter!

Nach ungefähr einer halben Stunde beuge ich mich vor und frage den Fahrer schon wieder: »Was ist denn das Problem?«

»Ach, der Verkehr.« Er zuckt mit den Schultern. »Was soll ich da machen?«

Sie könnten zum Beispiel einen ausgefuchsten, ruhigen Schleichweg finden, wie das Ihre Aufgabe ist!, würde ich ihn gern anbrüllen, aber stattdessen sage ich höflich: »Und ... was glauben Sie, wie lange es noch dauert?«

»Wer weiß?«

Ich lasse mich im Sitz zurücksinken, und mir dreht sich vor Enttäuschung der Magen um.

Wir hätten in Clerkenwell irgendwohin gehen sollen, oder in Covent Garden. Ich bin auch bekloppt …

»Emma, machen Sie sich nichts draus«, sagt Jack. »Es wird bestimmt toll, wenn wir erst da sind.«

»Das hoffe ich«, sage ich mit schwachem Lächeln.

Ich kann jetzt keinen Smalltalk machen. Ich brauche jedes Fitzelchen Konzentrationsfähigkeit, um das Taxi zum Schnellerfahren zu animieren. Ich starre aus dem Fenster und freue mich jedes Mal, wenn die Postleitzahlen auf den Straßenschildern anzeigen, dass wir unserem Ziel näher kommen. SW3 … SW11 … SW4!

Endlich! Wir sind in Clapham. Fast da …

Mist. Schon wieder eine rote Ampel. Ich kann kaum noch still sitzen. Und der Fahrer sitzt einfach da, als ob nichts wäre.

Okay, es ist grün! Los! Fahr schon!

Aber er zuckelt gemächlich los, als hätten wir ewig Zeit … bummelt die Straße hinunter … jetzt lässt er auch noch jemanden vor! *Was macht der da?*

Okay. Reg dich ab, Emma. Hier ist die Straße. Wir sind endlich da.

»So, hier ist es!«, sage ich und versuche, entspannt zu klingen, als wir aussteigen. »Tut mir Leid, dass es so lange gedauert hat.«

»Macht doch nichts«, sagt Jack. »Sieht nett aus!«

Als ich das Taxi bezahle, muss ich zugeben, dass ich mich richtig freue, hergekommen zu sein. Antonio's sieht wirklich toll aus! Die vertraute grüne Fassade ist mit Lichterketten geschmückt, am Vordach hängen heliumgefüllte Ballons, und aus der offenen Tür dringen Musik und Gelächter. Ich höre sogar Leute singen.

»*So* viel ist da normalerweise nicht los!«, sage ich lachend, und gehe auf die Tür zu. Drinnen sehe ich Antonio stehen.

»Hi!«, sage ich, als ich die Tür aufstoße. »Antonio!«

»Emma!«, sagt Antonio, der mit einem Glas Wein in der Hand an der Tür steht. Seine Wangen sind gerötet, und er strahlt noch breiter als sonst. »*Bellissima!*« Er küsst mich auf beide Wangen, und ich spüre, wie ich mich langsam entspanne. Es war eine gute Idee, hierher zu kommen. Ich kenne die Belegschaft. Sie werden dafür sorgen, dass es ein wundervoller Abend wird.

»Das ist Jack«, sage ich, und grinse ihn an.

»Jack! Schön, Sie kennen zu lernen.« Antonio küsst auch Jack auf beide Wangen, und ich muss kichern.

»Können wir einen Tisch für zwei haben?«

»Ach …« Er zieht ein bedauerndes Gesicht. »Schätzchen, wir haben geschlossen.«

»Was?« Ich starre ihn an, völlig perplex. »Aber … aber Sie haben doch nicht geschlossen. Es ist doch alles voll!« Ich sehe in lauter glückliche Gesichter.

»Das ist eine Privatparty!« Er prostet irgendwem im Raum zu und ruft etwas auf Italienisch. »Die Hochzeit meines Neffen. Haben Sie ihn mal kennen gelernt? Guido. Er hat vor ein paar Jahren im Sommer hier bedient.«

»Ich … weiß nicht mehr.«

»Er hat auf der Uni ein reizendes Mädchen kennen gelernt. Und er hat inzwischen seinen Abschluss gemacht. Wenn Sie mal einen Anwalt brauchen …«

»Danke. Na ja … herzlichen Glückwunsch.«

»Viel Spaß bei der Party«, sagt Jack und drückt mir kurz den Arm. »Macht nichts, Emma, das konnten Sie ja nicht wissen.«

»Tut mir Leid, Süße!«, sagt Antonio, als er mein Gesicht sieht. »Ein anderes Mal, ich gebe Ihnen den besten Tisch, den ich habe. Rufen Sie vorher kurz an, damit ich Bescheid weiß …«

»Mache ich.« Ich bringe ein Lächeln zustande. »Danke, Antonio.«

Ich kann Jack nicht mal angucken. Dafür habe ich ihn nun also bis nach Scheiß-Clapham geschleppt.

Ich muss es jetzt irgendwie wieder hinbiegen. Schnell.

»Wir gehen einfach in eine Kneipe«, sage ich, sobald wir wieder auf dem Bürgersteig stehen. »Ist doch auch okay, einfach irgendwo etwas trinken zu gehen.«

»Klingt gut«, sagt Jack sanft und folgt mir die Straße entlang auf ein Haus mit der Aufschrift »The Nag's Head« zu, dessen Tür ich öffne. Ich war zwar noch nie in dieser Kneipe, aber sie ist bestimmt ganz …

Okay. Vielleicht besser nicht.

Das muss die trostloseste Kneipe sein, die ich je gesehen habe. Fadenscheiniger Teppichboden, keine Musik und kein Anzeichen von Leben, bis auf einen einzelnen Mann mit Schmerbauch.

Hier kann ich kein Date mit Jack haben. Es geht einfach nicht.

»Gut!«, sage ich und lasse die Tür wieder zufallen. »Überlegen wir noch mal.« Ich schaue schnell die Straße rauf und runter, aber außer Antonio's ist alles geschlossen, bis auf ein paar schäbige Take-away-Läden und ein Minitaxi-Unternehmen. »Na ja … dann nehmen wir einfach ein Taxi und fahren zurück in die Stadt!«, sage ich mit jetzt schon etwas schriller Heiterkeit. »Dauert nicht so lange.«

Ich gehe an den Fahrbahnrand und strecke die Hand aus.

In den folgenden drei Minuten fährt nicht ein einziger Wagen vorbei. Nicht nur kein Taxi. Sondern überhaupt kein Auto.

»Ziemlich ruhig hier«, bemerkt Jack schließlich.

»Tja, das ist eigentlich ein Wohngebiet. Antonio's ist eine Art Geheimtipp.«

Nach außen hin bin ich noch recht ruhig. Aber innerlich gerate ich langsam in Panik. Was sollen wir machen? Bis zur Clapham High Street laufen? Das ist leider saumäßig weit.

Ich schiele auf die Uhr und stelle entsetzt fest, dass es schon Viertel nach neun ist. Wir haben jetzt schon mehr als eine Stunde vertrödelt und haben noch nicht mal etwas getrunken. Und ich bin schuld. Ich kann nicht mal einen einfachen Abend organisieren, ohne dass es katastrophal in die Hose geht.

Plötzlich würde ich am liebsten in Tränen ausbrechen. Ich möchte auf den Bordstein sinken, das Gesicht in den Händen vergraben und schluchzen.

»Wie wär's denn mit Pizza?«, fragt Jack, ich sehe hoffnungsvoll hoch.

»Wieso? Kennen Sie eine Pizzeria in der Nähe?«

»Da hinten wird Pizza verkauft.« Er deutet mit dem Kopf auf einen der schäbigen Take-away-Schuppen. »Und da ist eine Bank.« Er zeigt auf die andere Straßenseite, auf einen winzigen, umzäunten Parkgarten mit einem gepflasterten Weg und einer Holzbank darin. »Sie holen die Pizza.« Er lächelt mich an. »Und ich sichere uns die Bank.«

Ich habe mich in meinem ganzen Leben noch nicht so geschämt. Noch nie.

Jack Harper führt mich in das vornehmste und edelste Restaurant der Welt. Und ich gehe mit ihm auf eine Parkbank in Clapham.

»Hier kommt die Pizza«, sage ich, als ich mit den heißen Pappschachteln bei ihm ankomme. »Ich habe Margarita und Schinken-Pilze-Peperoni geholt.«

Ich kann es gar nicht fassen, dass das unser Abendessen sein soll. Ich meine, es sind nicht mal *gute* Pizzas. Keine Feinschmeckerpizzas mit gebratenen Artischocken. Sondern einfach billige Teigscheiben mit klebrigem, geschmolzenem Käse und ein paar labberigen Belägen.

»Perfekt«, sagt Jack und lächelt. Er beißt herzhaft hinein und greift dann in die Jackentasche. »Das hier sollte eigentlich ein kleines Gutenachtgeschenk zum Abschied werden, aber wo wir jetzt gerade hier sitzen …«

Ich sperre Mund und Nase auf, als er einen kleinen Edelstahl-Cocktailshaker und zwei dazu passende Becher hervorzieht. Er schraubt den Deckel ab und gießt zu meinem Erstaunen eine pinkfarbene Flüssigkeit in die beiden Becher.

Ist das …

»Das glaube ich nicht!« Ich starre ihn mit großen Augen an.

»Na, kommen Sie schon. Ich konnte Sie ja nicht gut für den Rest Ihres Lebens im Unklaren lassen, wie das schmeckt, oder?« Er reicht mir einen Becher und prostet mir zu. »Auf Sie.«

»Prost.« Ich trinke einen Schluck von dem Cocktail … und er schmeckt einfach himmlisch. Scharf und süß, mit einem Hauch Wodka.

»Gut?«

»Wunderbar!«, sage ich und trinke noch einen Schluck.

Er ist so reizend zu mir. Er tut so, als würde er den Abend genießen. Aber was denkt er wirklich? Er muss mich doch verachten. Er muss mich für eine vollkommen und restlos bescheuerte Kuh halten.

»Emma, ist alles in Ordnung?«

»Ehrlich gesagt, nein«, sage ich mit belegter Stimme. »Jack, es tut mir so Leid. Ehrlich. Ich hatte wirklich alles geplant. Ich wollte mit Ihnen in diesen echt coolen Club, wo auch Promis hingehen, und es sollte richtig nett werden …«

»Emma.« Jack stellt den Drink ab und sieht mich an. »Ich wollte den Abend mit Ihnen verbringen. Und das tue ich.«

»Ja. Aber …«

»Das tue ich«, wiederholt er fest.

Er beugt sich langsam zu mir herüber, und mein Herz beginnt zu hämmern. Ach du lieber Gott. Ach du lieber Gott. Er will mich küssen. Er will …

»Arrgh! Arrgh! Arrgh!«

In totaler Panik springe ich von der Bank auf. Mir läuft eine Spinne am Bein hoch. Eine große, schwarze Spinne. »Machen Sie sie weg!«, kreische ich. »Machen Sie sie weg!«

Mit einem forschen Schubs fegt Jack die Spinne auf den Rasen, und ich sinke mit hämmerndem Herzen wieder auf die Bank.

Die Stimmung ist natürlich völlig im Eimer. Na toll. Großartig. Jack will mich küssen, und ich fange panisch an zu kreischen. Ich gebe ja heute eine prima Vorstellung.

Muss ich denn so ein Theater machen?, denke ich wütend. Warum musste ich so schreien? Ich hätte einfach die Zähne zusammenbeißen sollen!

Nicht *wörtlich* die Zähne zusammenbeißen, natürlich. Aber ich hätte einfach cool bleiben sollen. Eigentlich hätte ich so hingerissen sein müssen, dass ich die Spinne überhaupt nicht *bemerke*.

»Sie haben wohl keine Angst vor Spinnen«, sage ich zu Jack und lache verlegen. »Sie haben wahrscheinlich vor gar nichts Angst.«

Jack lächelt unverbindlich zurück.

»*Haben* Sie vor irgendwas Angst?«, beharre ich.

»Echte Männer kennen keine Angst«, sagt er scherzhaft.

Ohne es zu wollen, bin ich damit ein bisschen unzufrieden. Jack ist nicht gerade Weltmeister darin, über sich zu sprechen.

»Woher haben Sie eigentlich diese Narbe?«, frage ich und zeige auf sein Handgelenk.

»Das ist eine lange, langweilige Geschichte.« Er lächelt. »Die wollen Sie bestimmt nicht hören.«

Doch!, sagt mein Kopf sofort. Ich möchte sie hören. Aber ich lächle bloß und trinke noch einen Schluck.

Er starrt jetzt einfach geradeaus in die Ferne, als wäre ich gar nicht da.

Hat er vergessen, mich zu küssen?

Soll ich ihn küssen? Nein. Nein.

»Pete hat Spinnen geliebt«, sagt er plötzlich. »Er hatte welche als Haustiere. Riesige, haarige Viecher. Und Schlangen.«

»Echt?« Ich ziehe eine Grimasse.

»Verrückt. Er war einfach total verrückt.« Er atmet schwer aus.

»Sie ... er fehlt Ihnen immer noch«, sage ich zögernd.

»Ja. Er fehlt mir.«

Wieder schweigen wir. In der Ferne höre ich ein paar Leute aus dem Antonio's kommen und sich auf Italienisch etwas zurufen.

»Hatte er eigentlich Familie?«, frage ich vorsichtig, und sofort wird Jacks Gesicht verschlossen.

»Nicht viel«, sagt er.

»Haben Sie noch Kontakt?«

»Gelegentlich.« Er atmet wieder tief ein, dann wendet er sich mir zu und lächelt. »Sie haben Tomatensoße am Kinn.« Als er sie mir wegwischen will, treffen sich unsere Blicke. Langsam beugt er sich zu mir. Ach du lieber Gott. Das ist es, das ist es jetzt wirklich. Das ist ...

»Jack.«

Erschrocken springen wir beide auf, und ich lasse den Cocktail fallen. Ich drehe mich um und kann es gar nicht fassen. Am Tor zu dem kleinen Park steht Sven.

Was zum Scheißteufel hat denn Sven hier verloren?

»Super Timing«, murmelt Jack. »Hi, Sven.«

»Aber ... was macht der denn hier?« Ich starre Jack an. »Woher weiß er, dass wir hier sind?«

»Er hat angerufen, als Sie die Pizza geholt haben.« Jack seufzt und reibt sich das Gesicht. »Ich dachte nicht, dass er so schnell hier sein würde. Emma … es ist etwas passiert. Ich muss kurz mit ihm sprechen. Ich verspreche, dass es nicht lange dauert, okay?«

»Okay«, sage ich achselzuckend. Was soll ich auch dazu sagen? Aber innerlich bin ich furchtbar enttäuscht, fast schon wütend. Ich versuche, ruhig zu bleiben, greife nach dem Cocktailshaker und schenke mir den Rest ein.

Jack und Sven stehen am Tor und unterhalten sich lebhaft, aber leise. Ich trinke einen Schluck Cocktail und rutsche unauffällig auf der Bank nach vorne, um besser mithören zu können.

»… was wir machen sollen …«

»… Plan B … wieder nach Glasgow …«

»… dringend …«

Ich sehe auf und schaue Sven direkt in die Augen. Schnell wende ich den Blick wieder ab und gebe vor, mich auf den Boden zu konzentrieren. Ihre Stimmen werden noch leiser, und ich höre überhaupt nichts mehr. Dann bricht Jack ab und kommt zu mir.

»Emma … es tut mir wirklich Leid. Aber ich muss gehen.«

»*Gehen*?« Ich starre ihn entgeistert an. »Wie, jetzt?«

»Ich muss leider ein paar Tage weg. Es tut mir wirklich Leid.« Er setzt sich neben mich auf die Bank. »Aber … es ist sehr wichtig.«

»Ach. Ja, klar.«

»Sven hat einen Wagen kommen lassen, der Sie nach Hause bringt.«

Toll, denke ich trotzig. Herzlichen Dank auch, Sven.

»Das ist aber … umsichtig«, sage ich und male mit der Schuhspitze ein Muster in den Staub.

»Emma, ich muss wirklich weg«, sagt Jack, als er mein Gesicht sieht. »Aber wir sehen uns, sobald ich wieder da bin, okay? Beim Corporate Family Day. Und dann machen wir … genau an diesem Punkt weiter.«

»Okay.« Ich versuche zu lächeln. »Das wäre nett.«

»Es war ein schöner Abend.«

»Finde ich auch«, sage ich und starre auf die Bank. »Es war wirklich schön.«

»So was machen wir einfach noch mal.« Zärtlich hebt er mein Kinn an, bis ich ihm in die Augen sehe. »Versprochen, Emma.«

Er beugt sich vor, und diesmal gibt es kein Zögern. Sein Mund trifft meinen, süß und entschlossen. Er küsst mich. Jack Harper küsst mich auf einer Parkbank. Seine Lippen öffnen meine, seine Bartstoppeln pieksen mich im Gesicht. Er umschlingt mich und zieht mich näher an sich heran, und mir stockt der Atem. Ich fasse ihm unters Jackett und spüre die Muskelstränge unter seinem Hemd, das ich ihm am liebsten vom Leibe zerren möchte. O Gott, ich will es. Ich will mehr.

Plötzlich entzieht er sich, und ich fühle mich, als würde ich aus einem Traum gerissen.

»Emma, ich muss los.«

Mein Mund ist kribbelig und feucht. Ich spüre Jacks Haut noch auf meiner. Mein ganzer Körper pocht. Das kann doch jetzt nicht aufhören. Das geht doch nicht.

»Geh nicht«, höre ich mich mit schwerer Zunge sagen. »Nur noch eine halbe Stunde.«

Was schlage ich denn da vor? Dass wir es im *Gebüsch* machen?

Ehrlich gesagt, ja. Egal wo. Ich war in meinem ganzen Leben noch nicht so heiß auf einen Mann.

»Ich will auch nicht weg.« Seine dunklen Augen sind fast undurchdringlich. »Aber ich muss.« Er nimmt meine Hand, und ich umklammere seine, versuche, den Körperkontakt so lange wie möglich aufrechtzuerhalten.

»Na dann … wir sehen uns.« Ich kann kaum richtig sprechen.

»Ich kann's gar nicht erwarten.«

»Ich auch nicht.«

»Jack.« Wir schauen beide auf und sehen Sven am Tor stehen.

»Komme!«, ruft Jack. Wir stehen auf, und ich schaue diskret über seine seltsame Haltung hinweg.

Ich könnte mit in sein Auto steigen und …

Nein. *Nein.* Zurückspulen. Das habe ich nicht gedacht.

Auf der Straße stehen bereits zwei silberne Autos. Sven steht neben dem einen, das andere wartet offensichtlich auf mich. Hammerhart. Als würde ich plötzlich zur königlichen Familie gehören oder so.

Als der Fahrer mir die Tür aufhält, berührt Jack kurz meine Hand. Ich möchte ihn noch einmal packen und knutschen, aber irgendwie halte ich mich unter Kontrolle.

»Tschüss«, murmelt er.

»Tschüss«, murmle ich zurück.

Dann steige ich ins Auto, die Tür schließt sich mit einem teuren Plopp, und wir schnurren weg.

16

Und dann machen wir genau an diesem Punkt weiter. Das könnte heißen …

Oder es könnte heißen …

O Gott. Wann immer ich daran denke, macht mein Magen einen aufgeregten kleinen Hüpfer. Ich kann mich bei der Arbeit nicht konzentrieren. Ich kann an gar nichts anderes mehr denken.

Der Corporate Family Day ist eine Firmenveranstaltung, erinnere ich mich immer wieder selbst. *Kein* Date. Es wird eine rein geschäftliche Angelegenheit, und wahrscheinlich ergibt sich für Jack und mich überhaupt keine Gelegenheit, mehr als ein förmliches Hallo zwischen Chef und Angestellter auszutauschen. Möglicherweise die Hände schütteln. Sonst nichts.

Aber ... man kann nie wissen, was als Nächstes passiert.

Und dann machen wir genau an diesem Punkt weiter.

O Gott. O Gott.

Samstagmorgen stehe ich extra früh auf, mache ein Ganzkörper-Peeling, entferne mir die Achselhaare, creme mich mit der teuersten Lotion ein, die ich habe, und lackiere mir die Zehennägel.

Einfach, weil es immer gut ist, gepflegt zu sein. Aus keinem anderen Grund.

Ich entscheide mich für den Spitzen-BH mit passendem Slip von Gossard und mein schmeichelhaftestes, schräg geschnittenes Sommerkleid.

Dann stecke ich noch leicht errötend ein paar Kondome ein. Einfach, weil es immer gut ist, auf alles vorbereitet zu sein.

Ich schaue in den Spiegel, trage eine letzte Schicht Lipgloss auf und besprühe mich von oben bis unten mit Allure. Okay. Bereit zum Sex.

Ich meine, für Jack.

Ich meine ... O Gott. Was auch immer.

Der Family Day findet im Panther House statt, dem Landhaus der Panther Corporation in Hertfordshire. Es wird normalerweise für Trainings und Konferenzen und kreative Brainstormingtage genutzt, zu denen ich natürlich nie eingeladen werde. Also war ich noch nie dort und bin, als ich aus dem Taxi steige, zugegebenermaßen ziemlich beeindruckt. Es ist ein wunderschönes, großes, altes Herrenhaus mit vielen Fenstern und Säulen vorne. Es ist vermutlich ... schon älter.

»Herrliche georgianische Architektur«, sagt jemand, der auf dem Schotterweg an mir vorbeiknirscht.

Georgianisch. Das meinte ich.

Ich folge dem Klang der Musik um das Haus herum, wo das Fest in vollem Gang ist. Die Gartenseite des Hauses ist mit bunten Wimpeln geschmückt, auf der Rasenfläche stehen ein paar Zelte, auf einer kleinen Tribüne spielt eine Band, und in einer Hüpfburg kreischen die Kinder.

»Emma!« Cyril kommt auf mich zu, er ist als Hofnarr mit einem spitzen, rot-gelben Hut verkleidet. »Wo ist Ihr Kostüm?«

»Kostüm?« Ich versuche, überrascht auszusehen. »Oje! Ähm … mir war nicht klar, dass wir uns verkleiden sollten.«

Das ist nicht ganz wahr. Gestern Abend gegen fünf Uhr hat Cyril noch eine als wichtig markierte E-Mail an alle Mitarbeiter geschickt, in der stand: ZUR ERINNERUNG: BEIM CFD HERRSCHT KOSTÜMZWANG FÜR ALLE PANTHER-MITARBEITER.

Also ehrlich. Wo soll man fünf Minuten vorher noch eine Verkleidung hernehmen? Ich tanze doch heute nicht in irgendeinem peinlichen Nylon-Outfit aus dem Kostümverleih hier an.

Und außerdem, was können sie jetzt noch dagegen tun?

»Tut mir Leid«, sage ich zerstreut und sehe mich nach Jack um. »Na ja, macht ja nichts …«

»Leute, Leute! Es stand am schwarzen Brett, es stand im Newsletter …« Er hält mich an der Schulter fest, als ich weggehen will. »Na, dann müssen Sie eben eins aus dem Fundus nehmen.«

»Was?« Ich bin völlig perplex. »Was für ein Fundus?«

»Ich habe mir schon gedacht, dass so was passiert«, sagt Cyril irgendwie triumphierend, »also habe ich vorgesorgt.«

Mich überläuft eine Gänsehaut. Er meint doch nicht …

Er kann doch unmöglich meinen …

»Wir haben ziemlich viel zur Auswahl«, sagt er.

Nein. Auf keinen Fall. Ich muss hier weg. Jetzt.

Ich zapple verzweifelt, aber seine Hand ist wie eine Schraubzwinge auf meiner Schulter. Er bugsiert mich in ein Zelt, in dem zwei mittelalte Damen an einem Ständer mit … ach du lieber Gott. Das sind die scheußlichsten, geschmacklosesten Kunstfaser-Kostüme, die ich je gesehen habe. Schlimmer als beim Kostümverleih. Wo hat er *die* denn her?

»Nein«, sage ich panisch. »Echt nicht. Ich bleibe lieber so, wie ich bin.«

»Alle tragen ein Kostüm«, sagt Cyril bestimmt. »Stand in den Mitteilungen!«

»Aber … aber das hier *ist* ein Kostüm!« Ich deute schnell auf mein Kleid. »Habe ich vergessen zu sagen. Es ist, äh … ein Zwanziger-Jahre-Gartenparty-Sommerkleid, sehr authentisch …«

»Emma, heute ist Spaßtag!«, faucht Cyril. »Und es gehört zum Spaß dazu, dass wir unsere Kollegen und ihre Familien in lustiger Verkleidung sehen. Ach ja, wo ist eigentlich Ihre Familie?«

»Oh.« Ich ziehe das bedauernde Gesicht, das ich schon die ganze Woche geübt habe. »Sie … sie schaffen es heute leider nicht.«

Was daran liegen könnte, dass ich ihnen gar nicht Bescheid gesagt habe.

»Aber Sie haben ihnen doch Bescheid gesagt?« Er beäugt mich misstrauisch. »Sie haben ihnen den Flyer geschickt?«

»Klar!« Ich kreuze die Finger hinter dem Rücken. »Natürlich habe ich Bescheid gesagt. Und sie wären so gerne gekommen!«

»Na ja. Dann müssen Sie sich eben unter die anderen Familien und Kollegen mischen. So, hier ist eins. Schneewittchen.« Er schiebt mir ein grauenhaftes Nylonkleid mit Puffärmeln zu.

»Ich will nicht Schneewittchen sein …«, hebe ich an, breche aber ab, als ich Moira aus der Buchhaltung sehe, die mit unglücklichem Gesicht in ein räudiges Gorillakostüm gesteckt wird. »Okay.« Ich schnappe mir das Kleid. »Ich bin Schneewittchen.«

Mir ist zum Heulen zumute. Mein entzückendes, schmeichelhaftes Kleid liegt in einer Baumwolltasche, ich kann es am Ende des Tages wieder abholen. Und ich sehe aus wie eine Sechsjährige. Eine farbenblinde Sechsjährige mit null Geschmack.

Als ich bedröppelt aus dem Zelt trete, spielt die Band beschwingt den Um-pa-pa-Song aus *Oliver*, und irgendjemand macht eine unverständliche, knisternde Ansage durch die Lautsprecher. Ich schaue mich um, blinzle gegen die Sonne, und versuche zu erkennen, wer in welcher Verkleidung steckt. Ich entdecke Paul, der als Pirat verkleidet mit drei kleinen Kindern am Bein über den Rasen läuft.

»Onkel Paul! Onkel Paul!«, kreischt eins. »Mach noch mal das böse Gesicht!«

»Ich will einen Lolli!«, schreit ein anderes. »Onkel Paul, ich will einen Lolliiii!«

»Hi, Paul«, sage ich elend. »Na, amüsieren Sie sich?«

»Wer auch immer sich diesen Corporate Family Day ausgedacht hat, gehört erschossen«, sagt er ohne jedes Anzeichen von Humor. »Lass doch verdammt noch mal endlich meinen Fuß los!«, fährt er eins der Kinder an, und sie quietschen alle vor Vergnügen.

»Mummy, ich *muss* aber nicht für kleine Mädchen!«, murmelt Artemis, die als Meerjungfrau verkleidet in Begleitung einer imposanten Dame mit einem riesigen Hut vorbeiläuft.

»Artemis, es gibt keinen Grund, so zickig zu sein!«, dröhnt die Frau.

Es ist wirklich komisch. Mit ihren Familien zusammen sind die Leute ganz anders. Gott sei Dank ist meine nicht hier.

Wo Jack wohl ist? Vielleicht im Haus. Vielleicht sollte ich …

»Emma!« Ich sehe mich um und entdecke Katie, die auf mich zukommt. Sie trägt ein völlig groteskes Karottenkostüm und hat einen älteren Herrn mit grauen Haaren untergehakt. Der ihr Vater sein muss, nehme ich an.

Was ein bisschen seltsam ist, denn sie hat doch gesagt, sie käme mit …

»Emma, das ist Phillip!«, sagt sie strahlend. »Phillip, das ist meine Freundin Emma. Sie hat uns zusammengebracht!«

W- was?

Nein. Das glaube ich nicht.

Das ist ihr Neuer? *Das* ist Phillip? Der ist doch mindestens siebzig!

Völlig verwirrt schüttele ich ihm die Hand, die trocken und papierartig ist, wie die von Grandpa, und bringe eine kleine Konversation über das Wetter zustande. Aber dabei stehe ich komplett unter Schock.

Verstehen Sie mich nicht falsch. Ich habe nichts gegen alte Leute. Ich habe gegen niemanden etwas. Ich glaube, dass alle Menschen gleich sind, schwarz oder weiß, männlich oder weiblich, jung oder …

Aber er ist ein alter Knacker! Er ist *alt*!

»Ist er nicht reizend?«, sagt Katie zärtlich, als er Drinks holen geht. »Er ist so fürsorglich. Ihm ist keine Mühe zu viel. So einen Freund hatte ich noch nie!«

»Ich glaub's nicht«, sage ich mit etwas belegter Stimme. »Wie groß ist der Altersunterschied zwischen euch?«

»Weiß nicht genau«, sagt Katie überrascht. »Ich habe ihn gar nicht gefragt. Warum?«

Sie strahlt und ist glücklich und vollkommen arglos. Hat sie nicht *gemerkt*, wie alt er ist?

»Einfach so!« Ich räuspere mich. »Und … äh … sag noch mal schnell. Wo habt ihr euch kennen gelernt?«

»Ach komm, das weißt du doch!«, sagt Katie gespielt tadelnd. »Du hast doch gesagt, ich solle mal woanders Mittagessen, weißt du nicht mehr? Na, und da habe ich einen ganz ungewöhnlichen Laden entdeckt, in einer kleinen Seitenstraße. Kann ich nur empfehlen.«

»Ist das … ein Restaurant? Ein Café?«

»Irgendwie nicht«, sagt sie nachdenklich. »Ich habe so was sonst noch nie gesehen. Man geht rein, bekommt ein Tablett in die Hand gedrückt, nimmt sich ein Mittagessen und setzt sich damit an einen der Tische. Und es kostet nur zwei Pfund! Und danach gibt es sogar noch ein Unterhaltungsprogramm. Zum Beispiel manchmal Bingo oder Whist … manchmal auch gemeinsames Singen zum Klavier. Und einmal gab es einen richtigen Tanztee! Ich habe da ganz tolle Leute kennen gelernt.«

Ich starre sie ein paar Sekunden lang schweigend an.

»Katie«, sage ich schließlich. »Dieser Laden. Das ist nicht zufällig ein … Seniorenzentrum?«

»Oh!«, sagt sie erstaunt. »Ähm …«

»Denk mal darüber nach. Sind die Leute da alle … eher älter?«

»Tja«, sagt sie langsam und zieht die Augenbraue hoch. »Jetzt, wo du es sagst, ja, irgendwie sind dort alle schon … reifer. Aber, Emma, du solltest wirklich mal mitkommen.« Sie strahlt. »Es ist immer so lustig!«

»Du gehst da *immer* noch hin?« Ich reiße die Augen auf.

»Jeden Tag«, sagt sie überrascht. »Ich bin im Sozialausschuss.«

»Da bin ich wieder!«, sagt Phillip fröhlich, der mit drei Gläsern zurückkommt. Er strahlt Katie an und küsst sie auf die Wange, und sie strahlt zurück. Und plötzlich wird mir ganz

228

warm ums Herz. Okay, es ist merkwürdig. Aber sie sind wirklich ein süßes Paar.

»Der Mann am Stand war ziemlich im Stress, der Arme«, sagt Phillip, als ich den ersten köstlichen Schluck Pimm's trinke, mit geschlossenen Augen, um den Geschmack zu genießen.

Mmm. An warmen Sommertagen gibt es nichts Besseres als ein schönes kühles Glas …

Moment mal. Meine Augen gehen auf. Pimm's.

Mist. Ich habe doch versprochen, mit Connor zusammmen den Pimm's-Stand zu schmeißen, oder? Ich sehe auf die Uhr und stelle fest, dass ich schon zehn Minuten zu spät bin. Ach du meine Güte. Kein Wunder, dass er im Stress ist.

Ich entschuldige mich hastig bei Phillip und Katie, dann flitze ich so schnell ich kann zum Stand in der Ecke des Gartens. Dort stellt Connor sich mannhaft ganz allein der endlosen Schlange. Er ist als Heinrich der Achte verkleidet, mit Puffärmeln und Kniebundhosen und einem enormen roten Bart im Gesicht. Er muss schwitzen wie ein Schwein.

»Tut mir Leid«, murmle ich, als ich neben ihn schlüpfe. »Ich musste noch das Kostüm anziehen. Was soll ich tun?«

»Pimm's ausschenken«, sagt Connor kurz angebunden. »Kostet ein Pfund fünfzig. Schaffst du das?«

»Ja!«, sage ich, etwas gereizt. »Natürlich schaffe ich das.«

Die nächsten paar Minuten sind wir zu beschäftigt mit dem Pimm's, um uns zu unterhalten. Dann löst sich die Schlange auf, und wir sind wieder allein.

Connor sieht mich nicht einmal an und klirrt so heftig mit den Gläsern, dass ich fürchte, er wird eins zerdeppern. Warum ist er denn so schlecht drauf?

»Connor, es tut mir wirklich Leid, dass ich zu spät war.«

»Schon okay«, sagt er steif und hackt einen Bund Minze, als ob er sie umbringen wollte. »Und, war's ein netter Abend neulich?«

Ach, deswegen.

»Ja, war es, danke«, sage ich nach einer Pause.

»Mit dem geheimnisvollen Neuen.«

»Ja«, sage ich und suche mit verstohlenen Blicken den über-
füllten Garten nach Jack ab.

»Es ist jemand aus der Firma, oder?«, sagt Connor plötzlich,
und mir wird ganz flau im Magen.

»Wie kommst du denn darauf?«, frage ich ungezwungen.

»Deswegen willst du mir nicht sagen, wer es ist.«

»So ein Blödsinn! Es ist nur … hör mal, Connor, kannst du
nicht einfach meine Privatsphäre respektieren?«

»Ich habe ja wohl ein Recht darauf zu erfahren, für wen ich
sitzen gelassen wurde.« Er wirft mir einen vorwurfsvollen
Blick zu.

»Nein, hast du nicht«, gebe ich zurück, dann stelle ich fest,
dass das ein bisschen gemein klingt. »Oder jedenfalls glaube
ich nicht, dass uns das irgendwie weiterbringt.«

»Na, ich finde es schon noch heraus.« Er schiebt entschlossen den Unterkiefer vor. »Es wird nicht lange dauern.«

»Connor, bitte. Ich glaube wirklich nicht …«

»Emma, ich bin doch nicht blöd.« Er taxiert mich. »Ich
kenne dich besser, als du denkst.«

Ich werde plötzlich unsicher. Vielleicht habe ich Connor die
ganze Zeit unterschätzt. Vielleicht kennt er mich wirklich. O
Gott. Was, wenn er schon eine Ahnung hat?

Ich schneide eine Zitrone auf und scanne permanent die
Menschenmenge. Wo ist Jack denn bloß?

»Ich weiß es«, sagt Connor plötzlich und sieht mich triumphierend an. »Es ist Paul, oder?«

»Was?« Ich starre ihn an und muss fast lachen. »Nein, es ist
nicht Paul. Wie um alles in der Welt kommst du denn auf
Paul?«

»Du guckst ihn immer so an.« Er deutet auf Paul, der in der

Nähe steht und missmutig sein Bier herunterkippt. »Alle zwei Minuten!«

»Ich gucke ihn überhaupt nicht an«, sage ich eilig. »Ich gucke nur … ich nehme die Atmosphäre auf.«

»Und warum hängt er dann hier rum?«

»Tut er doch gar nicht! Echt, Connor, das kannst du mir glauben, ich habe nichts mit Paul.«

»Du hältst mich wohl für total bekloppt, was?«, sagt Connor wütend.

»Ich halte dich doch nicht für bekloppt! Ich finde … ich finde dieses Spielchen nur überflüssig. Du wirst sowieso nicht darauf …«

»Ist es Nick?« Seine Augen verengen sich. »Zwischen dir und ihm hat es ja schon immer ein bisschen geknistert.«

»Nein«, sage ich ungeduldig, »es ist nicht Nick.«

Also wirklich. Heimliche Affären sind doch auch so schon anstrengend genug, auch ohne dass der Exfreund einen so penetrant ausfragt. Ich hätte gar nicht erst zusagen sollen, dass ich diesen dämlichen Pimm's-Stand mit ihm schmeiße.

»Ach du lieber Gott«, sagt Connor mit gedämpfter Stimme. »Guck mal.«

Ich sehe auf, und mein Magen fängt heftig an zu schlingern. Jack kommt, als Cowboy verkleidet, über den Rasen auf uns zu, mit ledernen Beinschützern und kariertem Hemd und einem echten Cowboyhut.

Er sieht so dermaßen und umwerfend sexy aus, dass ich in Ohnmacht fallen könnte.

»Er kommt hierher!«, zischt Connor. »Schnell! Räum die Zitronenschalen da weg! Guten Tag, Sir«, sagt er lauter. »Möchten Sie ein Glas Pimm's?«

»Vielen Dank, Connor«, sagt Jack und lächelt. Dann sieht er mich an. »Hallo, Emma. Amüsieren Sie sich?«

»Hallo«, sage ich mit einer ungefähr sechs Lagen höheren

Stimme als sonst. »Ja, es ist … wunderbar!« Mit zitternden Händen schenke ich ein Glas Pimm's ein und reiche es ihm.

»Emma! Du hast die Minze vergessen!«, sagt Connor.

»Macht nichts, mit der Minze«, sagt Jack und sieht mir unverwandt in die Augen.

»Sie können auch etwas Minze haben, wenn Sie möchten«, sage ich und starre zurück.

»Sieht doch auch so schon wunderbar aus.« Seine Augen blitzen auf, und er trinkt einen großen Schluck Pimm's.

Das ist doch alles unwirklich. Wir können die Augen nicht voneinander lassen. Es muss doch für alle anderen ganz offensichtlich sein, was hier los ist. Connor muss es jedenfalls merken. Ich sehe schnell weg und beschäftige mich demonstrativ mit dem Eis.

»Ach ja, Emma«, sagt Jack beiläufig. »Es geht nur kurz um die Arbeit. Ich hatte Sie doch gebeten, mir etwas zu tippen. Die Akte Leopold.«

»Äh, ja?«, sage ich und lasse nervös einen Eiswürfel auf die Theke fallen.

»Kann ich noch mal kurz mit Ihnen darüber sprechen, bevor ich gehe?« Er sieht mir in die Augen. »Ich habe oben im Haus eine Suite.«

»Klar«, sage ich mit klopfendem Herzen. »Okay.«

»Sagen wir … ein Uhr?«

»Ein Uhr, geht klar.«

Er schlendert weg, das Pimm's in der Hand, und ich starre hinter ihm her und lasse einen Eiswürfel auf den Rasen tropfen.

Eine Suite. Das kann nur eins bedeuten.

Ich werde mit Jack schlafen.

Und plötzlich, ohne Vorwarnung, bin ich wahnsinnig nervös.

»Ich bin ja so blöd!«, schreit Connor und legt abrupt das

Messer hin. »Ich bin so *blind*.« Er dreht sich mit blitzenden, blauen Augen zu mir um. »Emma, ich weiß, wer dein Neuer ist.«

Mir wird angst und bange.

»Nein, weißt du nicht«, sage ich schnell. »Connor, du hast keine Ahnung, wer es ist. Es ist überhaupt niemand aus der Firma. Das habe ich nur so gesagt. Es ist ein Typ aus West-London, du kennst ihn nicht, er heißt ... äh ... Gary, und er ist Postbote.«

»Lüg mich nicht an! Ich weiß genau, wer es ist.« Er verschränkt die Arme und sieht mich lange durchdringend an. »Es ist Tristan aus dem Designbüro, stimmt's?«

Sobald unsere Schicht am Stand zu Ende ist, fliehe ich vor Connor, setze mich mit einem Glas Pimm's unter einen Baum und sehe alle zwei Minuten auf die Uhr. Unfassbar, wie nervös ich bin. Vielleicht kennt Jack lauter tolle Tricks. Vielleicht erwartet er, dass ich so richtig raffiniert bin. Vielleicht erwartet er alle möglichen abgefahrenen Kunststückchen, von denen ich noch nie gehört habe.

Ich meine ... ich glaube nicht, dass ich *schlecht* im Bett bin. Sie wissen schon. So insgesamt. Ganz allgemein.

Aber in welcher Liga spielen wir denn hier? Ich komme mir vor, als hätte ich bisher nur an kleinen Regional-Wettkämpfen teilgenommen und führe plötzlich zu den Olympischen Spielen. Jack Harper ist ein internationaler Multimillionär. Er muss schon mit Models gegangen sein ... und Turnerinnen ... Frauen mit riesigen, kecken Brüsten ... heiße Spielchen, für die man Muskeln braucht, von denen ich nicht mal weiß, ob ich sie *habe*.

Wie soll ich da mithalten können? Wie? Mir wird langsam schlecht. Was für eine blöde, blöde Idee. Ich kann sowieso nie so gut sein wie die Vorstandsvorsitzende von Origin Software, oder? Ich kann sie mir gut vorstellen, lange Beine und Unterwäsche für 400 Dollar und ein straffer, gebräunter Körper … vielleicht eine Peitsche in der Hand … vielleicht mit einer glamourösen, bisexuellen Model-Freundin, die bereitsteht, um die Sache noch ein bisschen aufzupeppen …

Okay, hör einfach auf. Das ist ja lächerlich. Es wird toll. Ich bin *sicher*, dass es toll wird. Es wird genauso sein wie bei einer Ballett-Prüfung – wenn man erst mal drin ist, vergisst man die Nervosität. Meine Ballettlehrerin hat früher immer zu uns gesagt, »so lange ihr die Beine hübsch auswärts dreht und lächelt, ist alles bestens«.

Was ja hier wohl auch irgendwie gilt.

Ich schiele auf die Uhr, und wieder steigt Panik in mir auf. Es ist ein Uhr. Punkt ein Uhr.

Zeit, vögeln zu gehen. Ich stehe auf und mache verstohlen ein paar Aufwärmübungen, nur zur Sicherheit. Dann atme ich tief durch und bewege mich klopfenden Herzens auf das Haus zu. Ich bin gerade am Ende des Rasens angekommen, als mir eine schrille Stimme ans Ohr dringt.

»Da ist sie! Emma! Huhuu!«

Das klang genau wie meine Mum. Komisch. Ich halte kurz inne und drehe mich um, sehe aber niemanden. Muss eine Halluzination gewesen sein. Wahrscheinlich ein unterbewusstes Schuldgefühl, das mich aus der Fassung zu bringen versucht oder so was.

»Emma, dreh dich mal um! Hier!«

Och nee. Das klang wie Kerry.

Ich beäuge verdattert die Menschenmenge und blinzle gegen die Sonne, erkenne aber überhaupt nichts. Ich schaue überall herum, kann aber nieman…

Und dann treten sie plötzlich hervor, wie beim Magischen Auge. Kerry, Nev und Mum und Dad. Die auf mich zukommen. Alle in Kostümen. Mum trägt einen japanischen Kimono und hat einen Picknickkorb dabei. Dad ist als Robin Hood verkleidet und trägt zwei Klappstühle. Nev hat ein Supermann-Kostüm an und eine Flasche Wein in der Hand. Und Kerry trägt ein komplettes Marilyn-Monroe-Outfit, inklusive platinblonder Perücke und Stöckelschuhen, und sonnt sich selbstgefällig in den Blicken der Leute.

Was soll das denn?

Was *machen* die hier?

Ich habe ihnen nichts vom Corporate Family Day erzählt. Ganz sicher nicht. *Garantiert* nicht.

»Hi, Emma!«, sagt Kerry, als sie näher kommen. »Gefällt dir mein Kostüm?« Sie schwingt ein bisschen die Hüften und streicht über ihre blonde Perücke.

»Wen stellst du denn dar, Schatz?«, fragt Mum und sieht erstaunt mein Nylonkleid an. »Heidi?«

»Ich …« Ich reibe mir das Gesicht. »Mum … Was macht ihr hier? Ich habe euch doch gar nicht – ich meine, ich hatte ganz vergessen, euch Bescheid zu sagen.«

»Ich weiß«, sagt Kerry. »Aber deine Freundin Artemis hat es mir neulich erzählt, als ich angerufen habe.«

Das verschlägt mir die Sprache.

Ich bringe Artemis um. Ich bringe sie um.

»Und wann steigt der Kostümwettbewerb?«, fragt Kerry und blinzelt zwei männlichen Teenagern zu, die sie anstarren. »Wir haben ihn doch nicht schon verpasst?«

»Es … es gibt keinen Wettbewerb«, sage ich, jetzt wieder bei Stimme.

»Echt nicht?« Kerry sieht verärgert aus.

Ich fasse es nicht. Sie ist wirklich nur deswegen hergekommen? Um einen blöden Wettbewerb zu gewinnen?

»Du bist nur wegen eines Kostümwettbewerbs hierher gekommen?« Ich kann mich nicht beherrschen.

»Natürlich nicht!« Kerry findet ganz schnell ihren verächtlichen Gesichtsausdruck wieder. »Nev und ich wollten deinen Eltern Hanwood Manor zeigen, das ist ganz in der Nähe. Und da dachten wir, wir schauen kurz vorbei.«

Ich spüre die Erleichterung. Gott sei Dank. Wir halten ein kleines Schwätzchen, und dann können sie wieder gehen.

»Wir haben ein Picknick mitgebracht«, sagt Mum. »Lasst uns mal ein hübsches Plätzchen suchen.«

»Habt ihr denn überhaupt Zeit für ein Picknick?«, sage ich so cool wie möglich. »Nicht, dass ihr nachher im Stau steht. Vielleicht solltet ihr besser sofort fahren, um sicherzugehen ...«

»Wir haben erst für sieben Uhr einen Tisch bestellt!«, sagt Kerry und sieht mich seltsam an. »Wie wär's denn unter dem Baum da?«

Ich sehe stumm zu, wie Mum die Picknickdecke ausbreitet und Dad die beiden Klappstühle aufbaut. Ich kann mich doch jetzt nicht zum Familienpicknick niederlassen, wenn Jack im Bett auf mich wartet. Ich muss etwas tun, und zwar schnell. *Nachdenken.*

»Äh, es ist leider so«, sage ich aus einer plötzlichen Eingebung heraus, »es ist so, dass ich gar nicht bleiben kann. Wir haben alle Pflichten.«

»Ach, sie können dir doch wohl eine halbe Stunde frei geben«, sagt Dad.

»Das ganze Unternehmen steht und fällt mit Emma!«, sagt Kerry mit einem ekelhaften Kichern. »Merkt ihr das nicht?«

»Emma!« Cyril kommt auf unsere Picknickdecke zu. »Ihre Familie ist ja doch noch gekommen! Und auch noch kostümiert! Wunderbar!« Er strahlt alle an, und seine Narrenkappe klingelt im Wind. »Sie müssen unbedingt jeder ein Tombolalos kaufen ...«

»Oh, das tun wir«, sagt Mum. »Und wir dachten ...« Sie lächelt ihn an. »Ob Emma wohl für eine halbe Stunde von ihren

Pflichten entbunden werden könnte, um mit uns zu picknicken?«

»Selbstverständlich!«, sagt Cyril. »Sie haben Ihre Schicht am Pimm's-Stand doch schon hinter sich, oder, Emma? Dann haben Sie ja jetzt frei.«

»Wunderbar!«, sagt Mum. »Das ist doch prima, Emma!«

»Klasse!«, bringe ich schließlich mit festgefrorenem Lächeln heraus.

Keine Chance. Ich komme hier nicht raus. Mit steifen Knien lasse ich mich auf der Decke nieder und nehme ein Glas Wein an.

»Und, ist Connor auch da?«, fragt Mum und arrangiert Hähnchenkeulen auf einem Teller.

»Ssh! Kein Wort über Connor!«, sagt Dad mit seiner Basil-Fawlty-Stimme.

»Ich dachte, ihr wolltet zusammenziehen«, sagt Kerry und trinkt einen Schluck Sekt. »Was ist denn passiert?«

»Sie hat ihm Frühstück gemacht«, witzelt Nev und Kerry kichert.

Ich versuche zu lächeln, aber mein Gesicht gehorcht mir nicht. Es ist zehn nach eins. Jack wartet sicher schon. Was soll ich tun?

Als Dad mir einen Teller reicht, sehe ich Sven vorbeigehen.

»Sven«, sage ich schnell. »Ähm, Mr. Harper hat sich vorhin so nett nach meiner Familie erkundigt. Und ob sie hier seien. Könnten Sie ihm vielleicht ausrichten, dass sie … überraschend doch gekommen sind?« Ich sehe verzweifelt zu ihm auf, und sein Gesicht spiegelt Verständnis.

»Ich richte es aus«, sagt er.

Und das war's dann.

17

Ich habe mal einen Artikel zum Thema »So läuft alles nach Plan« gelesen, in dem stand, wenn ein Tag nicht so läuft, wie man wollte, dann solle man noch einmal zurückdenken und sich seine angestrebten Ziele und die erreichten Ergebnisse vor Augen führen, und könne so aus seinen Fehlern lernen.

Okay. Dann halten wir doch mal fest, inwieweit der heutige Tag von dem Plan abweicht, den ich heute Morgen hatte.

Ziel: im hübschen, schmeichelhaften Kleid sexy und raffiniert wirken.

Ergebnis: aussehen wie Heidi/ein Munchkin in schaurigen Nylon-Puffärmeln.

Ziel: geheimes Tête-à-Tête mit Jack vereinbaren.

Ergebnis: geheimes Tête-à-Tête mit Jack vereinbaren, dann aber nicht auftauchen.

Ziel: spektakulärer Sex mit Jack an romantischem Ort.

Ergebnis: gegrillte Hähnchenkeule mit Erdnusssoße auf Picknickdecke.

Gesamtziel: Euphorie.

Gesamtergebnis: ein Häufchen Elend.

Das Einzige, was ich tun kann, ist stumm auf meinen Teller starren und darauf warten, dass es vorbeigeht. Dad und Nev haben ungefähr eine Million Witze über *Kein Wort über Connor* gerissen. Kerry hat mir ihre neue Schweizer Uhr gezeigt, die 4.000 Pfund gekostet hat, und damit angegeben, dass ihre Firma schon wieder expandiert. Und jetzt erzählt sie uns gerade, wie sie letzte Woche mit dem Chief Executive von British Airways Golf gespielt hat und er sie abwerben wollte.

»Sie versuchen es alle«, sagt sie und beißt von ihrem Hühnerbein ab. »Aber dann sage ich, wenn ich einen Job *bräuchte* ...« Sie verstummt. »Ja, bitte?«

238

»Hallo«, vernehme ich die vertraute Stimme über mir.

Ganz langsam drehe ich mich um und blinzle ins Licht.

Es ist Jack. Der im Cowboy-Outfit vor dem blauen Himmel steht. Er lächelt mich fast unmerklich an und meine Laune hebt sich. Er ist mich holen gekommen. Hätte ich mir doch denken können.

»Hi!«, sage ich, fast benommen. »Leute, das ist …«

»Ich heiße Jack«, unterbricht er mich freundlich. »Ich bin ein Freund von Emma. Emma …« Er sieht mich betont ausdruckslos an. »Ich fürchte, du wirst gebraucht.«

»Oje!«, sage ich ziemlich erleichtert. »Na ja, macht ja nichts, kann passieren.«

»Ach, wie schade!«, sagt Mum. »Könnt ihr nicht wenigstens noch auf einen kleinen Drink bleiben? Jack, Sie sind uns herzlich willkommen, nehmen Sie sich ein Hühnerbein oder ein Stück Quiche.«

»Wir müssen los«, sage ich eilig. »Nicht wahr, Jack?«

»Ich fürchte, ja«, sagt er und streckt mir die Hand entgegen, um mich hochzuziehen.

»Tut mir Leid«, sage ich.

»Macht doch nichts!«, sagt Kerry mit ihrem bösartigen Lachen. »Du hast doch mit Sicherheit irgendeine hochwichtige Aufgabe zu erledigen, Emma. Wahrscheinlich würde ohne dich die ganze Veranstaltung zusammenbrechen!«

Jack hält inne. Sehr langsam dreht er sich um.

»Lassen Sie mich raten«, sagt er freundlich. »Sie sind sicher Kerry.«

»Ja!«, sagt sie überrascht. »Das ist richtig.«

»Und … Mum … Dad …« Er schaut allen ins Gesicht. »Und Sie sind dann wohl … Nev?«

»Hundert Punkte!«, sagt Nev mit einem Glucksen.

»Sehr gut!«, sagt Mum und lacht. »Emma muss ja schon viel von uns erzählt haben.«

»Oh … hat sie«, stimmt Jack zu und sieht sich irgendwie fasziniert unsere Picknickgruppe an. »Ach, wissen Sie was, vielleicht haben wir doch noch kurz Zeit für einen Drink.«

Was? *Was* sagt er da?

»Schön!«, sagt Mum. »Es ist immer nett, Emmas Freunde kennen zu lernen.«

Ich sehe ungläubig zu, wie Jack es sich auf der Picknickdecke gemütlich macht. Er sollte mich vor all dem hier *retten*. Nicht mir bei meinem Elend Gesellschaft leisten. Langsam lasse ich mich wieder neben ihm nieder.

»Und, arbeiten Sie auch für diese Firma, Jack?«, fragt Dad und schenkt ihm ein Glas Wein ein.

»Irgendwie schon«, sagt Jack nach einer kleinen Pause. »Man könnte sagen … das habe ich mal.«

»Sind Sie gerade zwischen zwei Jobs?«, fragt Mum taktvoll.

»So könnte man es auch nennen, schätze ich.« Sein Gesicht verzieht sich zu einem kleinen Lächeln.

»Oje!«, sagt Mum mitleidig. »Wie schrecklich. Aber es ergibt sich bestimmt bald etwas.«

O Gott. Sie hat überhaupt keine Ahnung, wer er ist. Keiner aus meiner Familie hat die leiseste Ahnung, wer Jack ist.

Ich weiß gar nicht, wie ich das jetzt finden soll.

»Neulich habe ich auf der Post Danny Nussbaum getroffen, Emma«, sagt Mum und schneidet energisch ein paar Tomaten klein. »Er hat nach dir gefragt.«

Aus den Augenwinkeln sehe ich, dass Jacks Augen zu leuchten beginnen.

»Ach!«, sage ich und bekomme heiße Wangen. »Danny Nussbaum! An den habe ich ja schon seit Ewigkeiten nicht mehr gedacht.«

»Danny und Emma sind früher mal miteinander gegangen«, erklärt Mum Jack mit einem lieben Lächeln. »So ein netter junger Mann. Ein richtiger Bücherwurm. Er und Emma haben manchmal den ganzen Nachmittag über in ihrem Zimmer gehockt und zusammen gelernt.«

Ich kann Jack nicht angucken. Ich kann nicht.

»Wissen Sie … *Ben Hur* ist ein toller Film«, sagt Jack plötzlich nachdenklich. »Ein richtig guter Film.« Er lächelt Mum an. »Finden Sie nicht?«

Ich bringe ihn um.

»Äh … ja!«, sagt Mum etwas verwirrt. »Ja, *Ben Hur* mag ich auch sehr.« Sie schneidet Jack ein großes Stück Quiche ab und legt eine Tomatenscheibe drauf. »Und, Jack«, sagt sie mitleidig, als sie ihm einen Pappteller reicht, »kommen Sie denn finanziell über die Runden?«

»Ich komme schon zurecht«, antwortet Jack ernst.

Mum sieht ihn einen Moment lang an. Dann wühlt sie im Picknickkorb und holt noch eine eingepackte Quiche von Sainsbury's heraus.

»Nehmen Sie die ruhig mit«, sagt sie und drückt sie ihm in die Hand. »Und ein paar Tomaten. Das hilft doch schon mal ein bisschen.«

»Oh, nein«, sagt Jack sofort. »Wirklich, das kann ich nicht …«

»Ein Nein akzeptiere ich nicht. Ich bestehe darauf!«

»Na, das ist aber wirklich nett.« Jack lächelt sie warmherzig an.

»Brauchen Sie ein paar Karrieretipps, Jack?«, fragt Kerry mit dem Mund voll Hühnchen.

Mein Herzschlag setzt kurz aus. Bitte, *bitte* bring ihn nicht dazu, den Erfolgreiche-Geschäftsfrau-Gang darzubieten.

»Hören Sie Kerry ruhig gut zu«, fügt Dad stolz hinzu. »Sie ist unser Star! Sie hat eine eigene Firma.«

»Wirklich?«, fragt Jack höflich.

»Ich habe ein eigenes Reisebüro«, sagt Kerry mit selbstgefälligem Lächeln. »Bei Null angefangen. Inzwischen haben wir vierzig Angestellte und einen Jahresumsatz von gut zwei Millionen. Und wissen Sie, was das ganze Geheimnis ist?«

»Ich … keine Ahnung«, sagt Jack.

Kerry beugt sich vor und fixiert ihn mit ihren blauen Augen. »Golf.«

»Golf!«, wiederholt Jack.

»Im Geschäft geht es nur ums Networking«, sagt Kerry. »Man muss die richtigen Leute kennen. Ich sage Ihnen was, Jack, ich habe fast alle wichtigen Geschäftsleute dieses Landes auf dem Golfplatz getroffen. Nehmen Sie irgendeine Firma. Zum Beispiel *diese* hier.« Sie macht mit dem Arm eine ausholende Bewegung über die ganze Szenerie. »Ich kenne den Oberboss hier. Wenn ich wollte, könnte ich ihn jederzeit anrufen.«

Ich bin starr vor Schreck.

»Echt?« Jack klingt ganz gespannt. »Wirklich?«

»Oh ja.« Sie beugt sich vertraulich zu ihm hin. »Und ich meine wirklich den *Ober*boss.«

»Den Oberboss«, echot Jack. »Ich bin beeindruckt.«

»Vielleicht kann Kerry ja ein gutes Wort für Sie einlegen, Jack!«, ruft Mum in einer plötzlichen Eingebung. »Das könntest du doch tun, Kerry, Liebes, oder?«

Ich würde ja in hysterisches Gelächter ausbrechen. Wenn es nicht so vollkommen und restlos grauenhaft wäre.

»Da muss ich wohl auf der Stelle anfangen, Golf zu spielen«, sagt Jack. »Um die richtigen Leute kennen zu lernen.« Er zieht an mich gerichtet die Augenbrauen hoch. »Was meinst du, Emma?«

Ich kann kaum sprechen. Es ist mir unsäglich peinlich. Ich möchte einfach in der Picknickdecke verschwinden und nie wieder herauskommen.

»Mr. Harper?«, unterbricht uns eine Stimme, und ich atme erleichtert auf. Wir sehen auf, und da steht Cyril und beugt sich unbeholfen zu Jack hinunter.

»Es tut mir Leid, dass ich Sie stören muss, Sir«, sagt er und schaut erstaunt meine Familie an, als suche er einen Grund, warum um alles in der Welt Jack Harper mit uns picknicken sollte. »Aber Malcolm St. John ist hier und bittet um ein kurzes Gespräch.«

»Natürlich«, sagt Jack und lächelt Mum höflich an. »Wenn Sie mich einen Moment entschuldigen würden.«

Als er vorsichtig das Glas auf dem Teller balanciert und aufsteht, wirft sich die ganze Familie verwirrte Blicke zu.

»Gibt er ihm noch eine Chance?«, ruft Dad Cyril scherzhaft zu.

»Wie bitte?«, fragt Cyril und kommt ein paar Schritte auf uns zu.

»Dieser Bursche, Jack«, sagt Dad und zeigt auf Jack, der mit einem Herrn in einem Marinejackett spricht. »Denken Sie darüber nach, ihn wieder einzustellen?«

Cyril sieht steif von Dad zu mir und wieder zurück.

»Ist schon okay, Cyril«, sage ich locker. »Dad, sei einfach still, ja?«, murmle ich. »Die Firma gehört ihm.«

»Was?« Alle starren mich an.

»Die Firma gehört ihm«, sage ich mit rotem Gesicht. »Macht euch ... einfach nicht über ihn lustig.«

»Die Firma gehört dem Typen im Hanswurst-Kostüm?«, fragt Mum und sieht Cyril überrascht hinterher.

»Nein! Sie gehört *Jack*! Oder jedenfalls ein großer Teil davon.« Sie gucken alle noch vollkommen verdattert. »Jack ist einer der Gründer der Panther Corporation!«, zische ich frustriert. »Er war nur bescheiden.«

»Du meinst, der Typ ist Jack Harper?«, fragt Nev ungläubig.

»Ja!«

Das verschlägt erst mal allen die Sprache. Als ich mich umdrehe, stelle ich fest, dass Kerry ein Stückchen Hühnerfleisch aus dem Mund gefallen ist.

»Jack Harper – der Multimillionär«, sagt Dad, um sich zu versichern.

»*Multimillionär*?« Mum sieht völlig verwirrt aus. »Und ... will er die Quiche dann überhaupt?«

»Natürlich will er die Quiche nicht!«, sagt Dad gereizt. »Was will er mit einer Quiche? Er kann sich Unmengen beschissener Quiches kaufen!«

Mum sieht sich aufgeregt auf der Picknickdecke um.

»Schnell!«, sagt sie plötzlich. »Tut die Chips in eine Schale. Da ist eine im Korb ...«

»Sie sind doch okay so ...«, fange ich hilflos an.

»Millionäre essen keine Chips aus der Tüte!«, faucht sie. Sie schüttet die Chips in eine Plastikschüssel und zieht hastig die Decke glatt. »Brian! Krümel im Bart!«

»Und warum zum Teufel kennst *du* Jack Harper?«, fragt Nev.

»Ich ... ich kenne ihn halt.« Ich erröte leicht. »Wir haben zusammen gearbeitet und so, und da ist er so was wie ... ein Freund geworden. Aber jetzt benehmt euch bloß nicht plötzlich anders«, sage ich schnell, als Jack dem Herrn im Jackett die Hand schüttelt und zur Picknickdecke zurückkommt. »Seid einfach genauso wie vorher ...«

O Gott. Warum versuche ich das überhaupt? Als Jack wieder zu uns stößt, sitzt meine gesamte Familie kerzengerade da und schweigt ehrfürchtig.

»Hi!«, sage ich so natürlich wie möglich, dann schicke ich schnell allen einen finsteren Blick.

»So ... Jack!«, sagt Dad unsicher. »Möchten Sie noch etwas trinken? Ist der Wein Ihnen gut genug? Wir könnten sonst schnell zum Weinladen flitzen und einen ordentlichen Jahrgang holen.«

»Er ist prima, danke«, sagt Jack und sieht etwas verwirrt aus.

»Jack, was möchten Sie noch essen?«, fragt Mum nervös.

»Ich habe irgendwo noch ein paar Feinschmecker-Lachsbrötchen. Emma, gib Jack deinen Teller!«, weist sie mich an. »Er kann doch nicht vom Papier essen.«

»Und, Jack«, sagt Nev im Kumpelton. »Was fährt ein Mann wie Sie für einen Wagen? Nein, sagen Sie es nicht.« Er hebt die Hand. »Porsche. Stimmt's?«

Jack wirft mir einen fragenden Blick zu, und ich sehe flehend zurück, versuche, ihm klarzumachen, dass es nicht anders ging, dass es mir wirklich Leid tut und dass ich im Prinzip am liebsten sterben würde …

»Ich nehme an, ich bin enttarnt«, sagt er und grinst.

»Jack!«, ruft Kerry, die die Fassung wiedergefunden hat. Sie lächelt ihr schmeichlerisches Lächeln und streckt die Hand aus. »Schön, Sie richtig kennen zu lernen.«

»Unbedingt!«, sagt Jack. »Obwohl … wir haben uns doch vorhin schon kennen gelernt.«

»Unter *Professionals*«, sagt Kerry aalglatt. »Von Firmeninhaber zu Firmeninhaber. Hier ist meine Visitenkarte. Wenn Sie mal Hilfe bei Reisevorbereitungen benötigen, rufen Sie einfach an. Oder vielleicht haben Sie Lust, mal gemeinsam etwas zu unternehmen … vielleicht könnten wir vier einmal zusammen ausgehen! Eine Runde spielen? Könnten wir doch, Emma?«

Fassungslos glotze ich sie an. Seit wann gehen Kerry und ich zusammen aus?

»Emma und ich sind ja fast wie Schwestern«, fügt sie zuckersüß hinzu und legt den Arm um mich. »Das hat sie Ihnen sicher erzählt.«

»Oh, sie hat mir so einiges erzählt«, sagt Jack mit undurchdringlichem Gesichtsausdruck. Er beißt ein Stück Hühnchen ab und kaut.

»Wir sind zusammen aufgewachsen, haben alles geteilt.« Kerry drückt mich, und ich versuche zu lächeln, ersticke aber fast an ihrem Parfum.

»Ist das nicht süß?«, sagt Mum begeistert. »Schade, dass ich keinen Fotoapparat dabeihabe.«

Jack antwortet nicht. Er sieht Kerry nur lange abschätzend an.

»Wir stehen uns wirklich sehr nahe!« Kerrys Lächeln wird noch schleimiger. Sie drückt mich so fest, dass ihre Krallen sich in mein Fleisch bohren. »Nicht wahr, Ems?«

»Äh, jo«, sage ich schließlich. »Sehr.«

Jack kaut immer noch sein Hühnchen. Er schluckt es runter, dann sieht er auf.

»Dann war das wohl eine ziemlich harte Entscheidung für Sie, als Sie Emma damals abweisen mussten«, sagt er im Plauderton zu Kerry. »Wo Sie sich doch so nahe stehen und all das.«

»Abweisen?« Kerry lacht klirrend. »Ich habe keine Ahnung, was Sie …«

»Damals, als sie sich um einen Praktikumsplatz in Ihrer Firma beworben hat und Sie sie nicht genommen haben«, sagt Jack freundlich und beißt noch einmal von seinem Hühnchen ab.

Ich kann mich nicht mal bewegen.

Das war ein Geheimnis. Das sollte ein Geheimnis bleiben.

»Was?«, sagt Dad, halb lachend. »Emma hat sich bei Kerry beworben?«

»Ich … wovon reden Sie überhaupt?«, sagt Kerry und wird zartrosa.

»Ich *glaube*, es war doch so«, sagt Jack kauend. »Sie hat sogar angeboten, ohne Bezahlung zu arbeiten … und Sie haben trotzdem nein gesagt.« Er sieht sie einen Moment lang erstaunt an. »Interessante Entscheidung.«

Sehr langsam ändern sich Mums und Dads Gesichtsausdrücke.

»Aber natürlich ein Glück für uns hier bei der Panther Corporation«, fügt Jack fröhlich hinzu. »Wir sind *sehr* froh, dass Emma nicht in der Reisebranche Karriere gemacht hat. Das habe ich wohl Ihnen zu verdanken, Kerry! So von Firmenin-haber zu Firmeninhaber.« Er lächelt sie an. »Sie haben uns wirklich einen großen Gefallen getan.«

Kerry ist jetzt puterrot.

»Kerry, ist das wahr?«, sagt Mum scharf. »Du hast Emma nicht geholfen, als sie dich darum gebeten hat?«

»Das hast du uns ja gar nicht erzählt, Emma.« Dad wirkt ganz betroffen.

»Es war mir eben peinlich«, sage ich mit leicht überschnap-pender Stimme.

»Es war aber auch ein bisschen frech von Emma«, sagt Nev und beißt kräftig in seine Pork Pie, »familiäre Bindungen so auszunutzen. Das hast du doch damals gesagt, Kerry, nicht wahr?«

»Frech?«, wiederholt Mum ungläubig. »Kerry, vielleicht er-innerst du dich, dass wir dir das Geld für die Firmengründung geliehen haben. Ohne diese Familie *hättest* du überhaupt kei-ne Firma.«

»*So* war das ja gar nicht«, sagt Kerry und schießt einen ge-nervten Blick auf Nev ab. »Es war ein … ein Missverständnis. Eine Verwechslung!« Sie tätschelt ihre Perücke und lächelt mich schon wieder an. »Natürlich würde ich dir *gerne* helfen voranzukommen, Ems. Hättest du das früher gesagt! Ruf mich einfach im Büro an, ich tue, was ich kann …«

Voller Abscheu starre ich sie an. Nicht zu *fassen*, dass sie jetzt noch versucht, sich da rauszuwinden. Sie ist die falsches-te Ziege der Welt.

»Es war kein Missverständnis, Kerry«, sage ich, so ruhig ich kann. »Wir wissen beide ganz genau, was passiert ist. Ich habe dich um Hilfe gebeten, und du hast mich abgewiesen. Gut, es ist deine Firma, und es war deine Entscheidung, zu der du das Recht hattest. Aber jetzt tu nicht so, als sei es nicht passiert, denn es ist passiert.«

»Emma!«, sagt Kerry mit einem kleinen Lachen und versucht, nach meiner Hand zu greifen. »Du Dummerchen! Ich hatte ja keine Ahnung! Wenn ich gewusst hätte, dass es so wichtig war …«

Wenn sie gewusst hätte, dass es wichtig war? Wie kann sie nicht gewusst haben, dass es wichtig war?

Ich ziehe ruckartig die Hand weg und starre Kerry an. Ich spüre, wie all die alten Verletzungen und Demütigungen in mir wieder hochsteigen, wie Wasserdampf in einer Leitung, bis der Druck plötzlich unerträglich wird.

»Das hast du sehr wohl gewusst!«, höre ich mich schreien. »Du hast genau gewusst, was du tust! Du *wusstest*, wie verzweifelt ich war! Die ganze Zeit versuchst du, mich niederzumachen! Du ziehst mich mit meiner beschissenen Karriere auf. Du gibst furchtbar an. Mein ganzes Leben habe ich mich klein und dumm gefühlt. Na schön. Du hast gewonnen, Kerry! Du bist der Star und ich nicht. Du bist der Erfolg und ich der Fehlschlag. Aber tu bloß nicht so, als wärst du meine beste Freundin, okay? Das bist du nämlich nicht, und das wirst du auch nie sein!«

Als ich fertig bin, schaue ich keuchend in die sprachlose Picknickrunde. Ich habe das schreckliche Gefühl, jeden Moment in Tränen auszubrechen.

Ich begegne Jacks Blick, und er schenkt mir ein winziges Gut-gemacht-Lächeln. Dann riskiere ich einen kurzen Blick auf Mum und Dad. Sie wirken wie gelähmt, als hätten sie keine Ahnung, was sie jetzt tun sollen.

Es ist nämlich so, in unserer Familie kommen laute Gefühlsausbrüche einfach nicht *vor*.

Ehrlich gesagt weiß ich selbst nicht, was ich jetzt tun soll.

»Also, äh … ich gehe dann mal«, sage ich mit zitternder Stimme. »Ich muss los. Komm, Jack. Wir müssen arbeiten.«

Mit wackligen Knien gehe ich weg, wobei ich auf dem Rasen etwas stolpere. Durch meinen Körper schießt jede Menge Adrenalin. Ich bin so aufgebracht, dass ich kaum weiß, was ich tue.

»Das war fantastisch, Emma«, dringt Jacks Stimme an mein Ohr. »Du warst super! Absolut ... logistische Seite«, fügt er lauter hinzu, als wir an Cyril vorbeigehen.

»So habe ich in meinem ganzen Leben noch nicht geredet«, sage ich. »Ich habe noch nie ... betriebliches Management«, füge ich schnell hinzu, als ein paar Leute aus der Buchhaltung vorbeikommen.

»Das habe ich mir schon gedacht«, sagt er und schüttelt den Kopf. »Himmel, deine Cousine ... stichhaltige Marktanalyse.«

»Sie ist ein absolutes – Thesenpapier«, sage ich schnell, als wir an Connor vorbeilaufen. »Also ... dann tippe ich Ihnen das ab, Mr. Harper.«

Irgendwie schaffen wir es ins Haus und die Treppe hoch. Jack führt mich einen Gang entlang, zückt einen Schlüssel und öffnet eine Tür. Und schon sind wir in einem Zimmer. Einem großen, hellen, cremefarbenen Zimmer. Mit einem großen Doppelbett darin. Die Tür geht zu, und plötzlich bin ich wieder ganz aufgeregt. Das ist es. Endlich, das ist es. Jack und ich. Allein in einem Zimmer. Mit Bett.

Dann sehe ich mich zufällig in einem vergoldeten Spiegel und schnappe entsetzt nach Luft. Ich hatte völlig vergessen, dass ich dieses unmögliche Schneewittchenkleid trage. Mein Gesicht ist gerötet und fleckig, ich habe Tränen in den Augen, die Haare hängen irgendwo, und mein BH-Träger guckt raus.

Ungefähr genau *so* wollte ich nicht aussehen.

»Emma, es tut mir wirklich Leid, dass ich mich da eingemischt habe.« Jack sieht mich reuig an. »Ich bin viel zu weit gegangen, das hätte ich nicht tun dürfen. Ich war nur ... deine Cousine ist mir dermaßen auf den Keks gegangen ...«

»Nein!«, unterbreche ich ihn und sehe ihn an. »Das war *gut!*
Ich habe Kerry noch nie gesagt, was ich von ihr halte. Noch
nie! Es war … es war …« Ich breche keuchend ab.

Einen kurzen Moment lang herrscht Schweigen. Jack starrt
in mein gerötetes Gesicht. Ich blicke zurück, mein Brustkorb
hebt und senkt sich, und mir rauscht das Blut in den Ohren.
Plötzlich beugt er sich vor und küsst mich.

Seine Lippen öffnen meine, und schon zieht er mir die elas-
tischen Ärmel des Schneewittchenkostüms von den Schultern
und hakt meinen BH auf. Ich nestle an seinen Hemdknöpfen
herum. Sein Mund dringt bis zu meinen Brustwarzen vor, und
ich schnappe vor Erregung nach Luft, als er mich auf den son-
nengewärmten Teppich zieht.

Ach du lieber Gott, das geht aber schnell. Er zieht mir den
Slip aus. Seine Hände sind … seine Finger sind … ich keuche
hilflos … Es geht so schnell, dass ich kaum merke, was passiert. Das ist völlig anders als mit Connor. Es ist anders als alles, was ich je – Vor einer Minute stand ich noch an der Tür,
komplett bekleidet, und jetzt bin ich schon – ist er schon –

»Warte mal«, bringe ich heraus. »Warte mal, Jack. Ich muss
dir was sagen.«

»Was?« Jack sieht mich eindringlich und erregt an. »Was ist
denn?«

»Ich kenne keine Tricks«, flüstere ich etwas rau.

»Du kennst was nicht?« Er nimmt ein bisschen Abstand
und starrt mich an.

»Tricks! Ich kenne keine Tricks«, rechtfertige ich mich. »Du
weißt schon, du warst wahrscheinlich schon mit lauter Supermodels und Turnerinnen im Bett, die alle möglichen abgefahrenen …« Sein Gesichtsausdruck lässt mich verstummen. »Na
ja«, sage ich schnell. »Ist ja egal. Vergiss es.«

»Ich bin schon ganz gespannt«, sagt Jack. »An was für
Tricks hast du denn so gedacht?«

Warum konnte ich meine blöde Klappe nicht halten? Warum?

»An gar keine!«, sage ich und werde rot. »Darum geht es ja, ich *kenne* überhaupt keine!«

»Ich auch nicht«, sagt Jack ohne eine Miene zu verziehen. »Ich kenne nicht einen Trick.«

Plötzlich steigt in mir ein kleines Kichern auf.

»Ja, ja, klar.«

»Ehrlich! Nicht einen.« Er macht eine Kunstpause und fährt mir mit dem Finger die Schulter entlang. »Ach, oder doch. Vielleicht einen.«

»Was für einen?«, frage ich sofort.

»Nun ja …« Er sieht mich lange an, dann schüttelt er den Kopf. »Nein.«

»Sag schon!« Jetzt muss ich wirklich laut kichern.

»Zeigen, nicht sagen«, murmelt er mir ins Ohr und zieht mich zu sich heran. »Hat dir noch niemand das hier beigebracht?«

18

Ich bin verliebt.

Ich, Emma Corrigan, bin verliebt.

Zum ersten Mal in meinem ganzen Leben bin ich bis über beide Ohren, zu hundert Prozent verliebt! Ich habe die ganze Nacht mit Jack im Panther Mansion verbracht. Ich bin in seinen Armen aufgewacht. Wir haben ungefähr fünfundneunzig Mal miteinander geschlafen und es war einfach … perfekt. (Und irgendwie waren Tricks gar nicht wichtig. Was doch eine Erleichterung war.)

Aber es geht ja nicht nur um Sex. Sondern um alles. Darum, wie er mir schon eine Tasse Tee bereitgestellt hatte, als ich aufwachte. Wie er extra für mich seinen Laptop hochfuhr, damit ich meine Internet-Horoskope lesen konnte, und mir half, das beste auszusuchen. Er kennt all meine bescheuerten kleinen Peinlichkeiten, die ich vor Männern normalerweise so lange wie möglich zu verstecken versuche ... und er liebt mich trotzdem.

Gut, er hat jetzt nicht ausdrücklich *gesagt*, dass er mich liebt. Aber er hat noch etwas viel Besseres gesagt. Ich bewege es immer noch glückselig in meinem Herzen. Wir lagen heute Morgen da und guckten eigentlich nur an die Decke, als ich plötzlich, ohne das richtig zu wollen, fragte: »Jack, wieso hast du dich eigentlich daran erinnert, dass Kerry mich damals wegen des Praktikums hängen gelassen hat?«

»Bitte?«

»Wieso wusstest du noch, dass Kerry mir abgesagt hat?« Ich drehte langsam den Kopf herum und sah ihn an. »Und nicht nur das. Jede Einzelheit, die ich dir im Flugzeug erzählt habe. Jede winzige Kleinigkeit. Über die Arbeit, über meine Familie, über Connor ... alles. Du erinnerst dich an alles. Und das kapiere ich nicht.«

»Was kapierst du nicht?«, sagte Jack stirnrunzelnd.

»Ich kapiere nicht, warum jemand wie du sich für mein blödes, langweiliges Leben interessiert«, sagte ich mit vor Scham prickelndem Gesicht.

Jack sah mich einen Moment lang schweigend an.

»Emma, dein Leben ist doch nicht blöd und langweilig.«

»Doch!«

»Nein.«

»Natürlich ist es das! Ich tue nie etwas Aufregendes, ich tue nie etwas Kluges, ich habe keine eigene Firma oder irgendwas erfunden ...«

»Soll ich dir sagen, warum ich mich an all deine Geheimnisse erinnere?«, unterbrach er mich. »Emma, in dem Moment,

als du im Flieger angefangen hast zu sprechen – war ich fasziniert.«

Ich starrte ihn ungläubig an.

»Du warst fasziniert?«, vergewisserte ich mich. »Von mir?«

»Ich war fasziniert«, sagte er sanft und beugte sich zu mir
und küsste mich.

Fasziniert!

Jack Harper war von meinem Leben fasziniert! Von mir!

Und es ist ja so, wenn ich in diesem Flieger nicht mit ihm
gesprochen hätte – und wenn ich nicht mit dem ganzen Zeug
herausgeplatzt wäre –, dann wäre das nie passiert. Wir hätten
uns nie gefunden. Es war Schicksal. Ich *sollte* in dieses Flugzeug steigen. Ich *sollte* in die Business Class hochgestuft werden. Ich *sollte* meine Geheimnisse ausplappern.

Als ich zu Hause ankomme, strahle ich wie ein Honigkuchenpferd. Jemand hat ein Licht in mir angeknipst. Plötzlich
erkenne ich den Sinn des Lebens. Jemima hat Unrecht. Männer und Frauen sind keine Feinde. Männer und Frauen sind
Seelenverwandte. Und wenn sie einfach ehrlich wären, ganz
von Anfang an, dann würden sie es auch merken. Das ganze
Geheimnisvollsein und die Distanziertheit sind kompletter
Blödsinn. Jeder sollte seine Geheimnisse sofort preisgeben!

Ich bin so voll davon, ich glaube, ich schreibe einen Bezie-
hungsratgeber. Er wird *Keine Angst vor Ehrlichkeit* heißen, und
darin wird dargelegt, dass Männer und Frauen ehrlich zueinander sein müssen, um besser miteinander kommunizieren
und sich verstehen zu können. Dann brauchen sie sich nie
wieder gegenseitig irgendetwas vorzuspielen. Das lässt sich ja
auch auf Familien übertragen. Und auf die Politik! Wenn die
Spitzenpolitiker der Welt sich gegenseitig ein paar persönliche
Geheimnisse gestehen würden, dann gäbe es vielleicht gar keine Kriege mehr! Ich glaube, ich habe da wirklich eine Entde-
ckung gemacht.

Ich schwebe die Treppe hinauf und schließe die Wohnungstür auf.

»Lissy!«, rufe ich. »Lissy, ich bin verliebt!«

Es kommt keine Antwort, was mich ein bisschen enttäuscht. Ich hätte jetzt gern mit jemandem gesprochen. Ich wollte gerne jemandem meine brillante neue Lebensphilosophie darlegen und ...

Aus ihrem Zimmer kommt ein Rumsen, und ich bleibe wie angewurzelt stehen. O mein Gott. Das mysteriöse Rumsen. Da noch mal. Und noch zweimal. Was zum Teufel ...

Und dann sehe ich sie, durch die offene Wohnzimmertür. Auf dem Boden, neben dem Sofa. Die Aktentasche. Eine schwarze Ledertasche. Das ist er. Jean-Paul. Er ist da drin. In diesem Moment! Ich gehe ein paar Schritte vor und starre fasziniert Lissys Tür an.

Was *machen* die da?

Ich glaube ihr einfach nicht, dass sie Sex haben. Aber was kann es sonst sein? Was könnte es denn sonst ...

Okay ... Schluss damit. Es geht mich nichts an. Wenn Lissy mir nicht erzählen will, was da los ist, dann will sie es mir nicht erzählen. Ich fühle mich sehr abgeklärt, gehe in die Küche und hole den Wasserkocher heraus, um mir einen Kaffee zu kochen.

Dann setze ich ihn wieder ab. *Warum* will sie es mir nicht erzählen? *Warum* hat sie Geheimnisse vor mir? Wir sind doch Busenfreundinnen! Ich meine, schließlich hat *sie* doch gesagt, dass wir keine Geheimnisse voreinander haben sollten.

Ich halte das nicht aus. Die Neugier bohrt sich in mich wie ein Stachel. Unerträglich. Und dies könnte die einzige Möglichkeit sein, die Wahrheit herauszufinden. Aber wie? Ich kann ja nicht gut einfach da reinspazieren. Oder?

Ganz plötzlich kommt mir ein kleiner Gedanke. Was, wenn ich die Aktentasche gar nicht *gesehen* hätte? Wenn ich völlig nichtsahnend in die Wohnung gekommen wäre, wie immer, und zufällig gleich zu Lissys Zimmer durchmarschiert wäre und zufällig ihre Tür geöffnet hätte? Dann könnte ich ja gar nichts dafür, oder? Dann wäre es einfach ein ganz normales Missgeschick gewesen.

Ich gehe aus der Küche, lausche einen Moment lang aufmerksam, dann schleiche ich auf Zehenspitzen zurück zur Wohnungstür.

Noch mal von vorne. Ich komme gerade erst in die Wohnung.

»Hi, Lissy!«, rufe ich unsicher, als sei eine Kamera auf mich gerichtet. »Mensch! Wo kann sie nur sein? Vielleicht … äh … gucke ich mal in ihrem Zimmer nach!«

Ich gehe möglichst natürlich durch den Flur, erreiche ihre Tür und klopfe sehr leise an.

Keine Reaktion von drinnen. Es rumst auch nicht mehr. In plötzlicher Besorgnis starre ich das nackte Holz an.

Soll ich das wirklich tun?

Ja. Ich *muss* es einfach wissen.

Ich fasse an die Klinke, öffne die Tür – und schreie vor Schreck.

Der Anblick überrascht mich so, dass ich erst gar nichts damit anfangen kann. Lissy ist nackt. Sie sind beide nackt. Sie und dieser Typ sind in der seltsamsten Stellung ineinander verknotet, die ich je, jemals … sie hat die Beine in die Luft gestreckt, er hat seine um sie herum gewunden, sie sind beide knallrot im Gesicht und keuchen.

»Tut mir Leid!«, stottere ich. »Gott, es tut mir Leid!«

»Emma, warte mal!«, höre ich Lissy rufen, als ich in mein Zimmer flitze, die Tür zuknalle und mich aufs Bett fallen lasse.

Mein Herz hämmert. Fast wird mir schlecht. Ich war in meinem ganzen Leben noch nicht so schockiert. Ich hätte diese Tür nicht öffnen dürfen. Ich hätte *niemals* diese Tür öffnen dürfen.

Sie hat die Wahrheit gesagt! Sie hatten Sex! Aber ich meine, was für seltsamer, perverser Sex war das denn? Hammerhart. Das habe ich nicht gewusst. Ich dachte nicht ...

Ich spüre eine Hand auf der Schulter und schreie schon wieder auf.

»Emma, jetzt mach dich mal locker!«, sagt Lissy. »Ich bin's. Jean-Paul ist weg.«

Ich kann nicht aufsehen. Ich kann ihr nicht in die Augen sehen.

»Lissy, es tut mir Leid«, brabbele ich und starre auf den Boden. »Es tut mir so Leid! Ich wollte das nicht. Ich hätte nicht ... dein Liebesleben geht mich ja nichts an.«

»Emma, wir hatten doch keinen Sex, du Knalltüte!«

»Hattet ihr wohl! Ich habe es doch gesehen! Ihr hattet überhaupt nichts an.«

»Wir hatten etwas an. Emma, guck mich doch mal an.«

»Nein!«, sage ich panisch. »Ich will dich nicht angucken!«

»*Guck* mich an!«

Besorgt hebe ich den Kopf und fokussiere meinen Blick langsam auf Lissy, die vor mir steht.

Oh. Oh ... klar. Sie trägt einen hautfarbenen Turnanzug.

»Und was habt ihr dann gemacht, wenn ihr keinen Sex hattet?«, sage ich fast anklagend. »Und warum trägst du so was?«

»Wir haben getanzt«, sagt Lissy peinlich berührt.

»Was?« Ich bin vollkommen fassungslos.

»Wir haben getanzt, okay? Das haben wir gemacht!«

»*Getanzt?* Aber ... wieso habt ihr getanzt?«

Das ergibt doch alles keinen Sinn. Lissy tanzt mit einem Franzosen namens Jean-Paul in ihrem Zimmer? Ich bin wohl im falschen Film.

»Ich bin da in so einer Gruppe«, sagt Lissy nach einer Pause.

»Ach du lieber Gott. Aber doch keine Sekte …«

»Nein, keine Sekte. Es ist nur …« Sie beißt sich auf die Lippe. »Es sind ein paar Rechtsanwälte, die sich zusammengetan und eine … Tanzgruppe gegründet haben.«

Eine Tanzgruppe?

Ein paar Augenblicke lang bin ich sprachlos. Jetzt, wo der Schreck vorüber ist, habe ich plötzlich das furchtbare Gefühl, in Gelächter ausbrechen zu müssen.

»Du bist in einer Gruppe … tanzender Anwälte.«

»Ja.« Lissy nickt.

Vor meinem geistigen Auge sehe ich plötzlich einen wilden Haufen beleibter Anwälte in Perücken herumtanzen und kann nicht mehr dagegen an, ich pruste los.

»Siehst du!«, schreit Lissy. »Deswegen habe ich es dir nicht erzählt. Ich *wusste*, dass du lachen würdest.«

»Tut mir Leid«, sage ich. »Es tut mir echt Leid. Ich lache ja auch gar nicht, ich finde das wirklich toll!« Schon wieder muss ich hysterisch kichern. »Es ist nur … ich weiß nicht. Irgendwie ist die Vorstellung von tanzenden Anwälten …«

»Es sind nicht nur Anwälte«, rechtfertigt sie sich. »Es sind auch ein paar Banker dabei und ein Richter … Emma, hör auf zu lachen!«

»Tut mir Leid«, sage ich hilflos. »Lissy, ich lache dich doch nicht aus, ehrlich.«

»Das ist nicht witzig!«, sagt Lissy. »Es sind einfach ein paar gleich gesinnte Kollegen. Ist das so schlimm?«

»Tut mir Leid«, sage ich schon wieder, wische mir die Tränen aus den Augen und versuche, mich wieder unter Kontrolle zu bringen. »Das ist überhaupt nicht schlimm. Ich finde es toll. Und … führt ihr es auch mal auf oder so?«

»In drei Wochen. Deswegen haben wir noch extra geübt.«

»In drei Wochen?« Ich starre sie an, und mein Lachen erstirbt. »Wolltest du es mir überhaupt nicht *erzählen?*«

»Ich … wusste nicht recht«, sagt sie und wischt mit den Tanzschuhen auf dem Boden herum. »Es war mir peinlich.«

»Das braucht dir doch nicht peinlich zu sein!«, sage ich erschrocken. »Lissy, es tut mir Leid, dass ich gelacht habe. Ich finde das wirklich toll. Und ich komme und gucke zu. Ich setze mich in die allererste Reihe …«

»Bloß nicht in die erste Reihe. Da bringst du mich nur aus dem Konzept.«

»Dann setze ich mich in die Mitte. Oder nach hinten. Wohin auch immer du willst.« Ich sehe sie neugierig an. »Lissy, ich wusste gar nicht, dass du tanzen kannst.«

»Oh, kann ich auch nicht«, sagt sie sofort. »Ich tanze richtig scheiße. Ist ja auch nur zum Spaß. Willst du einen Kaffee?«

Als ich Lissy in die Küche folge, zieht sie eine Augenbraue hoch und sieht mich an. »Du hast ja Nerven, *mir* vorzuwerfen, ich hätte Sex. Wo warst du denn heute Nacht?«

»Bei Jack«, gebe ich mit verträumtem Lächeln zu. »Ich hatte Sex. Die ganze Nacht.«

»Wusst ich's doch.«

»O Gott, Lissy, ich bin so verliebt!«

»*Verliebt?*« Sie schaltet den Wasserkocher ein. »Emma, bist du sicher? Du kennst ihn doch erst seit fünf Minuten.«

»Macht doch nichts! Wir sind trotzdem schon seelenverwandt. Ich muss ihm nichts vorspielen … oder versuchen, irgendwas darzustellen, was ich nicht bin … und Sex mit ihm ist der Wahnsinn … So was gab es mit Connor nie. Und er *interessiert* sich für mich. Weißt du, er fragt mich dauernd alles Mögliche und scheint wirklich von meinen Antworten beeindruckt zu sein.«

Mit glückseligem Lächeln breite ich die Arme aus und lasse mich auf einen Stuhl sinken. »Weißt du, Lissy, ich hatte schon mein ganzes Leben lang das Gefühl, dass mir irgendetwas ganz Tolles passieren würde. Ich habe es immer … einfach *gewusst*, ganz tief innen drin. Und jetzt ist es passiert.«

»Und wo ist er jetzt?«, fragt Lissy und gibt Kaffee in die Kanne.

»Er musste erst mal weg. Brainstorming für ein neues Konzept mit irgendeinem Kreativteam.«

»Und worum geht es da?«

»Keine Ahnung. Hat er nicht gesagt. Es wird jedenfalls ziemlich arbeitsintensiv werden, und er kann mich wahrscheinlich nicht anrufen. Aber er will jeden Tag eine E-Mail schicken«, füge ich glücklich hinzu.

»Keks?«, fragt Lissy und öffnet die Dose.

»Oh, äh … ja. Danke.« Ich nehme mir einen Keks und knabbere gedankenverloren daran. »Übrigens, ich habe eine völlig neue Theorie über Beziehungen. Es ist ganz einfach. Alle Menschen auf der Welt müssen ehrlicher zueinander sein. Alle sollten sich ihre Geheimnisse erzählen! Männer und Frauen, Familien, Politiker, alle!«

»Hmm.« Lissy sieht mich einige Augenblicke lang schweigend an. »Emma, hat Jack dir eigentlich erzählt, warum er neulich mitten in der Nacht so plötzlich abgehauen ist?«

»Nein«, sage ich überrascht. »Aber das ist ja auch seine Sache.«

»Und hat er dir erzählt, was es mit den ganzen Anrufen bei eurem ersten Date auf sich hatte?«

»Hm … nee.«

»Hat er dir irgendwas über sich erzählt, außer dem Allernötigsten?«

»Er hat mir alles Mögliche erzählt!«, rechtfertige ich mich. »Lissy, was hast du für ein Problem?«

»Ich habe kein Problem«, sagt sie sanft. »Ich frage mich nur … kann es sein, dass du die Einzige bist, die sich anvertraut?«

»Was?«

»Vertraut er sich dir auch an?« Sie gießt den Kaffee auf. »Oder vertraust du dich nur ihm an?«

»Wir vertrauen uns einander an«, sage ich, gucke weg und spiele mit einem Kühlschrankmagneten herum.

Das stimmt ja auch, sage ich mir entschlossen. Jack hat mir alles Mögliche anvertraut! Er hat mir schließlich erzählt, dass …

Er hat mir alles über …

Na ja, egal. Wahrscheinlich war er einfach nicht in der Stimmung, viel zu reden. Ist doch kein Verbrechen.

»Hier hast du einen Kaffee«, sagt Lissy und reicht mir einen Becher.

»Danke«, sage ich etwas widerwillig, und Lissy seufzt.

»Emma, ich will dir doch nichts verderben. Er scheint ja wirklich reizend zu sein …«

»Das ist er! Ehrlich, Lissy, du hast ja keine Ahnung, wie er ist. Er ist so romantisch. Weißt du, was er heute Morgen zu mir gesagt hat? Er hat gesagt, von dem Moment an, als ich im Flieger angefangen habe zu quasseln, wäre er von mir fasziniert gewesen.«

»Echt?« Lissy starrt mich an. »Das hat er gesagt? Das ist ja wirklich romantisch.«

»Sage ich doch!« Ich strahle sie unwillkürlich an. »Lissy, er ist perfekt!«

19

In den folgenden Wochen kann nichts mein glückliches Strahlen erschüttern. Nichts. Ich schwebe auf Wolken zur Arbeit, sitze den ganzen Tag lächelnd am Computer, dann schwebe ich wieder nach Hause. Pauls sarkastische Bemerkungen prallen an mir ab wie Seifenblasen. Ich bemerke es nicht mal, wenn Artemis mich einem Werbeteam als ihre persönliche Assistentin vorstellt. Sollen sie doch alle reden, was sie wollen. Denn sie haben ja keine Ahnung, dass ich nur deswegen meinen Monitor anlächle, weil Jack gerade wieder eine lustige kleine E-Mail geschickt hat. Und sie haben keine Ahnung, dass der Mann, bei dem sie alle angestellt sind, in mich verliebt ist. In *mich*. Emma Corrigan. Die Kleine.

»Na ja, ich habe einige Male ausführlich mit Jack Harper darüber gesprochen«, höre ich Artemis am Telefon sagen, als ich das Regal mit den Abzügen aufräume. »Und er fand, genau wie ich, dass das Konzept noch einmal überarbeitet werden muss.«

Blödsinn! Sie hat nie ausführlich mit Jack Harper gesprochen. Ich bin fast versucht, ihm sofort zu mailen, wie sie seinen Namen missbraucht.

Allerdings wäre das ein bisschen gemein.

Und außerdem ist sie nicht die Einzige. Alle lassen gesprächsweise den Namen Jack Harper fallen, rechts, links und überall. Jetzt, wo er weg ist, tun alle plötzlich so, als seien sie dicke mit Jack befreundet und als sei er von ihren Ideen begeistert.

Außer mir. Ich halte den Kopf gesenkt und erwähne seinen Namen gar nicht erst.

Zum Teil deswegen, weil ich genau weiß, wenn ich es täte, würde ich knallrot werden oder breit und dümmlich grinsen oder so. Zum Teil auch, weil ich das furchtbare Gefühl habe, dass ich gar nicht mehr aufhören könnte, wenn ich erst anfinge, über Jack zu sprechen. Aber hauptsächlich deswegen, weil mir gegenüber nie jemand dieses Thema anschneidet. Was sollte ich auch mit Jack Harper zu tun haben? Ich bin ja schließlich nur die bescheuerte Assistentin.

»Hey«, sagt Nick und sieht vom Telefon auf. »Jack Harper kommt im Fernsehen!«

»Was?«

Ich bin ziemlich überrascht. Jack kommt im Fernsehen? Warum hat er mir das nicht gesagt?

»Kommt ein Fernsehteam ins Büro oder was?«, sagt Artemis und glättet ihr Haar.

»Keine Ahnung.«

»So, Leute«, sagt Paul, der aus seinem Büro kommt. »Um zwölf Uhr wird bei *Business Watch* ein Interview mit Jack Harper ausgestrahlt. Wir bauen im großen Konferenzraum einen Fernseher auf; wer möchte, kann dorthin gehen und gucken. Aber einer muss hier bleiben und die Telefone bewachen.« Sein Blick fällt auf mich. »Emma. Sie können doch hier bleiben.«

»Was?«, sage ich verdattert.

»Sie können hier bleiben und auf die Telefone aufpassen«, sagt Paul. »Okay?«

»Nein! Ich meine … ich möchte mitgucken!«, sage ich verstört. »Kann nicht jemand anderes hier bleiben? Artemis, kannst du das nicht machen?«

»*Ich* bleibe nicht hier!«, sagt Artemis sofort. »Echt, Emma, sei nicht so egoistisch. Das ist doch für dich überhaupt nicht interessant.«

»Doch, ist es!«

»Nein, ist es nicht.« Sie verdreht die Augen.

»Ist es wohl«, sage ich verzweifelt. »Er ist … doch auch mein Chef!«

»Ja, klar«, sagt Artemis ironisch, »da gibt es nur einen kleinen Unterschied. Du hast ja noch nicht einmal richtig mit ihm gesprochen.«

»Habe ich wohl!«, sage ich, bevor ich mich bremsen kann. »Habe ich wohl! Ich …« Ich breche ab, meine Wangen werden rot. »Ich … war mal in einem Meeting, wo er auch …«

»Und hast ihm eine Tasse Tee serviert?« Artemis schaut Nick an und grinst.

Ich starre sie wütend an, mir rauscht das Blut in den Ohren, und ich hätte wenigstens dieses eine Mal gerne eine schlagfertige und bissige Antwort parat, um Artemis zum Schweigen zu bringen.

»Es reicht, Artemis«, sagt Paul. »Emma, Sie bleiben hier und Schluss.«

Um fünf vor zwölf ist das Büro leer. Bis auf mich, eine Fliege und ein surrendes Faxgerät. Untröstlich nehme ich einen Riegel Aero aus der Schublade. Und ein Flake, wenn ich schon mal dabei bin. Ich packe gerade das Aero aus und beiße kräftig hinein, da klingelt das Telefon.

»Okay«, höre ich Lissys Stimme am anderen Ende der Leitung. »Der Videorecorder läuft.«

»Danke, Liss«, sage ich mit dem Mund voll Schokolade. »Du bist der Hit.«

»Unfassbar, dass du nicht mitgucken darfst.«

»Finde ich auch. Es ist total ungerecht.« Ich sinke noch tiefer in mich zusammen und beiße noch mal von dem Aero ab.

»Na, mach dir nichts draus, wir gucken es uns heute Abend noch mal an. Jemima nimmt es in ihrem Zimmer auch auf, dann haben wir es auf jeden Fall.«

»Was macht Jemima denn zu Hause?«, frage ich überrascht.

»Sie hat sich krank gemeldet, um in Ruhe einen Wellnesstag zu Hause einlegen zu können. Ach ja, dein Vater hat übrigens angerufen«, fügt sie vorsichtig hinzu.

»Oh, aha.« Das beunruhigt mich etwas. »Und, was hat er gesagt?«

Ich habe seit dem Debakel auf dem Corporate Family Day nicht mit Mum oder Dad gesprochen. Ich bringe es einfach nicht fertig. Es war alles so schmerzhaft und unangenehm, und vermutlich sind sie sowieso komplett auf Kerrys Seite.

Als Dad am Montag danach hier anrief, sagte ich, ich hätte

irrsinnig viel zu tun und würde zurückrufen – habe ich aber nicht gemacht. Und zu Hause das Gleiche.

Ich weiß, dass ich früher oder später mit ihnen sprechen muss. Aber nicht jetzt. Nicht, solange ich so glücklich bin.

»Er hat den Trailer für das Interview gesehen«, sagt Lissy. »Er hat Jack erkannt und wollte nur fragen, ob du Bescheid weißt. Und er hat gesagt …« Sie macht eine Pause. »Dass er wirklich gerne über ein paar Dinge mit dir sprechen möchte.«

»Oh.« Ich starre meinen Notizblock an, auf dem ich eine riesige Spirale über eine Telefonnummer gekritzelt habe, die ich hätte aufbewahren sollen.

»Jedenfalls, er und deine Mum sehen es sich an«, sagt Lissy. »Und dein Großvater.«

Toll. Ganz toll. Die ganze Welt sieht Jack im Fernsehen. Die ganze Welt außer mir.

Ich lege auf und hole mir einen Kaffee aus der neuen Maschine, die tatsächlich richtig guten *Café au lait* macht. Dann gehe ich zurück, sehe mich im verlassenen Büro um und schütte Orangensaft in Artemis' Grünlilie. Und ein bisschen Kopierer-Toner obendrein.

Dann fühle ich mich ein bisschen schäbig. Die Pflanze kann schließlich nichts dafür.

»Sorry«, sage ich laut und berühre eines der Blätter. »Es ist nur so, deine Besitzerin ist eine richtig blöde Kuh. Aber das weißt du ja wahrscheinlich.«

»Sprichst du mit deinem geheimnisvollen Neuen?«, kommt eine ironische Stimme von hinten, und als ich mich erschrocken umdrehe, steht Connor in der Tür.

»Connor!«, sage ich. »Was machst du denn hier?«

»Ich bin auf dem Weg zum Interview-Gucken. Aber ich wollte noch kurz mit dir sprechen.« Er kommt ein paar Schritte ins Büro und sieht mich anklagend an. »Also. Du hast mich angelogen.«

Ach du Scheiße. Ahnt er etwas? Hat er beim Corporate Family Day etwas gemerkt?

»Was meinst du?«, frage ich nervös.

»Ich habe mich gerade ein bisschen mit Tristan aus dem Designbüro unterhalten.« Connors Stimme schwillt vor Entrüstung an. »Er ist schwul! Du bist überhaupt nicht mit ihm zusammen, stimmt's?«

Das meint er ja wohl nicht ernst. Connor hat doch nicht *im Ernst* gedacht, ich hätte etwas mit Tristan, oder? Ich meine, Tristan könnte nicht schwuler wirken, wenn er Leopardenfell-Hotpants und eine Handtasche tragen und permanent Hits von Barbra Streisand vor sich hinsummen würde.

»Nein«, sage ich und schaffe es, keine Miene zu verziehen. »Ich habe nichts mit Tristan.«

»Na gut!«, sagt Connor und nickt, als hätte er hundert Punkte erreicht und wüsste nicht, was er damit tun soll. »Na gut. Ich verstehe bloß nicht, warum du es nötig hast, mich anzulügen.« Er schiebt gekränkt das Kinn vor. »Das ist alles. Ich dachte nur, wir könnten wenigstens ehrlich zueinander sein.«

»Connor, es ist doch nur … es ist halt kompliziert. Okay?«

»Na gut. Wie auch immer. Es ist dein Boot, Emma.«

Es entsteht eine kleine Pause.

»Mein was?«, frage ich perplex. »Mein *Boot?*«

»Ball«, sagt er, etwas gereizt. »Ich wollte sagen … du bist am Ball.«

»Ach so«, sage ich, kein bisschen klüger. »Äh … okay. Ich werd's mir merken.«

»Gut.« Er sieht mich mit seinem extra-verwundeten Märtyrerblick an und geht.

»Warte mal!«, sage ich plötzlich. »Warte mal einen Moment! Connor, würdest du mir einen Riesengefallen tun?« Ich warte, bis er sich umgedreht hat, dann setze ich mein Überredungs-Gesicht auf. »Könntest du vielleicht kurz hier die Telefone bewachen, dann kann ich schnell raufgehen und das Interview mit Jack Harper gucken.«

Ich weiß, dass Connor im Moment nicht mein größter Fan ist. Aber ich habe keine andere Wahl.

»Könnte ich *was*?« Connor starrt mich entgeistert an.

»Die Telefone bewachen? Nur eine halbe Stunde. Ich wäre dir ewig dankbar ...«

»Wie kannst du so was auch nur *fragen*!«, sagt Connor ungläubig. »Du weißt doch genau, wie wichtig Jack Harper mir ist! Emma, ich verstehe überhaupt nicht, was mit dir los ist.«

Nachdem er hinausstolziert ist, sitze ich zwanzig Minuten lang herum. Ich nehme einige Nachrichten für Paul entgegen, eine für Nick und eine für Caroline. Ich hefte Briefe ab. Ich schreibe Adressen auf Umschläge. Und dann reicht es mir plötzlich.

Das ist doch beknackt. Mehr als das. Es ist lächerlich. Ich liebe Jack. Er liebt mich. Ich sollte dabei sein. Ich nehme meinen Kaffee und eile den Gang entlang. Der Konferenzraum ist voll, aber ich schiebe mich noch hinten rein und quetsche mich zwischen zwei Typen, die Jack nicht einmal *zusehen*, sondern irgendein Fußballspiel diskutieren.

»Was machst *du* denn hier?«, sagt Artemis, als ich neben ihr stehen bleibe. »Was ist mit den Telefonen?«

»*No taxation without representation.* Keine Besteuerung ohne Vertretung«, höre ich mich cool antworten, was vielleicht nicht ganz passt (ich bin nicht mal sicher, was es bedeutet), aber es hat jedenfalls den gewünschten Effekt, sie zum Schweigen zu bringen.

Ich recke den Hals, um über jemandes Kopf hinweg etwas sehen zu können, und richte die Augen auf den Bildschirm – und da ist er. Er sitzt in Jeans und weißem T-Shirt auf einem Stuhl in einem Studio. Der Hintergrund ist knallblau und trägt die Aufschrift »Business Inspirations«, ihm gegenüber sitzen zwei smart aussehende Interviewer.

Da ist er. Der Mann, den ich liebe.

Ich sehe ihn zum ersten Mal, seit ich mit ihm geschlafen habe, fällt mir plötzlich auf. Aber er wirkt so herzlich wie immer, und seine Augen schimmern dunkel im Studiolicht.

O Gott, ich will ihn küssen.

Wenn sonst niemand im Raum wäre, würde ich zum Fernseher gehen und die Mattscheibe küssen. Ehrlich.

»Was haben sie denn bisher gefragt?«, frage ich Artemis leise.

»Sie sprechen darüber, wie er arbeitet. Seine Inspirationsquellen, die Partnerschaft mit Pete Laidler, solche Sachen halt.«

»Psst!«, macht jemand.

»Natürlich war Petes Tod ein harter Schlag«, sagt Jack. »Für uns alle. Aber kürzlich …« Er macht eine Pause. »Kürzlich hat mein Leben eine neue Wendung genommen, und ich bin wieder voller Tatendrang. Ich genieße das Leben wieder.«

Mich durchläuft ein Schauer.

Er muss mich meinen. Muss er. Ich habe seinem Leben eine neue Wendung gegeben! O mein Gott. Das ist ja noch romantischer als »Ich war von dir fasziniert«.

»Sie haben Ihren Geschäftsbereich bereits um Sport-Drinks erweitert«, sagt der männliche Interviewer. »Und jetzt möchten Sie auch in den Markt für Frauen einsteigen?«

»Was?«

Es geht ein Raunen durch den Raum, die Leute drehen die Köpfe.

»Wir gehen auf den Frauenmarkt?«

»Seit wann das denn?«

»Ich wusste das schon«, sagt Artemis selbstgefällig. »Ein paar Leute wissen es schon seit einer Weile …«

Ich starre auf den Bildschirm, und mir fallen sofort wieder diese Leute oben in Jacks Büro ein. Dafür waren die Eierstöcke. Ach, wie aufregend! Ein neuer Geschäftsbereich!

»Können Sie uns schon ein paar Details verraten?«, fragt der Interviewer. »Geht es um einen Softdrink für Frauen?«

»Wir sind noch ganz am Anfang«, sagt Jack. »Aber geplant ist eine ganze Produktlinie. Ein Drink, Kleidung, ein Duft.« Er lächelt den Mann an. »Wir sind schon richtig aufgeregt.«

»Und was ist Ihre Zielgruppe?«, fragt der Mann und sieht in seine Notizen. »Wollen Sie vor allem Sportlerinnen ansprechen?«

»Überhaupt nicht«, sagt Jack. »Wir richten uns an … die junge Ottonormalverbraucherin.«

»›Ottonormalverbraucherin‹?« Die weibliche Interviewerin setzt sich auf und sieht beleidigt aus. »Was soll das denn heißen? Wer ist denn diese Ottonormalverbraucherin?«

»Sie ist zwischen zwanzig und dreißig«, sagt Jack nach einer Pause. »Sie arbeitet in einem Büro, fährt mit der U-Bahn zur Arbeit, geht abends aus und fährt mit dem Nachtbus nach Hause … einfach eine ganz normale junge Frau, nichts Besonderes.«

»Davon gibt es Tausende«, wirft der Mann lächelnd ein.

»Aber die Marke Panther war immer etwas Männliches«, mischt die Frau sich mit skeptischem Blick ein. »Es ging immer um Wettbewerb. Maskuline Werte. Glauben Sie wirklich, dass Sie den Sprung in den Frauenbereich schaffen können?«

»Wir haben natürlich geforscht«, sagt Jack freundlich. »Wir denken schon, dass wir den Markt kennen.«

»Geforscht!«, spottet sie. »Heißt das nicht wieder nur, dass die Männer den Frauen sagen, was sie wollen?«

»Das denke ich nicht«, sagt Jack, immer noch freundlich, aber ich sehe eine winzige Gereiztheit durch sein Gesicht huschen.

»Es sind doch schon ganz andere Unternehmen an einem Wechsel des Zielmarkts gescheitert. Wieso glauben Sie, dass Sie nicht dazu gehören?«

»Da bin ich ganz zuversichtlich«, sagt Jack.

Herrje, warum ist die denn so aggressiv?, denke ich entrüstet. Natürlich weiß Jack, was er tut!

»Da trommeln Sie ein paar Frauen in einer Focus Group zusammen und stellen ihnen ein paar Fragen! Was sagt das denn schon aus?«

»Sie können sicher sein, dass das nur ein kleiner Teil des Ganzen ist«, sagt Jack gleichmütig.

»Ach, kommen Sie schon«, sagt die Frau, lehnt sich zurück und verschränkt die Arme. »Kann eine Firma wie Panther – kann ein Mann wie Sie – *wirklich* in die Psyche einer, wie Sie sagen, ganz normalen jungen Frau eindringen?«

»Ja! Kann ich!« Jack sieht sie an. »Ich kenne diese Frau.«

»Sie *kennen* sie?« Die Frau zieht die Augenbrauen hoch.

»Ich weiß genau, wer diese Frau ist«, sagt Jack. »Ich kenne ihren Geschmack und ihre Lieblingsfarben. Ich weiß, was sie isst, und ich weiß, was sie trinkt. Ich weiß, was sie vom Leben erwartet. Sie trägt Größe vierzig, hätte aber lieber achtunddreißig. Sie …« Er breitet die Arme aus, als ob er nach Inspiration sucht. »Sie isst Cheerios zum Frühstück und taucht ihr Flake in den Cappuccino.«

Ich sehe überrascht auf das Flake in meiner Hand. Ich wollte es gerade in den Kaffee tauchen. Und … heute Morgen habe ich Cheerios gegessen.

»Wir sehen ja heute nur noch perfekte Hochglanzmenschen«, sagt Jack lebhaft. »Aber diese junge Frau ist echt. Sie hat gute Tage und schlechte Tage. Sie trägt Stringtangas, obwohl sie sie unbequem findet. Sie erstellt sich einen Trainingsplan, den sie dann nicht einhält. Sie tut so, als lese sie Wirtschaftsmagazine und versteckt Frauenzeitschriften darin.«

Ich starre fassungslos auf den Bildschirm. Einen ... Moment mal. Das klingt doch alles irgendwie vertraut.

»*Genau* wie du, Emma«, sagt Artemis. »Ich habe gesehen, dass du eine *OK!* in der *Marketing Week* stecken hattest.« Sie dreht sich mit spöttischem Lachen zu mir um, und ihr Blick landet auf meinem Flake.

»Sie liebt Kleidung, ist aber kein Fashion Victim«, sagt Jack auf dem Bildschirm. »Sie trägt zum Beispiel gern Jeans ...«

Artemis starrt ungläubig meine Levis an.

»... und eine Blume im Haar ...«

Benommen hebe ich die Hand und berühre die Kunstrose in meinem Haar.

Er kann doch nicht ...

Er kann doch nicht über ...

»Oh ... mein ... Gott«, sagt Artemis langsam.

»Was?«, sagt Caroline neben ihr. Sie folgt Artemis' Blick, und ihr Gesichtsausdruck verändert sich.

»Ach du lieber Gott! Emma! Das bist du!«

»Ach Quatsch«, sage ich, aber meine Stimme funktioniert nicht richtig.

»Doch!«

Die Leute fangen an, sich gegenseitig anzustupsen und sich nach mir umzudrehen.

»Sie liest täglich fünfzehn Horoskope und sucht sich das heraus, das ihr am besten gefällt ...«, sagt Jacks Stimme.

»Das bist du! Das bist haargenau du!«

»... sie liest die Klappentexte anspruchsvoller Bücher und tut dann so, als hätte sie sie gelesen ...«

»Ich *wusste* doch, dass du *Große Erwartungen* nicht gelesen hast!«, sagt Artemis triumphierend.

»... sie liebt süßen Sherry ...«

»Süßen *Sherry*?«, fragt Nick und dreht sich schockiert um. »Das ist ja wohl nicht dein Ernst.«

»Das ist Emma!«, höre ich Leute auf der anderen Seite des Raumes sagen. »Es ist Emma Corrigan!«

»*Emma*?«, sagt Katie und starrt mich ungläubig an. »Aber ... aber ...«

»Das ist doch nicht Emma!«, sagt Connor und lacht plötzlich los. Er lehnt auf der anderen Seite des Raums an der Wand. »Macht euch doch nicht lächerlich! Emma trägt schon mal Größe sechsunddreißig, nicht vierzig.«

»Sechsunddreißig?«, prustet Artemis los.

»*Sechsunddreißig!*«, kichert Caroline. »Der ist gut.«

»Hast du nicht sechsunddreißig?« Connor sieht mich entgeistert an. »Aber du hast doch gesagt ...«

»Ich ... ich weiß.« Ich schlucke, mein Gesicht ist der reinste Hochofen. »Aber ich habe ... ich war ...«

»Kaufst du deine Klamotten wirklich immer Secondhand und tust so, als wären sie neu?«, fragt Caroline und sieht interessiert vom Bildschirm auf.

»Nein!«, verteidige ich mich. »Ich meine, ja, vielleicht ... manchmal ...«

»Sie wiegt 60 Kilo, aber sie behauptet, sie wöge 55!«, sagt Jacks Stimme.

Was? *Was*?

Mein ganzer Körper zuckt zusammen.

»Das stimmt überhaupt nicht!«, schreie ich wütend den Fernseher an. »Ich wiege überhaupt nicht 60 Kilo! Ich wiege vielleicht 57 ... einhalb ...« Ich verstumme, als sich alle zu mir umdrehen und mich anstarren.

»... kann Gehäkeltes nicht leiden ...«

Am anderen Ende des Raumes wird laut nach Luft geschnappt.

»Du kannst Gehäkeltes nicht leiden?«, höre ich Katies fassungslose Stimme.

»Doch!«, sage ich und drehe mich schockiert um. »Das

stimmt gar nicht! Ich finde Häkelsachen toll! Das weißt du doch!«

Aber Katie marschiert wutentbrannt aus dem Zimmer.

»Sie weint, wenn sie die Carpenters hört«, sagt Jacks Stimme im Fernsehen. »Sie hört gern Abba und kann Jazz nicht ausstehen ...«

O nein. O nein o nein ...

Connor starrt mich an, als hätte ich ihm höchstpersönlich einen Pfahl ins Herz gerammt.

»Du kannst ... *Jazz* nicht ausstehen?«

Es ist wie in diesen Träumen, wo man in Unterwäsche gesehen wird und weglaufen möchte, aber nicht kann. Ich kann mich nicht losreißen. Ich kann nur unter Todesqualen immer weiter hinstarren, als Jacks Stimme unerbittlich fortfährt.

All meine Geheimnisse. All meine persönlichen, ganz privaten Geheimnisse. Im Fernsehen ausgeplaudert. Ich stehe so unter Schock, dass ich nicht einmal alles aufnehme.

»Sie trägt beim ersten Date ihre Glücksunterwäsche ... sie leiht sich Designerschuhe von ihrer Mitbewohnerin und gibt sie als ihre eigenen aus ... tut so, als würde sie kickboxen ... ist sich religiös unsicher ... hat Angst, ihre Brüste könnten zu klein sein ...«

Ich schließe die Augen, weil ich es nicht ertrage. Meine Brüste. Er hat von meinen *Brüsten* gesprochen. Im *Fernsehen*.

»Wenn sie ausgeht, gibt sie sich kultiviert, aber ihr Bett ...«

Mit wird ganz schwach vor Angst.

Nein. Nein. Bitte nicht das. Bitte, *bitte* ...

»... ist mit Barbie-Bettwäsche bezogen.«

Brüllendes Gelächter brandet durch den Raum, und ich vergrabe das Gesicht in den Händen. Wie unfassbar peinlich. *Niemand* sollte von meiner Barbie-Bettwäsche wissen. *Niemand*.

»Ist sie sexy?«, fragt der Interviewer und mein Herz macht

einen Hüpfer. Ich starre den Bildschirm an, kann vor Anspannung kaum atmen. Was wird er darauf antworten?

»Sie ist sehr sinnlich«, sagt Jack sofort, und alle Augen richten sich gespannt auf mich. »Sie ist eine moderne junge Frau, die Kondome in der Handtasche hat.« Okay. Jedes Mal, wenn ich denke, es kann nicht mehr schlimmer werden, wird es schlimmer.

Meine *Mutter* sieht sich das an. Meine *Mutter*.

»Aber vielleicht hat sie ihr Potenzial noch nicht ganz entfaltet ... vielleicht ist eine Seite an ihr bisher nicht befriedigt worden ...«

Ich kann Connor nicht ansehen. Ich kann überhaupt nirgendwohin gucken.

»Vielleicht möchte sie mal etwas ausprobieren ... vielleicht hatte sie mal – ich weiß nicht – eine lesbische Fantasie über ihre beste Freundin.«

Nein! Nein! Mein ganzer Körper krampft sich zusammen. Plötzlich sehe ich Lissy zu Hause am Fernseher vor mir, mit aufgerissenen Augen, die Hand vor den Mund geschlagen. Sie weiß, dass es um sie geht. Ich werde ihr nie wieder in die Augen sehen können.

»Das war ein Traum, okay?«, bringe ich verzweifelt heraus, als mich alle angaffen. »Keine Fantasie! Das ist ja wohl ein Unterschied!«

Am liebsten würde ich mich auf den Fernseher stürzen. Die Arme darüber breiten. Dafür sorgen, dass er aufhört.

Aber das würde schließlich nichts nützen, oder? In einer Million Haushalte laufen eine Million Fernseher. Überall schauen Leute zu.

»Sie glaubt an Liebe und Romantik. Sie glaubt daran, dass ihr Leben eines Tages ganz wunderbar und aufregend wird. Sie hat Hoffnungen und Ängste und Sorgen, wie jeder andere auch. Manchmal ist sie verzagt.« Er macht eine Pause. Und fügt mit sanfterer Stimme hinzu: »Manchmal fühlt sie sich un-geliebt. Manchmal hat sie das Gefühl, die Menschen, die ihr am wichtigsten sind, werden ihr nie Anerkennung zollen.«

Ich starre Jacks warmes, ernstes Gesicht auf der Mattschei-be an, und meine Augen beginnen zu brennen.

»Aber sie ist tapfer und herzensgut und geht aufrecht durchs Leben …« Er schüttelt benommen den Kopf und lächelt den Interviewer an. »Es … tut mir Leid. Ich weiß auch nicht, wie das passieren konnte. Es ist wohl ein bisschen mit mir durch-gegangen. Können wir vielleicht …« Seine Stimme wird durch die des Interviewers unterbrochen.

Durchgegangen.

Es ist ein bisschen mit ihm durchgegangen.

Das ist ja, als hätte er gesagt, der Ironman sei einen Tick an-strengend.

»Jack Harper, vielen Dank für das Gespräch«, sagt die In-terviewerin. »Nächste Woche sprechen wir mit dem charisma-tischen König der Motivationsvideos, Ernie Powers. Bis dahin vielen Dank an …«

Alle starren auf den Bildschirm, bis sie mit der Abmodera-tion fertig ist und die Schlussmusik erklingt. Dann schaltet ir-gendwer den Fernseher aus.

Ein paar Sekunden lang herrscht absolute Stille. Alle star-ren mich mit offenen Mündern an, als erwarteten sie, dass ich eine Rede halte oder ein kleines Tänzchen vorführe oder so. Einige schauen mitleidig, andere neugierig, wieder andere schadenfroh oder ihr Blick besagt einfach: Scheiße-bin-ich-froh-dass-ich-nicht-du-bin.

Jetzt weiß ich ziemlich genau, wie sich die Tiere im Zoo fühlen.

Ich gehe nie wieder in den Zoo.

»Aber … das kapier ich nicht«, kommt eine Stimme vom anderen Ende des Raumes, und alle Köpfe drehen sich Connor zu, wie bei einem Tennisspiel, »wieso weiß Jack Harper so gut über dich Bescheid?«

O Gott. Ich weiß, Connor hat einen wirklich guten Abschluss an der Uni Manchester gemacht und alles. Aber manchmal ist seine Auffassungsgabe nicht die schnellste.

Die Gesichter haben sich wieder mir zugewendet.

»Ich …« Mein ganzer Körper kribbelt vor Scham. »Weil wir … wir …«

Ich kann es nicht aussprechen. Ich kann einfach nicht.

Aber das muss ich auch nicht. Connors Gesichtsfarbe ändert sich langsam.

»Nein«, schluckt er und starrt mich an, als hätte er ein Gespenst gesehen. Aber nicht einfach irgendein popeliges Gespenst. Sondern ein riesiges mit klirrenden Ketten, das »Whoooarr« macht.

»Nein«, sagt er noch einmal. »Nein. Das glaube ich nicht.«

»Connor«, sagt jemand und legt ihm die Hand auf die Schulter, aber er fegt sie weg.

»Connor, es tut mir Leid«, sage ich hilflos.

»Du machst wohl Witze!«, ruft ein Typ in der Ecke, der offensichtlich noch langsamer ist als Connor und dem man es gerade noch einmal genau buchstabiert hat. Er sieht zu mir auf. »Wie lange läuft das schon?«

Es ist, als hätte er eine Schleuse geöffnet. Plötzlich stürmen alle mit Fragen auf mich ein. Vor lauter Gebrabbel kann ich mich selbst nicht mehr denken hören.

»Ist er deswegen nach England gekommen? Um dich zu sehen?«

»Wollen Sie heiraten?«

»Weißt du, du siehst gar nicht *aus* wie 60 Kilo …«

»Hast du wirklich Barbie-Bettwäsche?«

»Und in dieser lesbischen Fantasie, wart ihr da nur zu zweit, oder …«

»Hatten Sie mit Jack Harper auch Sex im Büro?«

»Hast du Connor deswegen verlassen?«

Ich halte das nicht aus. Ich muss hier raus. Jetzt.

Ohne jemanden anzusehen, stehe ich auf und stolpere aus dem Raum. Als ich den Flur entlangstürze, bin ich zu benommen, um an irgendetwas anderes zu denken, als dass ich meine Tasche holen und verschwinden muss. Sofort.

In der leeren Marketingabteilung schrillen die Telefone. Die Macht der Gewohnheit ist so stark, ich kann sie nicht ignorieren.

»Hallo?«, sage ich und nehme wahllos einen Hörer ab.

»Aha!«, kommt Jemimas wütende Stimme. »›Sie leiht sich Designerschuhe von ihrer Mitbewohnerin und gibt sie als ihre eigenen aus‹, wessen Schuhe können das wohl sein? Lissys?«

»Hör mal, Jemima, ich kann jetzt nicht … tut mir Leid … ich muss weg«, sage ich schwach und lege auf.

Keinen Telefonhörer mehr abheben. Tasche nehmen. Abhauen.

Als ich mit zitternden Fingern den Reißverschluss meiner Tasche zuziehe, kommen ein paar Leute ins Büro, die mir gefolgt sind, und gehen an die Telefone.

»Emma, dein Opa ist dran«, sagt Artemis und hält die Hand über die Muschel. »Irgendwas mit dem Nachtbus und dass er dir nicht mehr vertrauen kann?«

»Da ist die PR-Abteilung von Harvey's Bristol Cream«, fällt Caroline ein. »Sie wollen wissen, wohin sie dir eine kostenlose Kiste süßen Sherry schicken sollen?«

»Woher haben die meinen Namen? *Erzählen* die Mädels vom Empfang den schon in der ganzen Welt herum?«

»Emma, ich habe hier deinen Vater dran«, sagt Nick. »Er sagt, er muss dringend mit dir sprechen …«

»Ich kann nicht«, sage ich wie betäubt. »Ich kann mit niemandem reden. Ich muss … ich muss …«

Ich schnappe mir meine Jacke und renne fast aus dem Büro und den Gang entlang zur Treppe. Überall strömen Leute nach dem Fernseh-Interview in die Büros zurück, und alle starren mich an, als ich vorbeieile.

»Emma!« Als ich auf die Treppe zugehe, ergreift eine Frau namens Fiona, die ich kaum kenne, meinen Arm. Sie wiegt ungefähr hundertfünfzig Kilo und setzt sich unermüdlich für größere Stühle und breitere Türen ein. »Du solltest dich nicht für deinen Körper schämen! Erfreue dich daran! Die gute Mutter Erde hat ihn dir geschenkt! Wenn du Lust hast, komm doch am Samstag zu unserem Workshop …«

Entsetzt entwinde ich ihr den Arm und poltere die Marmortreppe hinunter. Aber schon auf dem nächsten Absatz packt mich wieder jemand am Arm.

»Hey, kannst du mir sagen, in welche Secondhand-Läden du gehst?« Ich kenne das Mädchen nicht mal. »Ich finde nämlich, du bist immer so gut angezogen …«

»Ich finde Barbies auch toll!« Plötzlich steht mir Carol Finch aus der Buchhaltung im Weg. »Wollen wir nicht zusammen einen Club gründen, Emma?«

»Ich … ich muss jetzt wirklich gehen.«

Ich weiche zurück und renne die Treppe hinunter. Aber ich werde weiterhin dauernd aus allen möglichen Richtungen angesprochen.

»Ich habe erst mit 33 gemerkt, dass ich lesbisch bin …«

»Viele Menschen sind religiös verunsichert. Ich gebe dir mal eine Broschüre von unserem Bibelkreis mit …«

»Lasst mich in Ruhe!«, schreie ich gequält. »Lasst mich doch einfach alle in Ruhe!«

Ich sprinte zum Eingang, die Stimmen verfolgen mich, sie hallen auf dem Marmorboden wider. Als ich wie besessen die schwere Glastür aufstoße, schlendert Dave, der Wachmann, heran und starrt unverhohlen auf meine Brüste.

»Also ich finde sie völlig in Ordnung, Süße«, sagt er ermutigend.

Schließlich bekomme ich die Tür auf und renne hinaus, die Straße entlang, ohne nach rechts oder links zu gucken. Irgendwann bleibe ich stehen, sinke auf eine Bank und vergrabe das Gesicht in den Händen.

Vor Schreck zittere ich immer noch am ganzen Leib.

Ich kann kaum einen zusammenhängenden Gedanken fassen.

Ich bin in meinem ganzen Leben noch nicht so komplett und vollständig bloßgestellt worden.

20

»Alles klar? Emma?«

Ich sitze seit etwa fünf Minuten auf der Bank und starre auf den Gehweg, in meinem Hirn herrscht ein einziges Chaos. Jetzt dringt durch den üblichen Straßenlärm aus vorbeigehenden Leuten, ächzenden Bussen und hupenden Autos eine Stimme zu mir durch. Eine Männerstimme. Ich öffne die Augen, blinzle gegen die Sonne und starre benommen in ein paar grüne Augen, die mir irgendwie bekannt vorkommen.

Plötzlich komme ich drauf. Es ist Aidan aus der Saftbar.

»Ist alles in Ordnung?«, fragt er. »Geht's dir gut?«

Einige Augenblicke lang kann ich nicht antworten. All meine Gefühle liegen verstreut auf dem Boden herum, als wäre ein Teetablett hinuntergefallen, und ich weiß nicht, was ich zuerst aufheben soll.

»Ich fürchte, die Antwort ist nein«, sage ich schließlich. »Nichts ist in Ordnung. Rein gar nichts.«

»Oh.« Er sieht bestürzt aus. »Und … kann ich irgendwas …«

»Fändest du es in Ordnung, wenn jemand, dem du vertraust, all deine Geheimnisse im Fernsehen ausplaudern würde?«, sage ich zittrig. »Fändest du es in Ordnung, vor all deinen Freunden und Kollegen und der ganzen Familie blamiert zu werden?«

Er schweigt verwirrt.

»*Fändest* du das?«

»Äh … wahrscheinlich nicht?«, rät er drauflos.

»Genau! Ich meine, wie würdest du dich denn fühlen, wenn jemand öffentlich erklären würde, dass du … Damenunterwäsche trägst?«

Er wird leichenblass.

»Ich trage keine Damenunterwäsche!«

»Ich weiß, dass du keine Damenunterwäsche trägst!«, behaupte ich. »Oder vielmehr, das weiß ich *nicht*, aber nur mal angenommen, du tätest es. Wie würdest du es finden, wenn jemand das in einem so genannten Businessinterview im Fernsehen einfach jedem *erzählen* würde?«

Aidan starrt mich an, als ob plötzlich der Groschen fiele.

»Moment mal. Dieses Interview mit Jack Harper. Meinst du das? Wir hatten es in der Saftbar laufen.«

»Na toll!« Ich werfe die Hände in die Luft. »Super! Denn es wäre doch echt schade, wenn es irgendjemand im ganzen Universum verpasst hätte.«

»Ach, und das bist *du?* Die fünfzehn Horoskope am Tag liest und die lügt, wenn es um …« Er unterbricht sich, als er meinen Gesichtsausdruck sieht. »Tut mir Leid. Entschuldige. Du musst ganz schön verletzt sein.«

»Ja. Bin ich. Ich bin verletzt. Und wütend. Und gedemütigt.«

Und ich bin durcheinander, füge ich still hinzu. Ich bin so durcheinander und schockiert und verwirrt, dass ich das Gefühl habe, auf der Bank kaum das Gleichgewicht halten zu können. Innerhalb weniger Minuten steht meine ganze Welt plötzlich Kopf.

Ich dachte, dass Jack mich liebt. Ich dachte, er ...

Ich dachte, er und ich ...

Plötzlich durchfährt mich ein sengender Schmerz, und ich vergrabe das Gesicht in den Händen.

»Woher weiß er denn so viel über dich?«, fragt Aidan zaghaft. »Seid ihr beiden ... ein Paar?«

»Ich habe ihn im Flugzeug kennen gelernt.« Ich sehe auf und versuche, mich unter Kontrolle zu halten. »Und ich habe ihm während des Flugs alles über mich erzählt. Und dann sind wir ein paarmal ausgegangen und ich dachte ...« Meine Stimme schnappt über. »Ich habe ehrlich gedacht, es könnte ... du weißt schon.« Ich merke, dass meine Wangen feuerrot werden. »Was Ernstes. Aber in Wirklichkeit hat er sich wohl gar nicht für mich interessiert, oder? Nicht richtig. Er wollte nur wissen, wie eine ganz gewöhnliche Ottonormalverbraucherin so ist. Wegen seiner blöden Zielgruppe. Wegen seiner blöden neuen Damenprodukte.«

Als mich diese Erkenntnis zum ersten Mal richtig trifft, rollt mir eine Träne übers Gesicht, und dann noch eine.

Jack hat mich benutzt.

Deswegen ist er mit mir ausgegangen. Deswegen war er so beeindruckt von mir. Deswegen fand er alles so interessant, was ich gesagt habe. Deswegen war er von mir fasziniert.

Es war keine Liebe. Es war Business.

Plötzlich fange ich, ohne zu wollen, an zu schluchzen.

»Tut mir Leid«, schlucke ich. »Entschuldigung. Es ist nur ... Es war so ein Schreck.«

»Macht doch nichts«, sagt Aidan mitleidig. »Das ist doch ganz normal.« Er schüttelt den Kopf. »Ich verstehe ja nicht viel vom Geschäft, aber es kommt mir so vor, als würden diese Typen es nicht ganz nach oben schaffen, ohne dabei über ein paar Leute zu trampeln. Um so erfolgreich zu sein, muss man über Leichen gehen.« Er macht eine Pause und sieht mich an, wie ich einigermaßen erfolglos versuche, mit dem Weinen aufzuhören. »Emma, darf ich dir einen Rat geben?«

»Was?« Ich sehe auf und reibe mir die Augen.

»Reagier dich beim Kickboxen ab. Nutze deine Wut. *Nutze den Schmerz.*«

Ich starre ihn ungläubig an. Hat er nicht *zugehört*?

»Aidan, ich *kickboxe* doch gar nicht!«, höre ich mich schrill keifen. »Ich kickboxe nicht, okay? Und das habe ich auch nie gemacht!«

»Nicht?« Er sieht verwirrt aus. »Aber du hast doch gesagt …«

»Das war gelogen!«

Es entsteht eine kleine Pause.

»Na ja«, sagt Aidan schließlich. »Tja … macht ja nichts. Du könntest ja auch etwas weniger Heftiges ausprobieren. Tai Chi vielleicht …« Er sieht mich verunsichert an. »Sag mal, willst du was trinken? Etwas Beruhigendes? Ich könnte dir einen Mango-Banane machen mit ein paar Kamillenblüten und vielleicht ein bisschen Muskat.«

»Nein, danke.« Ich putze mir die Nase, atme tief durch und nehme dann meine Tasche. »Ich glaube, ich gehe einfach nach Hause.«

»Geht's denn wieder?«

»Ja, wird schon gehen.« Ich zwinge mich zu einem Lächeln. »Alles okay.«

Aber das ist natürlich auch gelogen. Nichts ist okay. In der U-Bahn nach Hause laufen mir Tränen übers Gesicht, eine nach der anderen, und große Tropfen landen auf meiner Jeans. Die Leute glotzen mich an, aber das ist mir egal. Warum sollte es mich kümmern? Ich bin bereits so gedemütigt, wie es nur geht; da machen noch ein paar Leute mehr, die mich anstarren, auch nichts mehr.

Ich fühle mich so idiotisch. So *idiotisch*.

Natürlich waren wir nicht seelenverwandt. Natürlich hat er sich nicht ernsthaft für mich interessiert. Natürlich hat er mich nicht geliebt.

Erneut durchzuckt mich der Schmerz, und ich suche ein Taschentuch.

»Machen Sie sich nichts draus, Schätzchen!«, sagt eine stattliche Dame links neben mir in einem voluminösen, mit Ananas bedruckten Kleid. »Er ist es nicht wert! Fahren Sie erst mal schön nach Hause, waschen sich das Gesicht und trinken eine schöne Tasse Tee …«

»Woher wissen Sie denn, dass sie wegen einem Mann weint?«, mischt sich eine Frau im dunklen Kostüm aggressiv ein. »Was für eine klischeehafte, un-feministische Einstellung ist das denn? Sie kann genauso gut über irgendwas anderes weinen! Ein Musikstück, eine Gedichtzeile, den Hunger in der Welt, die politische Situation im Nahen Osten.« Sie sieht mich erwartungsvoll an.

»Ehrlich gesagt ist es ein Mann«, gebe ich zu.

Die U-Bahn hält, die Frau im dunklen Kostüm verdreht die Augen und steigt aus. Die Ananasdame verdreht ebenfalls die Augen.

»Der Hunger in der Welt!«, sagt sie verächtlich, und ich kann nicht anders, ich muss ein bisschen kichern. »Nehmen Sie es nicht so tragisch, Liebes.« Sie tätschelt mir tröstend die Schulter, als ich mir die Augen abtupfe. »Trinken Sie eine Tasse Tee, essen Sie ein paar schöne Schokoladenkekse, und halten Sie ein Schwätzchen mit Ihrer Mum. Sie haben doch noch eine Mutter, oder?«

»Ehrlich gesagt, wir sprechen im Moment nicht miteinander«, gestehe ich.

»Na ja, dann Ihr Vater?«

Schweigend schüttele ich den Kopf.

»Und … Ihre beste Freundin? Sie müssen doch eine beste Freundin haben!« Die Ananasdame lächelt mich tröstend an.

»Ja, ich habe eine beste Freundin«, ich schlucke. »Sie ist gerade im Fernsehen darüber in Kenntnis gesetzt worden, dass ich geheime lesbische Fantasien über sie hatte.«

Die Ananasdame starrt mich einige Augenblicke lang wortlos an.

»Trinken Sie eine Tasse Tee«, sagt sie schließlich, etwas weniger überzeugt. »Und … viel Glück.«

Von der U-Bahn-Station nach Hause gehe ich sehr langsam. An der Ecke bleibe ich stehen, putze mir die Nase und atme ein paar Mal tief ein. Der Schmerz in der Brust hat etwas nachgelassen, an seiner Stelle spüre ich jetzt zitternde, flatternde Nervosität.

Wie kann ich nach dem, was Jack im Fernsehen gesagt hat, Lissy unter die Augen treten? Wie?

Ich kenne Lissy schon lange. Und ich habe mich schon oft genug vor ihr geschämt. Aber das hier schlägt alles.

Das ist schlimmer, als im Badezimmer ihrer Eltern zu kotzen. Es ist schlimmer, als von ihr erwischt zu werden, wie ich mein Spiegelbild küsse und mit sexy Stimme »ooh, Baby« sage. Es ist sogar schlimmer, als beim Schreiben einer Valentinstagskarte an unseren Mathelehrer Mr. Blake überrascht zu werden.

Wider besseres Wissen hoffe ich, dass sie sich plötzlich entschieden hat, auszugehen. Aber als ich die Wohnungstür öffne, ist sie da, sie kommt aus der Küche in den Flur. Und als sie mich ansieht, spüre ich es sofort. Sie ist völlig durcheinander.

Das war es dann wohl. Jack hat mich nicht nur betrogen. Er hat außerdem meine beste Freundschaft zerstört. Zwischen Lissy und mir wird es nie wieder so sein, wie es war. Wie in *Harry und Sally*. Sex ist der Beziehung im Weg, und wir können jetzt nicht mehr befreundet sein, weil wir miteinander ins Bett wollen.

Nein. Streichen. Wir wollen nicht miteinander ins Bett. Wir wollen nur … Nein, es geht darum, wir wollen *nicht* …

Egal. Wie auch immer. Es ist nicht gut.

»Oh!«, sagt sie und starrt zu Boden. »Ui! Äh … hi, Emma!«

»Hi!«, antworte ich mit erstickter Stimme. »Ich dachte, ich komme besser nach Hause. Im Büro war es einfach zu … zu schrecklich …«

Ich verstumme, und ein paar Sekunden lang herrscht unerträgliches, quälendes Schweigen.

»Also … dann hast du es wohl gesehen«, sage ich schließlich.

»Ja, ich habe es gesehen«, sagt Lissy und starrt immer noch zu Boden. »Und ich …« Sie räuspert sich. »Ich wollte nur sagen, dass … dass ich ausziehe, wenn du willst.«

Ich spüre einen Kloß im Hals. Ich wusste es. Nach einundzwanzig Jahren ist unsere Freundschaft vorüber. Ein winziges Geheimnis kommt ans Licht – und das ist das Ende von allem.

»Ist schon okay«, sage ich und versuche, nicht in Tränen auszubrechen. »Ich ziehe aus.«

»Nein!«, sagt Lissy betreten. »*Ich* ziehe aus. Du kannst ja schließlich nichts dafür, Emma. Ich war es doch, die … dich gereizt hat.«

»Was?« Ich starre sie an. »Lissy, du hast mich doch nicht gereizt!«

»Natürlich habe ich das.« Sie wirkt ganz zerknirscht. »Ich fühle mich schrecklich. Ich hatte einfach keine Ahnung, dass du … solche Gefühle hast.«

»Habe ich doch gar nicht!«

»Mir wird das jetzt erst alles klar! Ich bin hier immer halb nackt rumgelaufen, kein Wunder, dass du frustriert warst!«

»Ich war nicht frustriert«, sage ich schnell. »Lissy, ich bin nicht lesbisch.«

»Dann eben bi. Oder multi-orientiert. Wie auch immer man es nennt.«

»Ich bin auch nicht bi! Oder multi-irgendwas.«

»Emma, bitte!« Lissy ergreift meine Hand. »Du solltest dich nicht für deine Sexualität schämen. Und ich verspreche dir, ich unterstütze dich, egal, wie du dich entscheidest …«

»Lissy, ich bin nicht bisexuell!«, heule ich los. »Ich brauche keine Unterstützung! Es war nur ein einziger Traum, klar? Es war keine Fantasie, sondern nur ein seltsamer Traum, den ich gar nicht haben wollte, und das heißt überhaupt nicht, dass ich lesbisch bin, und es heißt nicht, dass ich auf dich stehe, und es hat überhaupt gar nichts zu bedeuten.«

»Oh.« Wir schweigen. Lissy wirkt betroffen. »Ach so. Ich dachte, es wäre eine … eine … du weißt schon.« Sie räuspert sich. »Dass du …«

»Nein! Ich habe nur geträumt. Nur einen einzigen, dämlichen Traum.«

»Oh. Aha.«

Es entsteht eine lange Pause, in der Lissy intensiv ihre Fingernägel betrachtet und ich die Schnalle meiner Uhr studiere.

»Und haben wir da so richtig …«, fragt Lissy schließlich.

Oh Gott.

»Irgendwie schon«, gebe ich zu.

»Und … war ich gut?«

»Was?« Ich starre sie an.

»In dem Traum.« Sie sieht mich mit knallroten Wangen direkt an. »War ich gut?«

»Lissy …«, sage ich und ziehe ein gequältes Gesicht.

»Ich war miserabel, oder? Ich war miserabel! Ich wusste es.«

»Nein, natürlich warst du nicht miserabel!«, rufe ich. »Du warst … du warst wirklich …«

Ich fasse es nicht, dass ich tatsächlich über die sexuellen Fähigkeiten meiner besten Freundin als geträumte Lesbe rede.

»Hör mal, können wir das Thema nicht einfach fallen lassen? Der ganze Tag war schon peinlich genug.«

»Oh. O Gott, ja«, sagt Lissy plötzlich reuig. »Tut mir Leid, Emma. Du musst dich ja wirklich …«

»… total und komplett verletzt und betrogen fühlen?« Ich versuche zu lächeln. »Das trifft es ganz gut.«

»Hat es denn im Büro irgendwer gesehen?«, fragt Lissy mitleidig.

»Ob es irgendwer im Büro *gesehen* hat?« Ich drehe mich um. »Lissy, *alle* haben es gesehen. Und alle wussten, dass es um mich ging. Und alle haben mich ausgelacht, und ich wollte mich am liebsten einfach zusammenrollen und *sterben* …«

»O Gott«, sagt Lissy bekümmert. »Echt?«

»Es war *furchtbar*.« Ich schließe die Augen, als mich wieder eine Welle der Schmach durchflutet. »Ich habe mich in meinem ganzen Leben noch nicht so geschämt. Ich habe mich noch nie so … exponiert gefühlt. Die ganze Welt weiß jetzt, dass ich Strings unbequem finde und gar nicht kickboxe und Dickens nicht gelesen habe.« Meine Stimme wird immer wackliger, und plötzlich muss ich ohne Vorwarnung laut schluchzen. »O Gott, Lissy. Du hattest Recht. Ich bin die letzte … *Idiotin*. Er hat mich nur benutzt, von Anfang an. Er hat sich nicht wirklich für mich interessiert. Ich war nur ein … Marktforschungsobjekt.«

»Das weißt du doch gar nicht!«, sagt sie bestürzt.

»Doch! Natürlich weiß ich das. Deswegen war er von mir fasziniert. Deswegen fand er alles so spannend, was ich gesagt habe. Nicht, weil er mich geliebt hat. Sondern weil er gemerkt hat, dass seine Zielkundin direkt neben ihm saß. Die ganz gewöhnliche Ottonormalverbraucherin, mit der er normalerweise nicht seine Zeit verschwenden würde.« Wieder muss ich schluchzen. »Ich meine, das hat er doch im Fernsehen so gesagt, oder? Dass ich nichts Besonderes bin.«

»Das ist doch Quatsch«, sagt Lissy entschlossen. »Du bist *nicht* nichts Besonderes!«

»Doch! Genau das bin ich. Ich bin ein ganz gewöhnliches Nichts. Und ich war so blöd, ich habe ihm alles geglaubt. Ich habe ernsthaft gedacht, Jack liebt mich. Also, vielleicht nicht wirklich lieben.« Ich merke, dass ich rot werde. »Aber ... du weißt schon. Dass er für mich empfindet, was ich für ihn empfinde.«

»Ich weiß.« Lissy sieht aus, als würde sie auch gleich anfangen zu heulen. »Ich weiß doch, wie es dir ging.« Sie beugt sich zu mir und nimmt mich fest in den Arm.

Plötzlich rückt sie verlegen von mir ab. »Das ist dir doch nicht unangenehm, oder? Ich meine, es ... macht dich nicht an oder so ...«

»Lissy, zum letzten Mal, ich bin nicht lesbisch!«, schreie ich verärgert.

»Okay!«, sagt sie schnell. »Okay. Tut mir Leid.« Sie drückt mich noch einmal und steht dann auf. »Komm«, sagt sie. »Du brauchst was zu trinken.«

Wir gehen auf den winzigen, überwachsenen Balkon, den der Vermieter vor unserem Einzug als »geräumige Dachterrasse« beschrieben hatte, und trinken auf dem sonnigen Fleckchen den Schnaps, den Lissy letztes Jahr zollfrei gekauft hat. Jeder Schluck brennt unerträglich im Mund, schickt aber fünf Minuten später eine wunderbare, tröstliche Wärme durch meinen ganzen Körper.

»Ich hätte es wissen müssen«, sage ich und starre in mein Glas. »Ich hätte wissen müssen, dass so ein hochwichtiger Millionär sich nicht im Ernst für ein Mädchen wie mich interessiert.«

»Ich kann es gar nicht fassen«, sagt Lissy und seufzt zum tausendsten Mal. »Ich kann es nicht fassen, dass das alles nur Show war. Es war doch so *romantisch*. Dass er es sich anders überlegt hat und nicht nach Amerika zurückgeflogen ist … und das mit dem Bus … und mit dem pinkfarbenen Cocktail …«

»Das ist es ja.« Ich spüre schon wieder die Tränen aufsteigen und blinzle sie entschlossen weg. »Deswegen tut es ja so weh. Er kannte meine Wünsche genau. Ich habe ihm im Flieger erzählt, dass Connor mich langweilt. Er wusste, dass ich etwas Aufregendes und Faszinierendes und eine große Romanze wollte. Er hat mich einfach mit allem gefüttert, von dem er wusste, dass ich drauf stehe. Und ich habe ihm geglaubt – weil ich ihm glauben wollte.«

»Glaubst du echt, dass das alles so geplant war?« Lissy beißt sich auf die Lippen.

»Klar war das geplant«, sage ich unter Tränen. »Er ist mir absichtlich gefolgt, hat alles beobachtet, was ich getan habe, er wollte in mein Leben eindringen! Überleg doch mal, wie er hier in meinem Zimmer rumgeschnüffelt hat. Kein Wunder, dass er mir so scheißinteressiert vorkam. Wahrscheinlich hat er sich die ganze Zeit Notizen gemacht. Womöglich hatte er sogar ein Diktiergerät in der Tasche. Und ich hab ihn … einfach eingeladen.« Ich trinke einen großen Schluck Schnaps und schüttele mich. »Ich werde nie wieder einem Mann vertrauen. Nie wieder.«

»Aber er kam mir so nett vor!«, sagt Lissy trübselig. »Ich kann kaum glauben, dass er so berechnend sein soll.«

»Lissy …« Ich sehe auf. »In Wahrheit ist es wohl so, dass ein Mann wie er gar nicht erst so weit kommt, wenn er nicht rücksichtslos ist und über Leichen geht. Das geht einfach nicht.«

»Meinst du?« Sie starrt mich mit zusammengezogenen Brauen an. »Vielleicht hast du Recht. Gott, wie frustrierend.«

»Ist das Emma?«, ertönt eine schneidende Stimme, und auf dem Balkon erscheint Jemima im weißen Morgenrock und mit Gesichtsmaske, mit wütend verengten Augen. »Also!

Fräulein Ich-borge-mir-nie-deine-Klamotten! Was hast du über meine Prada-Slingpumps zu sagen?«

O Gott. Jetzt brauche ich es auch nicht mehr zu leugnen, oder?

»Sie sind ganz schön spitz und unbequem?«, sage ich schulterzuckend und Jemima schnappt nach Luft.

»Ich wusste es! Ich hab's die ganze Zeit gewusst. Du leihst dir *doch* meine Sachen! Was ist mit meinem Joseph-Pulli? Und der Gucci-Tasche?«

»*Welche* Gucci-Tasche?«, schieße ich patzig zurück.

Für einen Moment verschlägt es Jemima die Sprache.

»Alle!«, sagt sie schließlich. »Weißt du eigentlich, dass ich dich dafür verklagen könnte? Ich könnte dich bis aufs Hemd ausziehen!« Sie schwenkt ein Blatt Papier. »Ich habe hier eine Liste mit Kleidungsstücken, von denen ich überzeugt bin, dass sie in den letzten drei Monaten jemand anderes als ich getragen hat …«

»Ach, halt doch den Rand mit deinen blöden Klamotten«, sagt Lissy. »Emma ist total fertig. Der Mann, von dem sie dachte, dass er sie liebt, hat sie komplett betrogen und verletzt.«

»Ach, was für eine Überraschung, ich falle gleich in Ohnmacht vor Schreck«, sagt Jemima scharf. »Hätte ich dir gleich sagen können, dass es so kommt. Ich *habe* es dir doch gesagt! Man darf einem Mann nie alles über sich erzählen, das gibt nur Ärger. Ich habe dich ja gewarnt.«

»Du hast gesagt, so würde sie keinen Diamanten an den Finger kriegen!«, schreit Lissy. »Du hast nicht gesagt, dass er im Fernsehen aufläuft und der ganzen Nation all ihre Geheimnisse erzählt. Echt, Jemima, du könntest ein bisschen mehr Mitleid haben.«

»Nein, Lissy, sie hat doch Recht«, sage ich elend. »Sie hatte die ganze Zeit völlig Recht. Wenn ich einfach meine blöde Klappe gehalten hätte, wäre das alles nicht passiert.«

Ich greife nach der Schnapsflasche und schenke mir verdrossen noch ein Glas ein. »Beziehungen *sind* Schlachten. Sie *sind* wie Schachspiele. Und was habe ich getan? Ich habe einfach sämtliche Spielfiguren auf einmal auf das Brett geworfen und gesagt: ›Hier, kannst du alle haben!‹« Ich trinke einen Schluck. »Männer und Frauen sollten sich tatsächlich einfach gar nichts erzählen. *Nichts.*«

»Da hast du so was von Recht«, sagt Jemima. »Ich habe vor, meinem zukünftigen Mann einmal so wenig wie möglich …« Sie bricht ab, als das schnurlose Telefon in ihrer Hand klingelt.

»Hi«, sagt sie. »Camilla? Oh. Äh … Okay. Einen Moment bitte.«

Sie legt die Hand über die Muschel und sieht mich mit großen Augen an. »Es ist Jack!«, sagt sie mit lautlosen Lippenbewegungen.

Ich starre völlig schockiert zurück.

Irgendwie hatte ich schon vergessen, dass Jack im wirklichen Leben existiert. Ich sehe nur dieses Gesicht auf dem Bildschirm vor mir, das lächelt und nickt und mich langsam aufs Schafott führt.

»Sag ihm, dass Emma nicht mit ihm sprechen will!«, zischt Lissy.

»Nein! Sie *soll* mit ihm sprechen«, zischt Jemima zurück. »Sonst glaubt er, er hat gewonnen.«

»Aber bestimmt …«

»Gib her«, sage ich und reiße Jemima mit klopfendem Herzen das Telefon aus der Hand. »Hi«, sage ich so schroff ich kann.

»Emma, ich bin's«, kommt Jacks vertraute Stimme, und ohne Vorwarnung wallen in mir die Gefühle auf und überwältigen mich fast. Ich möchte weinen. Ich möchte ihn schlagen, ihm wehtun …

Aber irgendwie halte ich mich unter Kontrolle.

»Ich will nie wieder mit dir sprechen«, sage ich. Heftig atmend lege ich auf.

»Das war gut!«, sagt Lissy.

Einen Moment darauf klingelt es wieder.

»Bitte, Emma«, sagt Jack, »hör mir einen Moment zu. Ich kann mir ja denken, dass du sauer bist. Aber lass es mich erklären …«

»Hast du mich nicht verstanden?«, schreie ich mit rotem Gesicht. »Du hast mich benutzt, und du hast mich gedemütigt, und ich will nie wieder mit dir sprechen oder dich sehen oder hören oder … oder …«

»Schmecken«, zischt Jemima und nickt mir aufmunternd zu.

»… oder dich anfassen. Nie wieder. Nie.« Ich lege auf, marschiere in die Wohnung und reiße das Kabel aus der Wand. Dann hole ich mit zitternden Fingern mein Handy aus der Tasche und schalte es in ebenjenem Moment aus, als es zu klingeln beginnt.

Als ich auf den Balkon zurückkehre, zittere ich immer noch vor Schreck. Ich kann nicht glauben, dass es so enden musste. An einem einzigen Tag hat sich meine ganze perfekte Romanze in Nichts aufgelöst.

»Alles klar?«, fragt Lissy besorgt.

»Alles klar. Glaube ich.« Ich sinke auf einen Stuhl. »Ein bisschen zittrig.«

»So, Emma«, sagt Jemima und studiert ihre Nagelhaut. »Ich will ja nicht drängen. Aber du weißt schon, was du jetzt zu tun hast?«

»Was?«

»Dich rächen!« Sie sieht auf und nagelt mich mit einem entschlossenen Blick fest. »Das muss er dir büßen.«

»Och nö.« Lissy verzieht das Gesicht. »Ist Rache nicht ein

bisschen würdelos? Lässt man ihn nicht besser einfach links liegen?«

»Wofür soll denn Linksliegenlassen gut sein?«, gibt Jemima zurück. »Kann man ihm durch Linksliegenlassen eine Lektion erteilen? Wird er sich dann wünschen, er wäre dir nie begegnet?«

»Emma und ich haben uns schon immer um moralisches Handeln bemüht«, sagt Lissy bestimmt. »›Gut zu leben ist die beste Rache.‹ George Herbert.«

Jemima starrt sie ein paar Sekunden lang verdattert an.

»Na ja, egal«, sagt sie dann und wendet sich wieder mir zu. »Ich helfe dir gerne. Rache ist nämlich eine meiner Spezialitäten, wenn ich das mal so sagen darf ...«

Ich weiche Lissys Blick aus.

»Woran hast du denn gedacht?«

»Auto zerkratzen, Anzüge schreddern, Fisch in seine Vorhänge nähen und darauf warten, dass er vergammelt ...«, rattert Jemima los, als rezitierte sie ein Gedicht.

»Hast du das im Mädchenpensionat gelernt?«, fragt Lissy und verdreht die Augen.

»Ich denke nur *feministisch*«, gibt Jemima zurück. »Wir Frauen müssen für unsere Rechte kämpfen. Wisst ihr, bevor meine Mummy meinen Vater geheiratet hat, war sie mit so einem Wissenschaftler zusammen, der sie einfach sitzen gelassen hat. Er hat es sich drei Wochen vor der Hochzeit anders überlegt, könnt ihr euch das vorstellen? Also ist sie eines Abends in sein Labor eingestiegen und hat sämtliche Stecker aus seinen bescheuerten Geräten gezogen. Seine ganze Forschungsarbeit war dahin! Sie sagt immer, da hat sie es Emerson mal so richtig gezeigt!«

»Emerson?«, sagt Lissy und starrt sie ungläubig an. »Etwa ... Emerson Davies?«

»Genau! Davies.«

»Emerson Davies, der kurz davor war, ein Mittel gegen Pocken zu entwickeln?«

»Na ja, er hätte halt nicht so mit Mummy umspringen dürfen, oder?«, sagt Jemima und hebt trotzig das Kinn. Sie dreht sich zu mir. »Ein anderer Tipp von Mummy ist Chiliöl. Du sorgst irgendwie dafür, dass du noch mal Sex mit dem Typen hast, und sagst: ›Wie wär's mit ein bisschen Massageöl?‹ Und dann reibst du das Öl in seinen … weißt schon.« Ihre Augen leuchten. »Das tut ihm da weh, wo es richtig wehtut!«

»Das hast du von deiner *Mutter*?«, fragt Lissy.

»Ja«, sagt Jemima. »Das war eigentlich ziemlich süß. An meinem achtzehnten Geburtstag hat sie sich mit mir hingesetzt und gesagt, sie müsse mal mit mir über Männer und Frauen sprechen …«

Lissy starrt sie ungläubig an.

»Und dann hat sie dir gesagt, du sollst Männern Chiliöl in die Genitalien reiben?«

»Nur, wenn sie einen schlecht behandeln«, sagt Jemima genervt. »Was hast du denn für ein *Problem*, Lissy? Findest du, man soll es den Typen durchgehen lassen, dass sie einem auf der Nase rumtanzen? Großer Durchbruch für den Feminismus.«

»Das meine ich ja gar nicht«, sagt Lissy. »Ich würde mich nur nicht gerade mit … Chiliöl rächen!«

»Ach, und wie dann, Schlaumeier?«, sagt Jemima und stemmt die Hand in die Hüfte.

»Okay«, sagt Lissy. »*Wenn* ich jemals so tief sinken und mich rächen würde, was ich nie tun würde, weil ich persönlich finde, dass das ein großer Fehler ist …« Sie holt Luft. »Dann würde ich es ihm mit gleicher Münze heimzahlen. Ich würde eins *seiner* Geheimnisse ausplaudern.«

»Ehrlich gesagt … das ist ziemlich gut«, sagt Jemima widerwillig.

»*Ihn* verletzen«, bekräftigt Lissy. »*Ihn* bloßstellen. Mal sehen, wie ihm das gefällt.«

Sie drehen sich beide zu mir um und sehen mich erwartungsvoll an.

»Aber ich kenne kein Geheimnis von ihm«, sage ich.

»Doch, bestimmt!«, sagt Jemima.

»Natürlich weißt du was!«

»Tu ich nicht«, sage ich und fühle mich schon wieder gedemütigt. »Lissy, du hattest die ganze Zeit Recht. Unsere Beziehung war komplett einseitig. Ich habe ihm all meine Geheimnisse erzählt – aber er mir kein einziges. Er hat mir überhaupt nichts erzählt. Wir waren nicht seelenverwandt. Ich war einfach eine total bescheuerte Kuh.«

»Emma, du warst nicht bescheuert«, sagt Lissy und legt beschwichtigend ihre Hand auf meine. »Du warst nur vertrauensselig.«

»Vertrauensselig oder bescheuert – ist doch das Gleiche.«

»Du musst doch *irgendwas* wissen!«, sagt Jemima. »Du hast mit ihm geschlafen, verdammt! Er muss doch ein Geheimnis haben. Irgendeinen wunden Punkt.«

»Eine Achillesferse«, fügt Lissy hinzu, und Jemima sieht sie verständnislos an.

»Es muss nichts mit seinen Füßen zu tun haben«, sagt sie und sieht mich mit einem »Lissy kapiert's nicht«-Gesicht an. »Es kann alles Mögliche sein. Irgendwas. Denk doch mal nach!«

Ich schließe gehorsam die Augen und denke zurück. Aber in meinem Kopf wirbelt der Schnaps. Geheimnisse … Jacks Geheimnisse … nachdenken …

Schottland. Plötzlich wandert doch ein zusammenhängender Gedanke durch mein Gehirn. Ich öffne die Augen und meine Stimmung hebt sich. Ich kenne wohl eins seiner Geheimnisse! Jawoll!

»Was?«, fragt Jemima eifrig. »Ist dir was eingefallen?«

»Er …« Ich breche ab, hin- und hergerissen.

Ich habe Jack etwas versprochen. Ich habe es versprochen.

Andererseits – na und? Was kümmert mich das? In mir kochen wieder die Emotionen hoch. Warum zum Teufel sollte ich mich an mein blödes Versprechen halten? Er hat meine Geheimnisse schließlich auch nicht für sich behalten!

»Er war in Schottland!«, sage ich triumphierend. »Als wir uns nach dem Flug das erste Mal gesehen haben, hat er mich gebeten, es geheim zu halten, dass er in Schottland war.«

»Warum das denn?«, fragt Lissy.

»Keine Ahnung.«

»Was hat er denn in Schottland gemacht?«, will Jemima wissen.

»Keine Ahnung.«

Pause.

»Hmm«, sagt Jemima freundlich. »Das ist jetzt kein so *irrsinnig* peinliches Geheimnis, oder? Ich meine, in Schottland leben jede Menge tolle Leute. Hast du nichts Besseres? So was wie … trägt er vielleicht eine Brusthaarperücke?«

»Eine Brusthaarperücke!« Lissy prustet los. »Oder ein Toupet!«

»Natürlich trägt er keine Brusthaarperücke. Auch kein Toupet«, gebe ich entrüstet zurück. Die glauben doch wohl nicht im Ernst, dass ich mit einem *Toupetträger* ausgehe?

»Na ja, dann musst du dir halt etwas ausdenken«, sagt Jemima. »Weißt du, vor der Affäre mit dem Wissenschaftler ist Mummy von so einem Politiker sehr schlecht behandelt worden. Also hat sie im Unterhaus das Gerücht gestreut, er hätte Bestechungsgelder von der Kommunistischen Partei angenommen. Sie sagt immer, da hat sie es Dennis mal so richtig gezeigt!«

»Doch nicht … Dennis Llewellyn?«, fragt Lissy.

»Äh, genau, ich glaube, der war es.«

»Der in Ungnade gefallene Innenminister?« Lissy sieht erschüttert aus. »Der, der sein ganzes Leben lang versucht hat, seinen Namen reinzuwaschen, und der schließlich in einer psychiatrischen Klinik gelandet ist?«

»Na ja, er hätte halt nicht so mit Mummy umspringen dürfen, oder?«, sagt Jemima und reckt das Kinn vor. In ihrer Tasche geht ein Pieper los. »Zeit fürs Fußbad!«

Als sie im Haus verschwindet, verdreht Lissy die Augen.

»Die hat doch einen Knall«, sagt sie, »aber volle Kanne. Emma, du denkst dir *nichts* über Jack Harper aus.«

»Ich denke mir doch nichts aus!«, sage ich beleidigt. »Was glaubst du denn, wer ich bin? Sowieso.« Ich starre in den Schnaps und merke, wie mein Hochgefühl verfliegt. »Das ist doch totaler Blödsinn. Ich könnte mich nie an Jack rächen. Ich könnte ihm nie wehtun. Er *hat* einfach keine Schwachpunkte. Er ist ein großer, mächtiger Millionär.« Untröstlich trinke ich noch einen Schluck Schnaps. »Und ich bin nur ein gewöhnliches … beschissenes … ordinäres … Nichts.«

21

Am nächsten Morgen wache ich krank vor Angst auf. Ich fühle mich wie eine Sechsjährige, die nicht zur Schule will. Eine Sechsjährige mit einem ausgewachsenen Kater wohlgemerkt.

»Ich kann da nicht hingehen«, sage ich, als es 8.30 Uhr ist. »Ich kann denen nicht unter die Augen treten.«

»Doch, kannst du«, sagt Lissy aufmunternd und knöpft mir die Jacke zu. »Es wird schon gehen. Kopf hoch.«

»Und wenn sie eklig zu mir sind?«

»Sie sind nicht eklig zu dir. Sie sind doch deine Freunde. Und überhaupt haben sie das Ganze inzwischen bestimmt längst vergessen.«

»Bestimmt nicht! Kann ich nicht bei dir zu Hause bleiben?«

Ich greife flehentlich nach ihrer Hand. »Ich bin auch ganz brav. Versprochen.«

»Emma, ich habe es dir doch erzählt«, sagt Lissy geduldig. »Ich muss heute zum Gericht.«

Sie löst meine Hand aus ihrer. »Aber ich bin hier, wenn du nach Hause kommst. Und dann machen wir uns ein richtig schönes Abendessen, okay?«

»Okay«, piepse ich. »Können wir Schokoladeneis essen?«

»Klar«, sagt Lissy und macht die Wohnungstür auf. »Na los. Wird schon schief gehen.«

Ich fühle mich wie ein Hund, den man vor die Tür gejagt hat, gehe die Treppe hinunter und öffne die Haustür. Als ich gerade aus dem Haus trete, fährt ein Lieferwagen vor. Ein blau uniformierter Mann steigt mit dem größten Blumenstrauß im Arm aus, den ich je gesehen habe, mit dunkelgrünen Bändern gebunden, und schielt auf unsere Hausnummer.

»Hallo«, sagt er, »ich suche eine Emma Corrigan.«

»Das bin ich!«, sage ich überrascht.

»Aha!« Er lächelt und reicht mir einen Stift und ein Klemmbrett. »Heute ist Ihr Glückstag. Wenn Sie bitte hier unterschreiben würden …«

Ungläubig glotze ich den Strauß an. Rosen, Freesien, ganz wunderbare, große lila Blüten … herrliche dunkelrote, wie Pompoms … dunkelgrüne Wedel … blassgrüne, spargelartige Dinger …

Okay, ich weiß vielleicht nicht, wie sie heißen. Aber eins weiß ich: Diese Blumen waren teuer.

Die kann nur einer geschickt haben.

»Warten Sie mal«, sage ich, ohne den Stift anzunehmen. »Ich will erst sehen, von wem sie sind.«

Ich greife nach der Karte, reiße den Umschlag auf und lasse den Blick über den langen Text gleiten, ohne ihn zu lesen, bis ich beim Namen am Ende angelangt bin.

Jack.

Ich bin plötzlich aufgewühlt. Nach allem, was er mir angetan hat, glaubt Jack, er könnte es mit einem schäbigen Blumenstrauß wieder hinbiegen? Na gut, mit einem riesigen Luxusblumenstrauß. Aber darum geht es ja nicht.

»Ich will sie nicht, danke«, sage ich und hebe das Kinn an.

»Sie *wollen* sie nicht?« Der Lieferant starrt mich an.

»Nein. Sagen Sie dem Absender danke, aber nein, danke.«

»Was ist denn hier los?«, kommt eine atemlose Stimme von der Seite. Lissy glotzt den Strauß an. »Ach du lieber Gott. Sind die von Jack?«

»Ja. Ich will sie aber nicht«, sage ich. »Bitte nehmen Sie sie wieder mit.«

»Moment!«, schreit Lissy und greift nach dem Zellophan. »Ich will nur mal dran riechen.« Sie vergräbt das Gesicht in den Blüten und atmet tief ein. »Wow! Das ist ja unglaublich! Emma, hast du daran gerochen?«

»Nein!«, sage ich böse. »Ich will auch nicht daran riechen.«

»So tolle Blumen habe ich überhaupt noch nie *gesehen*.« Sie sieht den Mann an. »Was passiert denn damit?«

»Keine Ahnung.« Er zuckt mit den Schultern. »Werden wohl weggeschmissen, nehme ich an.«

»Oje.« Sie wirft mir einen Seitenblick zu. »Was für eine Verschwendung.«

Moment mal. Sie wird doch nicht …

»Lissy, ich kann sie doch nicht *annehmen*!«, schreie ich. »Das kann ich nicht! Dann denkt er noch, das bedeutet, zwischen uns ist alles okay.«

»Ja, du hast ja Recht«, sagt Lissy widerstrebend. »Du musst sie wohl zurückschicken.« Sie berührt ein rosafarbenes, samtiges Rosenblatt. »Aber es ist schon schade …«

»Was zurückschicken?«, ertönt eine scharfe Stimme hinter mir. »Ihr macht wohl Witze, oder?«

298

Oh, um Himmels willen. Jemima ist nach draußen gekommen, immer noch im weißen Morgenmantel. »Die schickst du ja wohl nicht zurück!«, keift sie. »Ich gebe morgen Abend eine Dinnerparty. Dafür sind sie perfekt.« Sie greift nach dem Schildchen. »Smythe und Foxe! Weißt du, was die gekostet haben?«

»Mir doch egal, was sie gekostet haben!«, geifere ich zurück. »Sie sind von Jack! Ich kann sie unmöglich behalten.«

»Warum denn das nicht?«

Sie ist unglaublich.

»Weil … aus Prinzip. Wenn ich sie annehme, sage ich doch damit ›ich verzeihe dir‹.«

»Nicht unbedingt«, gibt Jemima zurück. »Es könnte auch heißen ›ich verzeihe dir nicht‹. Oder ›ich mache mir gar nicht erst die Mühe, deine beknackten Blumen zurückzuschicken, so wenig bedeutest du mir‹.«

Wir denken alle eine Weile schweigend darüber nach.

Denn es ist ja so, es *sind* einfach wundervolle Blumen.

»Also wollen Sie sie jetzt oder nicht?«, sagt der Lieferant.

»Ich …« O Gott, ich bin völlig durcheinander.

»Emma, das wirkt doch total schwach, wenn du sie zurückschickst«, sagt Jemima fest. »Es sieht aus, als könntest du es nicht ertragen, irgendeine Erinnerung an ihn im Haus zu haben. Aber wenn du sie behältst, signalisiert das ›Du bist mir scheißegal‹! Du bist standhaft! Du bist stark! Du bist …«

»O Gott, okay!«, sage ich, reiße dem Lieferanten den Stift aus der Hand. »Ich unterschreibe. Aber richten Sie ihm bitte aus, dass das *nicht* bedeutet, dass ich ihm verzeihe oder dass er kein zynischer, herzloser, verabscheuungswürdiger Mistkerl ist und des Weiteren, dass ich die Blumen, wenn Jemima nicht eine Dinnerparty hätte, sofort in den Müll schmeißen würde.« Als ich mit Unterschreiben fertig bin, habe ich einen roten Kopf und atme schwer und mache so heftig einen Punkt hinter meine Unterschrift, dass das Papier einreißt. »Können Sie sich das alles merken?«

Der Lieferant sieht mich entgeistert an.

»Junge Frau, ich arbeite nur im Lager!«

»Ich weiß was«, sagt Lissy plötzlich. Sie nimmt sich das Klemmbrett und schreibt deutlich in Druckbuchstaben OHNE ANERKENNUNG EINER RECHTSPFLICHT unter meinen Namen.

»Was bedeutet das?«, frage ich.

»Es bedeutet ›das verzeihe ich dir nie, du Schwein … aber die Blumen behalte ich trotzdem‹.«

»Und du wirst es ihm trotzdem noch heimzahlen«, fügt Jemima entschlossen hinzu.

Es ist einer dieser herrlich klaren, frischen Tage, an denen man das Gefühl hat, dass London wirklich die beste Stadt der Welt ist. Als ich von der U-Bahn-Station zum Büro gehe, hebt sich meine Stimmung ein wenig.

Vielleicht hat Lissy ja Recht. Vielleicht haben in der Firma längst alle diese Geschichte vergessen. Ich meine, man muss das doch im Verhältnis sehen. *So* eine große Sache war es ja auch nicht. *So* interessant war es nicht. Inzwischen macht bestimmt schon wieder irgendein anderer Tratsch die Runde. Bestimmt reden sie alle über … Fußball. Oder Politik oder so. Genau.

Ich öffne die Glastür zum Foyer mit einem kleinen Schuss Optimismus und gehe hocherhobenen Hauptes hinein.

»… Barbie-Bettwäsche!«, höre ich sofort von der anderen Seite des Marmors. Ein Typ aus der Buchhaltung unterhält sich mit einer Dame, die ein »Besucher«-Schild trägt und aufmerksam zuhört.

»… es die ganze Zeit mit Jack Harper getrieben?«, kommt eine Stimme von oben, wo ich eine Gruppe von Mädchen die Treppe hochgehen sehe.

»Mir tut vor allem Connor Leid«, antwortet eine. »Der Arme …«

»… so getan, als möge sie Jazz«, sagt wieder jemand anders, der aus dem Aufzug kommt. »Warum zum Teufel tut man denn so was?«

Okay. Also … dann haben sie es wohl doch nicht vergessen.

Mein hübscher Optimismus schwindet, und ich überlege einen Moment lang, abzuhauen und mir für den Rest meines Lebens die Decke über den Kopf zu ziehen.

Aber das kann ich nicht machen.

Zum einen würde mir das wahrscheinlich spätestens nach einer Woche langweilig werden.

Und zweitens … muss ich mich ihnen stellen. Ich muss.

Mit geballten Fäusten gehe ich langsam die Treppe hoch und den Gang entlang. Wenn ich an Leuten vorbeikomme, starren sie mich entweder unverhohlen an, oder sie tun so, als würden sie nicht gucken, gucken aber doch, und mindestens fünf Gespräche werden abrupt abgebrochen, als ich näher komme.

An der Tür zur Marketingabteilung atme ich tief ein und gehe hinein, wobei ich mich bemühe, so unbefangen wie möglich zu wirken.

»Hallo zusammen«, sage ich, ziehe die Jacke aus und hänge sie über den Stuhl.

»Emma!«, kreischt Artemis in sarkastischer Freude. »Wer hätte das gedacht!«

»Guten Morgen, Emma«, sagt Paul, der aus seinem Büro kommt und mich durchdringend ansieht. »Alles klar?«

»Ja, danke.«

»Möchten Sie über irgendetwas … reden?« Zu meiner Überraschung wirkt das ernst gemeint.

Aber mal ehrlich. Was glaubt der denn? Dass ich da reingehe und mich an seiner Schulter ausweine, »Jack Harper, der Mistkerl, hat mich nur benutzt«?

Dafür müsste ich schon so richtig, *richtig* verzweifelt sein.

»Nein«, sage ich mit brennendem Gesicht. »Danke, alles okay.«

»Gut.« Er macht eine kleine Pause, dann wird sein Tonfall geschäftlicher. »Ich nehme an, dass Sie gestern so plötzlich verschwunden sind, weil Sie zu Hause weiterarbeiten wollten.«

»Äh … ja.« Ich räuspere mich. »Das stimmt.«

»Da haben Sie bestimmt jede Menge dringende Arbeiten erledigt?«

»Äh … ja. Jede Menge.«

»Prima. Habe ich mir gedacht. Gut, dann machen Sie weiter. Und alle anderen«, Paul sieht sich warnend im Büro um, »denken daran, was ich gesagt habe.«

»Natürlich«, sagt Artemis wie aus der Pistole geschossen, »denken wir alle daran!«

Paul verschwindet wieder in seinem Büro, und ich sehe meinem Computer beim Hochfahren zu. Es wird schon gehen, sage ich mir. Ich konzentriere mich einfach auf die Arbeit, vertiefe mich völlig in …

Plötzlich merke ich, dass jemand eine Melodie summt, ziemlich laut. Ich kenne die Melodie. Das ist …

Es sind die Carpenters.

Und jetzt stimmen einige Kollegen in den Refrain ein.

»Close to yooooou …«

»Alles klar, Emma?«, fragt Nick, als mein Kopf misstrauisch hochruckt. »Brauchst du ein Taschentuch?«

»Close to yooooou …«, trällern alle unisono, und ich höre unterdrücktes Kichern.

Darauf reagiere ich doch gar nicht. Den Gefallen tue ich ihnen nicht. So ruhig wie möglich rufe ich meine E-Mails ab und kriege einen kleinen Schock. Normalerweise habe ich jeden Morgen etwa zehn Mails, wenn überhaupt. Heute sind es fünfundneunzig.

Dad: Ich möchte wirklich gern mit dir sprechen …
Carol: Ich habe schon zwei weitere Interessentinnen
         für unseren Barbie-Club!
Moira: Ich weiß, wo es wirklich bequeme Stringtangas
         gibt …
Sharon: Und, seit wann läuft das schon?!!
Fiona: Wg: Workshop Körperbewusstsein …

Ich scrolle die endlos lange Liste hinunter und spüre plötzlich
einen Stich im Herzen.

Da sind drei Mails von Jack.

Was soll ich tun?

Soll ich sie lesen?

Meine Hand schwebt unsicher über der Maus. Hat er nicht
wenigstens die Chance verdient, mir die Sache zu erklären?

»Ach ja, Emma«, sagt Artemis unschuldig und kommt mit
einer Tüte an meinen Tisch. »Ich habe hier einen Pulli, der dir
vielleicht gefällt. Er ist mir ein bisschen zu klein, aber er ist
wirklich hübsch. Und dir passt er bestimmt, er …«, sie macht
eine Pause und sieht zu Caroline hinüber, »… ist nämlich Größe sechsunddreißig.«

Beide brechen auf der Stelle in hysterisches Gekicher aus.

»Danke, Artemis«, sage ich barsch. »Sehr aufmerksam.«

»Ich gehe mal Kaffee holen«, sagt Fergus und steht auf.
»Will sonst noch jemand was?«

»Ich hätte gerne einen Harveys Bristol Cream«, sagt Nick
aufgekratzt.

»Haha«, murmle ich vor mich hin.

»Ach, Emma, was ich noch sagen wollte«, fügt er hinzu und
kommt zu mir geschlendert. »Diese neue Sekretärin in der
Verwaltung. Hast du sie schon gesehen? Hat was, oder?«

Er zwinkert mir zu, und ich starre ihn einen Moment lang
verständnislos an.

»Nette Igelfrisur«, fügt er an. »Süße Latzhose.«

»Halt die Klappe!«, fahre ich ihn mit knallrotem Kopf an. »Ich bin nicht ... ich bin nicht ... Lasst mich doch einfach alle in Ruhe!«

Mit vor Wut zitternden Fingern lösche ich schnell jede einzelne E-Mail von Jack. Er hat überhaupt nichts verdient. Keine Chance. Nichts.

Ich stehe auf und marschiere keuchend aus dem Büro. Ich gehe zur Damentoilette, knalle die Tür hinter mir zu und lehne mich mit der heißen Stirn an den Spiegel. In mir brodelt die Wut auf Jack Harper wie Lava. Hat er auch nur die leiseste Vorstellung, was ich durchmache? Hat er eine Ahnung, was er mir angetan hat?

»Emma!« Eine Stimme durchbricht meine Gedanken, und ich zucke zusammen. Ich ahne Schreckliches.

Katie ist unbemerkt in die Toilette gekommen. Sie steht mit dem Schminktäschchen in der Hand direkt hinter mir. Ich sehe ihr Gesicht im Spiegel direkt neben meinem ... und sie lächelt nicht. Wie in *Eine verhängnisvolle Affäre*.

»Also«, sagt sie in merkwürdigem Ton. »Du kannst Häkelsachen nicht leiden.«

O Gott. O Gott. Was habe ich getan? Ich habe Katies Kaninchen-Killer-Seite aufgedeckt, die bisher niemand bemerkt hat. Vielleicht spießt sie mich mit einer Häkelnadel auf, denke ich panisch.

»Katie«, sage ich mit klopfendem Herzen. »Katie bitte, hör zu. Ich wollte nicht ... ich habe nie gesagt ...«

»Emma, versuch es gar nicht erst.« Sie winkt ab. »Wir wissen doch beide, wie es ist.«

»Das stimmt gar nicht!«, sage ich schnell. »Er ist durcheinander gekommen! Ich habe gesagt, dass ich ... ähm ... keine Kleider mit *Häkchen* mag. Du weißt schon, immer diese Fummelei ...«

»Gestern war ich ziemlich sauer«, unterbricht Katie mich mit einem unheimlichen Lächeln. »Aber nach der Arbeit bin ich sofort nach Hause gefahren und habe Mum angerufen. Und weißt du, was sie gesagt hat?«

»Was?«, sage ich in dunkler Vorahnung.

»Sie hat gesagt … dass sie Gehäkeltes auch nicht leiden kann.«

»*Was*?« Ich wirble herum und starre sie an.

»Und meine Oma auch nicht.« Sie wird rot und sieht jetzt wieder wie die alte Katie aus. »Und meine ganzen anderen Verwandten auch nicht. Sie haben allesamt jahrelang nur so getan, genau wie du. Jetzt wird mir einiges klar!« Ihre Stimme wird ganz schrill vor Erregung. »Ich habe meiner Oma letztes Jahr zu Weihnachten einen ganzen Sofaüberwurf gehäkelt, und sie hat mir erzählt, er sei von Einbrechern gestohlen worden. Aber mal ehrlich, welcher Einbrecher klaut denn eine Häkeldecke?«

»Katie, ich weiß gar nicht, was ich sagen soll …«

»Emma, warum hast du mir das nicht früher gesagt? Die ganze Zeit. Immer habe ich blöde Geschenke gemacht, die keiner haben wollte.«

»O Gott, Katie, das tut mir Leid!«, sage ich voller Reue. »Es tut mir wirklich Leid. Ich wollte nur … ich wollte dir nicht wehtun.«

»Ich weiß, dass es gut gemeint war. Aber jetzt komme ich mir ganz schön blöd vor.«

»Ja. Na ja. Dann sind wir ja schon zwei«, sage ich, ein bisschen mürrisch.

Die Tür geht auf, und Wendy aus der Buchhaltung kommt rein. Es entsteht eine Pause, in der sie uns anstarrt, den Mund aufklappt, ihn wieder zuklappt und dann in einer der Kabinen verschwindet.

»Und, alles klar bei dir?«, tuschelt Katie.

»Alles klar«, sage ich schulterzuckend. »Weißt du …«

Yeah. Es ist alles so klar, dass ich mich lieber auf der Toilette verstecke, als zu meinen Kollegen zurückzugehen.

»Hast du schon mit Jack gesprochen?«, fragt sie zaghaft.

»Nein. Er hat mir einen dämlichen Blumenstrauß geschickt. Im Sinne von, ach, dann wird das schon okay sein. Wahrscheinlich hat er sie nicht mal selbst bestellt, wahrscheinlich hat er Sven damit beauftragt.«

Die Klospülung geht, und Wendy kommt aus der Kabine.

»Also … das ist der Mascara, von dem ich dir erzählt habe«, sagt Katie schnell und reicht mir ein Röhrchen.

»Danke«, sage ich. »Und du meinst, der … macht die Wimpern dichter *und* länger?«

Wendy verdreht die Augen.

»Ist schon okay«, sagt sie. »Ich höre nicht zu!« Sie wäscht sich die Hände, trocknet sie ab, und sieht mich dann gespannt an. »Und, Emma, bist du jetzt mit Jack Harper zusammen?«

»Nein«, sage ich brüsk. »Er hat mich benutzt und betrogen, und ehrlich gesagt wäre ich froh, wenn ich ihn in meinem ganzen Leben nicht mehr sehen müsste.«

»Oh, klar!«, sagt sie und strahlt. »Es ist nur, ich dachte bloß. Wenn du noch mal mit ihm sprichst, könntest du vielleicht erwähnen, dass ich gerne in die PR-Abteilung wechseln würde?«

»Was?« Ich fasse es nicht.

»Wenn du es einfach nur so beiläufig erwähnen könntest. Dass ich gute kommunikative Fähigkeiten habe und glaube, dass ich gut in die PR passen würde.«

Beiläufig erwähnen? Wie das denn, so wie »Ich will dich nie wieder sehen, Jack, und übrigens glaubt Wendy, sie wäre gut in PR«?

»Ich weiß nicht«, sage ich schließlich. »Ich glaube einfach nicht … dass ich das bringe.«

»Ach, das finde ich jetzt aber ganz schön egoistisch von dir«, sagt Wendy beleidigt. »Ich habe doch nur darum gebeten, falls das Thema gerade auftaucht, eben zu erwähnen, dass ich gerne in die PR wechseln würde. Nur erwähnen. Das ist doch wohl nicht so schwierig?«

»Wendy, verpiss dich!«, sagt Katie. »Lass Emma in Ruhe.«

»Ich hab doch nur *gefragt*!«, sagt Wendy. »Du hältst dich jetzt wohl für was Besseres, was?«

»Nein!«, schreie ich schockiert. »Das ist es doch gar nicht …« Aber Wendy ist schon abgerauscht.

»Na super«, sage ich mit plötzlich wackliger Stimme. »Ganz toll. Jetzt verabscheuen sie mich auch noch alle, auch das noch!«

Ich atme scharf aus und starre mein Spiegelbild an. Ich kann immer noch nicht ganz glauben, dass plötzlich alles ganz anders ist, so von jetzt auf gleich. Alles, woran ich geglaubt habe, hat sich als falsch erwiesen. Mein perfekter Mann hat mich hinterhältig benutzt. Mein romantischer Traum war ein Hirngespinst. Ich war glücklicher als je zuvor. Und jetzt bin ich eine dämliche, gedemütigte Lachnummer.

O Gott. Mir kommen schon wieder die Tränen.

»Geht's, Emma?«, fragt Katie und sieht mich besorgt an. »Hier hast du ein Taschentuch.« Sie wühlt in ihrem Schminktäschchen. »Und Augengel.«

»Danke«, sage ich und schlucke. Ich tupfe mir das Gel um die Augen und zwinge mich, tief zu atmen, bis ich mich wieder beruhigt habe.

»Ich finde dich ganz schön tapfer«, sagt Katie und sieht mich an. »Mich hat schon überrascht, dass du heute überhaupt gekommen bist. Mir wäre das *viel* zu peinlich gewesen.«

»Katie«, sage ich und drehe mich zu ihr um. »Gestern sind alle meine Geheimnisse im Fernsehen gesendet worden.« Ich breite die Arme aus. »Wie kann irgendwas noch peinlicher sein als das?«

»Hier bist du!«, kräht eine Stimme hinter uns, und Caroline platzt in die Toiletten. »Emma, deine Eltern sind da!«

Nein. Das glaube ich nicht. Das *glaube* ich einfach nicht.

Meine Eltern stehen neben meinem Schreibtisch. Dad trägt einen schicken grauen Anzug, Mum hat sich mit einem weißen Blazer und einem dunkelblauen Rock aufgeputzt, und sie halten einen Blumenstrauß irgendwie zwischen sich. Und das ganze Büro starrt sie an wie seltene Tiere.

Nein, das streichen wir. Das ganze Büro hat sich jetzt umgedreht, um *mich* anzustarren.

»Hi, Mum«, sage ich, plötzlich heiser. »Hi, Dad.«

Was *machen* die hier?

»Emma!«, sagt Dad und versucht, seinen gewohnt jovialen Ton zu finden. »Wir dachten, wir ... kommen einfach mal bei dir vorbei.«

»Klar«, sage ich und nicke benommen. Als ob das völlig normal wäre.

»Wir haben dir was mitgebracht«, sagt Mum strahlend. »Ein paar Blumen für deinen Schreibtisch.« Sie lässt den Strauß unbeholfen sinken. »Sieh dir mal Emmas Schreibtisch an, Brian. Ist doch toll! Guck mal ... der Computer!«

»Super!«, sagt Dad und tätschelt ihn. »Sehr ... sehr schöner Schreibtisch, wirklich!«

»Und das sind deine Freunde?«, sagt Mum und lächelt im Büro herum.

»Sozusagen«, sage ich, als Artemis gewinnend zurücklächelt.

»Wir haben gerade neulich erst gesagt«, fährt Mum fort, »wie *stolz* du auf dich sein kannst, Emma. Für so ein großes Unternehmen zu arbeiten. Da sind bestimmt viele andere Frauen neidisch. Meinst du nicht, Brian?«

»Absolut!«, sagt Dad. »Du hast schon ganz schön was erreicht, Emma.«

Ich bin so verdattert, dass ich kein Wort herausbringe. Ich begegne Dads Blick, und er lächelt seltsam befangen. Und Mums Hände zittern, als sie die Blumen hinlegt.

Sie sind nervös, stelle ich erschrocken fest. Sie sind beide *nervös*.

Ich versuche noch, das zu verarbeiten, als Paul an der Tür zu seinem Büro erscheint.

»Aha, Emma«, sagt er und zieht die Augenbrauen hoch. »Sie haben Besuch?«

»Äh … ja«, sage ich. »Paul, das sind … ähm … meine Eltern, Brian und Rachel …«

»Sehr erfreut«, sagt Paul höflich.

»Wir möchten nicht stören«, sagt Mum eilig.

»Sie stören doch nicht«, sagt Paul und schenkt ihr ein charmantes Lächeln. »Dummerweise wird der Raum, den wir *normalerweise* für Familientreffen benutzen, gerade renoviert.«

»Oh!«, sagt Mum, unsicher, ob er Witze macht oder nicht. »Oje!«

»Also, vielleicht möchten Sie Ihre Eltern zu einem, sagen wir, frühen Mittagessen ausführen, Emma?«

Ich sehe auf die Uhr. Es ist viertel vor zehn.

»Danke, Paul«, sage ich dankbar.

Das ist surreal. Vollkommen surreal.

Es ist mitten am Vormittag. Ich sollte bei der Arbeit sein. Stattdessen gehe ich mit meinen Eltern die Straße entlang und frage mich, was um alles in der Welt wir einander sagen sollen. Ich kann mich nicht mal *erinnern*, wann ich das letzte Mal mit meinen Eltern alleine war. Nur wir drei, ohne Grandpa, ohne Kerry, ohne Nev. Als wären wir fünfzehn Jahre in der Zeit zurückgereist oder so.

»Wir können hier reingehen«, sage ich, als wir an einem italienischen Café ankommen.

»Gute Idee!«, sagt Dad herzlich und öffnet die Tür. »Wir haben gestern deinen Freund Jack Harper im Fernsehen gesehen«, fügt er beiläufig hinzu.

»Er ist nicht mein Freund«, sage ich barsch, und er und Mum werfen sich einen Blick zu.

Wir setzen uns an einen Holztisch, der Kellner bringt die Speisekarten, und wir schweigen.

O Gott. Jetzt bin *ich* nervös.

»Und …«, fange ich an, dann breche ich wieder ab. Was ich fragen wollte, ist »Was wollt ihr hier?«. Aber das klingt doch etwas unhöflich. »Was … treibt euch nach London?«, sage ich stattdessen.

»Wir wollten dich einfach mal besuchen«, sagt Mum und guckt durch ihre Lesebrille in die Speisekarte. »Also, trinke ich Tee … oder was ist das denn? Ein Frappé Latte?«

»Ich möchte einfach eine ganz normale Tasse Kaffee«, sagt Dad und schielt stirnrunzelnd auf die Karte. »Falls es so was hier gibt.«

»Wenn nicht, musst du dir einen Cappuccino bestellen und den Milchschaum abschöpfen«, sagt Mum. »Oder einen Espresso und um etwas heißes Wasser extra bitten.«

Ich kann es nicht glauben. Sie sind 200 Meilen gefahren. Sollen wir jetzt hier sitzen und den ganzen Tag über heiße Getränke reden?

»Ach, bevor ich's vergesse«, fügt Mum lässig an. »Wir haben etwas für dich besorgt, Emma. Nicht wahr, Brian?«

»Oh … aha«, sage ich überrascht. »Was denn?«

»Ein Auto«, sagt Mum und sieht zum Kellner auf, der an unseren Tisch gekommen ist. »Hallo! Ich hätte gern einen Cappuccino, mein Mann einen Filterkaffee, wenn's geht, und Emma möchte …«

»Ein *Auto*?«, stammle ich ungläubig.

»Auto«, echot der italienische Kellner und sieht mich misstrauisch an. »Sie wollen Kaffee?«

»Ich … ich hätte gern einen Cappuccino, bitte«, sage ich verwirrt.

»Und ein paar Teilchen«, fügt Mum hinzu. »*Grazie!*«

»Mum …« Ich fasse mir an den Kopf, als der Kellner verschwindet. »Was soll das heißen, ihr habt mir ein Auto besorgt?«

»War nur ein Scherz. Aber du solltest dir ein Auto anschaffen. Das Busfahren ist abends einfach zu gefährlich. Da hat Grandpa schon Recht.«

»Aber … aber ich kann mir kein Auto leisten«, sage ich blöde. »Ich kann mir ja nicht mal … was ist mit dem Geld, das ich euch schulde? Was ist mit …«

»Vergiss das Geld«, sagt Dad. »Die Schulden sind gestrichen.«

»Was?« Ich starre ihn an, verwirrter denn je. »Aber das geht doch nicht! Du kriegst doch noch …«

»Vergiss das Geld«, sagt Dad etwas schärfer. »Ich möchte, dass du die ganze Sache vergisst, Emma. Du schuldest uns gar nichts. Überhaupt nichts.«

Um ehrlich zu sein, kann ich das alles gar nicht verarbeiten. Ich schaue verwirrt von Dad zu Mum. Und dann wieder zu Dad. Und dann, ganz langsam, wieder zu Mum.

Es ist wirklich seltsam. Aber es fühlt sich an, als ob wir uns seit Jahren das erste Mal wieder richtig sehen würden. Als ob wir uns gesehen und Hallo gesagt hätten und irgendwie … wieder von vorne anfangen würden.

»Wir wollten dich fragen, ob du nicht nächstes Jahr Lust auf einen kleinen Urlaub hast«, sagt Mum. »Mit uns zusammen.«

»Nur … wir?«, frage ich und gucke auf dem Tisch herum.

»Nur wir drei, dachten wir.« Sie lächelt mich zaghaft an. »Das wäre bestimmt schön. Du musst natürlich nicht, wenn du schon etwas anderes vorhast.«

»Nein! Ich fahre gerne mit!«, sage ich schnell. »Wirklich. Aber … aber was ist mit …« Ich bringe es nicht mal über mich, Kerrys Namen auszusprechen.

Es entsteht eine kleine Pause, in der Mum und Dad sich kurz ansehen und dann wieder wegschauen.

»Kerry lässt natürlich auch schön grüßen!«, sagt Mum strahlend, als ob sie völlig das Thema wechseln würde. Sie räuspert sich. »Weißt du, sie wollte nächstes Jahr vielleicht mal nach Hongkong fahren. Ihren Vater besuchen. Sie hat ihn ja schon mindestens fünf Jahre nicht gesehen, und vielleicht ist es an der Zeit, dass die beiden … mal ein bisschen Zeit zusammen verbringen.«

»Aha«, sage ich beklommen. »Gute Idee.«

Ich fasse es nicht. Alles ist anders. Als wenn die ganze Familie in die Luft geworfen worden und in unterschiedlichen Positionen wieder gelandet wäre, und nichts ist mehr wie vorher.

»Wir haben das Gefühl, Emma«, sagt Dad und bricht ab. »Wir glauben, wir haben vielleicht nicht … dass wir vielleicht nicht immer bemerkt haben …« Er bricht wieder ab und reibt sich energisch die Nase.

»Cappu-*cci*no«, sagt der Kellner und setzt eine Tasse vor mir ab. »Filter-*ka*ffee, Cappu-*cci*no … Mokka-*tört*chen … Zitronen-*tört*chen … Schokoladen …«

»Danke!«, unterbricht Mum ihn. »Vielen Dank. Wir kommen dann schon klar.« Der Kellner verschwindet wieder, und sie sieht mich an. »Emma, wir wollten dir gerne sagen … wir sind sehr stolz auf dich.«

O Gott. O Gott, gleich muss ich weinen.

»So«, bringe ich heraus.

»Und wir …«, fängt Dad an. »Also, wir beide – deine Mutter und ich …« Er räuspert sich. »Wir haben dich immer … und werden immer … wir alle beide …«

Er macht eine Pause und holt tief Luft. Ich traue mich nicht, etwas zu sagen.

»Was ich sagen will, Emma«, fängt er wieder an. »Wie du bestimmt … wie wir bestimmt alle … ich meine …«

Er bricht wieder ab und wischt sich mit einer Serviette den Schweiß vom Gesicht.

»Es ist nämlich nun mal so, dass …, dass …«

»Mann, jetzt sag deiner Tochter doch einfach mal, dass du sie liebst, Brian, ein einziges Mal in deinem Leben!«, schimpft Mum.

»Ich … ich … liebe dich, Emma!«, sagt Dad mit belegter Stimme. »Herrje.« Er reibt sich energisch die Augen.

»Ich liebe dich auch, Dad«, sage ich mit einem Kloß im Hals. »Und dich auch, Mum.«

»Na, siehst du«, sagt Mum und tupft sich die Augenwinkel. »Ich wusste, dass es richtig war zu kommen.« Sie greift nach meiner Hand und hält sie fest, und ich ergreife Dads Hand, und einen Moment lang bilden wir eine merkwürdige Kuschelgruppe.

»Wisst ihr … wir sind durch gesegnete Bande im ewigen Kreislauf des Lebens miteinander verknüpft«, sage ich in einer Gefühlsaufwallung.

»Was?« Meine Eltern starren mich verdutzt an.

»Äh, egal. Schon gut.« Ich löse meine Hand, trinke einen Schluck Cappuccino und sehe auf.

Und mir bleibt fast das Herz stehen.

Vor der Tür zum Café steht Jack.

22

Ich starre ihn durch die Glastür an, und mir hämmert das Herz in der Brust. Er streckt die Hand aus, die Tür klingelt, und plötzlich ist er im Café.

Als er auf unseren Tisch zukommt, toben in mir die Gefühle. Dies ist der Mann, von dem ich dachte, dass ich ihn liebe. Dies ist der Mann, der mich benutzt hat. Jetzt, da der erste

Schreck abklingt, drohen der alte Schmerz und die Demütigung wieder die Oberhand zu gewinnen und mich in Pudding zu verwandeln.

Aber das lasse ich nicht zu. Ich bleibe stark und stolz.

»Ignoriert ihn einfach«, sage ich zu Mum und Dad.

»Wen?«, fragt Dad und dreht sich um. »Oh!«

»Emma, ich möchte mit dir reden«, sagt Jack ernst.

»Aber ich nicht mit dir.«

»Tut mir Leid, wenn ich störe«, sagt Jack zu Mum und Dad. »Wenn Sie uns für einen Moment entschuldigen würden …«

»Ich gehe nirgendwohin!«, sage ich wütend. »Ich trinke mit meinen Eltern gemütlich eine Tasse Kaffee.«

»Bitte.« Er setzt sich an den Nebentisch. »Ich möchte es dir erklären. Ich möchte mich entschuldigen.«

»Ich wüsste nicht, was du mir erklären könntest.« Ich sehe grimmig Mum und Dad an. »Tut einfach so, als wäre er nicht da. Macht einfach weiter.«

Es herrscht Schweigen. Mum und Dad gucken sich verstohlen an, und ich sehe, dass Mum versucht, Dad Zeichen zu geben. Als sie merkt, dass ich sie beobachte, hört sie sofort damit auf und trinkt einen Schluck Kaffee.

»Lasst uns einfach … ein bisschen reden!«, sage ich verzweifelt. »Und, Mum?«

»Ja?«, sagt sie hoffnungsvoll.

Mein Kopf ist leer. Mir fällt überhaupt nichts ein. Ich kann ausschließlich daran denken, dass Jack keine anderthalb Meter von mir entfernt sitzt.

»Wie läuft's beim Golf?«, bringe ich schließlich heraus.

»Ach … äh … gut, danke.« Mum schielt Richtung Jack.

»Gar nicht hingucken!«, murmle ich. »Und … und Dad?«, fahre ich lauter fort. »Wie läuft's bei dir?«

»Es läuft … ebenfalls gut«, sagt Dad gestelzt.

»Wo spielen Sie denn?«, fragt Jack höflich.

»Du redest hier nicht mit!«, keife ich und fahre herum.

Schweigen.

»Ach du liebes bisschen!«, sagt Mum plötzlich theatralisch. »So spät schon? Wir werden doch in der ... der ... Skulpturenausstellung erwartet!«

Wie bitte?

»War schön, dich zu sehen, Emma ...«

»Ihr könnt doch jetzt nicht gehen!«, sage ich panisch. Aber Dad hat schon sein Portemonnaie gezückt und legt einen 20-Pfund-Schein auf den Tisch, während Mum aufsteht und sich die weiße Jacke anzieht.

»Hör ihm doch wenigstens zu«, flüstert sie, als sie sich herunterbeugt und mir einen Kuss gibt.

»Tschüss, Emma«, sagt Dad und drückt mir unbeholfen die Hand. Und innerhalb von dreißig Sekunden sind sie weg.

»So«, sagt Jack, als die Tür hinter ihnen zugeht.

Energisch drehe ich den Stuhl so herum, dass ich ihn nicht sehen kann.

»Emma, bitte.«

Ich drehe den Stuhl noch weiter herum, sodass ich jetzt an die Wand starre. Das hat er nun davon. Nur komme ich jetzt leider nicht mehr an meinen Cappuccino heran.

»Hier.« Jack hat seinen Stuhl direkt neben meinen gesetzt und hält mir die Tasse hin.

»Lass mich in Ruhe«, sage ich wütend und springe auf. »Wir haben nichts zu besprechen. Rein gar nichts.«

Ich grabsche nach meiner Tasche und stolziere aus dem Café auf die geschäftige Straße. Einen Moment später spüre ich eine Hand auf der Schulter.

»Wir könnten wenigstens darüber sprechen, was passiert ist ...«

»Worüber sprechen?« Ich wirble herum. »Wie du mich benutzt hast? Wie du mich betrogen hast?«

»Okay, Emma. Mir ist klar, dass ich dich bloßgestellt habe. Aber … ist das wirklich so schlimm?«

»So *schlimm*?«, kreische ich ungläubig und werfe fast eine Dame mit einem Einkaufsroller um. »Du kommst in mein Leben spaziert. Du spielst mir die große, romantische Liebe vor. Du machst mich in dich ver …«« Ich breche abrupt ab und keuche leicht. »Du hast gesagt, du warst von mir fasziniert. Du hast dafür gesorgt, dass … du mir wichtig wirst … und ich habe jedes Wort geglaubt!« Meine Stimme beginnt verräterisch zu zittern. »Ich habe dir alles geglaubt, Jack. Aber du hast die ganze Zeit diese Hintergedanken gehabt. Du hast mich nur als Marktforschungsobjekt benutzt. Die ganze Zeit hast du mich nur … *benutzt*.«

Jack starrt mich an.

»Nein«, sagt er. »Nein, warte. Das hast du falsch verstanden.« Er packt mich am Arm. »So war das nicht. Ich hatte doch nicht vor, dich zu benutzen.«

Wie kann er es *wagen*, das zu sagen?

»Natürlich hattest du das!«, sage ich, entwinde ihm den Arm und haue auf den Knopf einer Fußgängerampel ein. »Natürlich hattest du das vor! Du willst ja wohl nicht leugnen, dass du in dem Interview über mich gesprochen hast. Du willst ja wohl nicht leugnen, dass du mich im Kopf hattest.« Wieder spüre ich die Demütigung. »Jedes Detail war ich. Jedes kleine Scheißdetail!«

»Okay.« Jack fasst sich an den Kopf. »Okay. Hör zu. Ich leugne ja gar nicht, dass ich dich im Kopf hatte. Ich leugne nicht, dass du da reingespielt … Aber das heißt doch nicht …« Er sieht auf. »Ich habe die meiste Zeit über dich im Kopf. Das ist die reine Wahrheit, ich habe nur noch dich im Kopf.«

Die Fußgängerampel beginnt zu piepen und fordert uns zum Gehen auf. Das ist mein Stichwort loszustürmen, und Jacks, mir hinterherzulaufen – aber wir bewegen uns beide nicht. Ich *will* ja losstürmen, aber irgendwie gehorcht mein Körper mir nicht. Irgendwie will mein Körper mehr davon hören.

»Emma, als Pete und ich die Panther Corporation gegründet haben, weißt du, wie wir da gearbeitet haben?« Jacks dunkle Augen brennen sich in meine ein. »Weißt du, wie wir Entscheidungen gefällt haben?«

Ich antworte mit einem winzigen Dann-sag's-mir-doch-Schulterzucken.

»Bauchgefühl. Würden *wir* das kaufen? Würden *wir* das mögen? Würden *wir* das wollen? Das haben wir uns gegenseitig gefragt. Jeden Tag, immer und immer wieder.« Er zögert. »In den letzten Wochen war ich ganz mit dieser neuen Damenlinie beschäftigt. Und was ich mich immer wieder gefragt habe, war … würde Emma es mögen? Würde Emma es trinken? Würde Emma es kaufen?« Jack schließt einen Moment lang die Augen, dann öffnet er sie wieder. »Ja, du geisterst durch meine Gedanken. Ja, du beeinflusst meine Arbeit. Emma, mein Privatleben und die Firma gehen schon immer ineinander über. So war ich immer. Aber das heißt nicht, dass mein Privatleben nicht echt wäre.« Wieder zögert er. »Es heißt nicht, dass das, was wir hatten … was wir haben … weniger echt ist.«

Er atmet tief ein und steckt die Hände in die Taschen.

»Emma, ich habe dich nicht belogen. Ich habe dir nichts *vorgespielt*. Ich war von dem Moment an von dir fasziniert, als wir uns im Flugzeug trafen. Von dem Moment an, als du mich angesehen und gesagt hast ›ich weiß nicht mal, ob ich einen G-Punkt habe!‹, war ich fasziniert. Nicht aus geschäftlichen Gründen … sondern *deinetwegen*. Weil du so bist, wie du bist. Jedes einzelne kleine Detail.« Ein winziges Lächeln huscht ihm übers Gesicht. »Angefangen davon, wie du dir jeden Morgen das beste Horoskop aussuchst, bis zu dem Brief von Ernest P. Leopold. Und deinem Trainingsplan an der Wand. Alles.«

Er sieht mir fest in die Augen, mein Hals ist wie zugeschnürt, und in meinem Kopf herrscht ein einziges Durcheinander. Einen Augenblick lang wanke ich.

Nur einen Augenblick lang.

»Schön und gut«, sage ich mit zitternder Stimme. »Aber du hast mich bloßgestellt. Du hast mich *gedemütigt!*« Ich mache auf dem Absatz kehrt und marschiere über die Straße.

»Ich wollte gar nicht so viel sagen«, sagt Jack und folgt mir. »Ich wollte überhaupt nichts sagen. Bitte glaub mir, Emma, ich bedaure es ebenso sehr wie du. Sofort nach dem Interview habe ich darum gebeten, den Teil herauszuschneiden. Sie haben mir versprochen, das zu tun. Ich war ...« Er schüttelt den Kopf. »Ich weiß auch nicht, wie im Rausch, es ist einfach mit mir durchgegangen ...«

»Mit dir *durchgegangen*?« Ich werde wieder richtig wütend. »Jack, du hast jedes kleine Detail über mich ausposaunt!«

»Ich weiß, und es tut mir Leid ...«

»Du hast der ganzen Welt von meiner Unterwäsche erzählt ... und von meinem Liebesleben ... und meiner Barbie-Bettwäsche, und du hast *nicht* dazu gesagt, dass das ironisch gemeint ist ...«

»Emma, es tut mir Leid ...«

»Du hast erzählt, wie viel ich wiege!« Meine Stimme wird immer schriller. »Und dann auch noch das *falsche* Gewicht genannt!«

»Emma, wirklich, es tut mir Leid ...«

»Tut mir Leid reicht nicht!« Stocksauer wirble ich herum und sehe ihn an. »Du hast mein Leben zerstört!«

»Ich habe dein Leben zerstört?« Er sieht mich befremdet an. »Dein Leben ist zerstört? Ist das so schlimm, wenn die Leute die Wahrheit über dich wissen?«

»Ich ... ich ...« Für einen Moment gerate ich ins Schwimmen. »Du hast ja keine Ahnung, wie das für mich war«, sage ich, wieder festeren Boden unter den Füßen. »Sie haben mich alle ausgelacht. Alle haben sich über mich lustig gemacht, das ganze Büro. Artemis hat mich verarscht …«

»Die feuere ich«, fällt Jack mir energisch ins Wort.

Ich bin so überrascht, dass ich halb anfange zu kichern, dann mache ich ein Hüsteln daraus.

»Und Nick hat sich lustig gemacht …«

»Den feuere ich auch.« Jack denkt einen Moment lang nach. »Wie wäre das: Ich feuere alle, die dich geärgert haben.«

Diesmal kann ich nicht anders, ich muss kichern.

»Dann bleibt von deiner Firma nichts mehr übrig.«

»So soll es sein. Das habe ich dann davon. Das habe ich dann davon, dass ich nicht nachgedacht habe.«

Einen Augenblick lang starren wir uns im Sonnenschein an. Mein Herz rast. Ich weiß nicht, was ich denken soll.

»Ein Sträußchen Glücks-Erika?« Plötzlich stößt mir eine Frau in einem pinkfarbenen Sweatshirt einen in Folie gewickelten Zweig ins Gesicht, und ich schüttle genervt den Kopf.

»Glücks-Erika, Sir?«

»Ich nehme den ganzen Korb«, sagt Jack. »Ich kann es wohl gebrauchen.« Er greift in sein Portemonnaie, reicht der Frau zwei 50-Pfund-Noten und nimmt ihr den Korb ab. Die ganze Zeit über hängen seine Augen an meinen.

»Emma, es ist deine Entscheidung«, sagt er, als die Frau abhaut. »Wollen wir zusammen Mittag essen gehen? Etwas trinken? Einen … einen Smoothie?« Sein Gesicht verzieht sich zu einem winzigen Lächeln, aber ich lächle nicht zurück. Ich bin zu verwirrt, um zu lächeln. Ich merke, wie ein Teil von mir sich entspannt. Ich merke, wie ein Teil von mir anfängt, ihm zu glauben. Ihm verzeihen will. Aber in meinem Kopf herrscht immer noch dieses Durcheinander. Irgendwas stimmt noch nicht.

»Ich weiß nicht«, sage ich und reibe mir die Nase.

»Es war doch alles so schön, bevor ich es kaputtgemacht habe.«

»War es das?«, frage ich.

»War es nicht?« Jack zögert und sieht mich über die Erika hinweg an. »Ich hatte den Eindruck, es war alles sehr schön.«

Mir schwirrt der Kopf. Ich muss noch ein paar Dinge loswerden. Ich muss ein paar Dinge zur Sprache bringen. Mir kommt ein Gedanke.

»Jack … was hast du in Schottland gemacht? Als wir uns das erste Mal getroffen haben.«

Sofort wird sein Gesichtsausdruck verschlossen, und er wendet sich ab.

»Emma, ich fürchte, das kann ich dir nicht sagen.«

»Warum nicht?«, frage ich und versuche, unbekümmert zu klingen.

»Es ist … kompliziert.«

»Okay.« Ich denke einen Moment lang nach. »Wohin musstest du an dem einen Abend so schnell mit Sven verschwinden? Als du unser Date abgebrochen hast.«

Jack seufzt.

»Emma …«

»Und was war, als all diese Anrufe kamen? Worum ging es da?«

Diesmal versucht Jack gar nicht erst zu antworten.

»Verstehe.« Ich werfe das Haar zurück und versuche, ruhig zu bleiben. »Jack, ist dir überhaupt aufgefallen, dass du mir die ganze Zeit über fast nichts von dir erzählt hast?«

»Ich schätze … ich bin etwas verschlossen«, sagt Jack. »Ist das so schlimm?«

»Für mich ist es ziemlich schlimm. Ich habe dir alles erzählt. Hast du selbst gesagt. All meine Gedanken, all meine Sorgen, alles. Und du hast mir überhaupt nichts erzählt.«

»Das stimmt doch gar nicht …« Er macht einen Schritt vorwärts, immer noch mit dem sperrigen Korb in der Hand, und ein paar Erika-Zweige fallen herunter.

»Jedenfalls fast nichts.« Ich schließe kurz die Augen und versuche, meine Gedanken zu sortieren. »Jack, in einer Beziehung geht es um Vertrauen und Gleichheit. Wenn der eine sich mitteilt, dann sollte der andere das auch tun. Ich meine, du hast mir nicht mal gesagt, dass du im Fernsehen bist.«

»Es war doch nur ein blödes Interview, Herrgott!« Ein Mädchen mit sechs Einkaufstüten schubst noch mehr Erika aus Jacks Korb, und er setzt ihn frustriert auf die Packtasche eines Motorradkuriers. »Emma, sei doch nicht so kleinlich.«

»Ich habe dir all meine Geheimnisse anvertraut«, sage ich stur. »Und du mir kein einziges.«

Jack seufzt.

»Bei allem Respekt, Emma, das ist ja wohl etwas anderes ...«

»Was?« Ich starre ihn schockiert an. »Warum ... warum ist das etwas anderes?«

»Das musst du doch verstehen. In meinem Leben gibt es Dinge, die sind sehr heikel ... kompliziert ... sehr wichtig ...«

»Und in meinem *nicht*?«, platzt es mit voller Wucht aus mir heraus. »Du findest meine Geheimnisse weniger wichtig als deine? Denkst du, es tut mir weniger weh, wenn du sie im Fernsehen ausposaunst?« Ich zittere am ganzen Leib, vor Wut, vor Enttäuschung. »Das liegt wohl daran, dass du so groß und wichtig bist und ich – was bin ich noch mal, Jack?« Mir steigen die Tränen in die Augen. »Nichts Besonderes? Eine ganz gewöhnliche Ottonormalverbraucherin?«

Jack zuckt zusammen, und ich merke, dass ich einen Volltreffer gelandet habe. Er schließt die Augen, und ziemlich lange denke ich, dass er gar nichts mehr sagen wird.

»Ich wollte diese Worte nicht benutzen«, sagt er. »In dem Moment, als ich es gesagt habe, habe ich mir schon ge-

wünscht, es zurücknehmen zu können. Ich wollte … ich wollte etwas ganz anderes damit ausdrücken … eine Art Bild …«
Er sieht auf. »Emma, du *musst* doch wissen, dass das nicht so gemeint …«

»Ich frage dich noch mal!«, sage ich mit wild klopfendem Herzen. »Was hast du in Schottland gemacht?«

Schweigen. Als ich Jack in die Augen sehe, weiß ich, dass er nicht antworten wird. Er weiß, dass es mir wichtig ist, und er will es mir trotzdem nicht sagen.

»Gut«, sage ich mit fast versagender Stimme. »Alles klar. Ich bin offensichtlich weniger wichtig als du. Ich bin einfach ein ganz amüsantes Mädchen, das dich im Flugzeug nett unterhält und dich auf Geschäftsideen bringt.«

»Emma …«

»Es ist nur so, Jack, das ist keine richtige Beziehung. Eine richtige Beziehung funktioniert in zwei Richtungen. Eine richtige Beziehung beruht auf Gleichheit. Und Vertrauen.« Ich schlucke den Kloß im Hals herunter. »Also geh einfach, und such dir jemanden auf deinem Niveau, mit dem du deine kostbaren Geheimnisse teilen kannst. Denn mit mir kannst du das ja offensichtlich nicht.«

Bevor er etwas dazu sagen kann, drehe ich mich abrupt um, zwei Tränen laufen mir übers Gesicht, und ich trample über die Glücks-Erika weg.

Erst viel später an diesem Tag komme ich nach Hause. Aber der Streit tut mir immer noch weh. Ich habe hämmernde Kopfschmerzen, und bin den Tränen nahe.

Ich komme in die Wohnung und finde Lissy und Jemima auf dem Höhepunkt einer Diskussion über Tierrechte.

»Die Nerze werden *gerne* zu Pelzen verarbeitet!«, sagt Jemima, als ich die Tür zum Wohnzimmer aufmache. Sie unterbricht sich und sieht auf. »Emma! Alles klar?«

»Nein.« Ich lasse mich aufs Sofa sinken und mummele mich in die Chenille-Decke ein, die Lissy von ihrer Mum zu Weihnachten bekommen hat. »Ich hatte einen Riesenkrach mit Jack.«

»Mit *Jack*?«

»Du hast ihn gesehen?«

»Er war da, um … na ja, um sich zu entschuldigen, nehme ich an.«

Lissy und Jemima sehen sich an.

»Was ist passiert?«, fragt Lissy und umklammert die Knie. »Was hat er gesagt?«

Ich schweige ein paar Sekunden lang und versuche mich zu erinnern, was er genau gesagt hat. In meinem Kopf ist das alles ein bisschen durcheinander geraten.

»Er hat gesagt … er wollte mich überhaupt nicht benutzen«, sage ich schließlich. »Er sagt, er hätte immer nur mich im Kopf. Er sagt, er will alle feuern, die mich aufgezogen haben.« Ich muss schon wieder ein bisschen kichern.

»Echt?«, sagt Lissy. »Wow. Ganz schön romant …« Sie hustet und zieht ein entschuldigendes Gesicht. »Sorry.«

»Er sagt, es tut ihm wirklich sehr Leid, und er wollte das alles gar nicht erzählen, im Fernsehen, und dass unsere Beziehung … Egal. Er hat alles Mögliche gesagt. Aber *dann* hat er gesagt …« Wieder klopft mir aufgebracht das Herz. »Dann hat er gesagt, dass seine Geheimnisse wichtiger sind als meine.«

Die beiden schnappen empört nach Luft.

»Nein!«, sagt Lissy.

»Arsch!«, sagt Jemima. »Was für Geheimnisse?«

»Ich habe ihn nach Schottland gefragt. Und warum er so plötzlich von unserem Date abgehauen ist.« Ich begegne Lissys Blick. »Und all diese Dinge, über die er nie etwas gesagt hat.«

»Und, was hat er geantwortet?«, fragt Lissy.

»Er wollte es mir nicht sagen.« Wieder fühle ich mich verletzt. »Er hat gesagt, es sei zu ›heikel und kompliziert‹.«

»Heikel und *kompliziert*?« Jemima sieht mich an, als wache sie gerade auf. »Jack hat ein heikles und kompliziertes Geheimnis? Davon hast du ja gar nichts erzählt! Emma, das ist doch perfekt. Du findest heraus, was es ist – und dann machst du es publik!«

Ich starre sie mit klopfendem Herzen an. Klar, sie hat Recht. Das könnte ich tun. Ich könnte es ihm heimzahlen. Ich könnte ihm ebenso wehtun, wie er mir wehgetan hat.

»Ich habe aber keine Ahnung, was es ist«, sage ich schließlich.

»Das kannst du doch rausfinden!«, sagt Jemima. »Ist doch nicht so schwierig. Das Wichtigste ist, dass du weißt, dass er etwas zu verbergen hat.«

»Es hat auf jeden Fall etwas Mysteriöses«, sagt Lissy. »All diese Anrufe, über die er nicht spricht, dann verschwindet er plötzlich so geheimnisvoll von eurem Date …«

»Er ist geheimnisvoll von eurem Date verschwunden?«, sagt Jemima begeistert. »Wohin? Hat er was gesagt? Hast du was aufgeschnappt?«

»Nein!«, sage ich und werde ein bisschen rot. »Natürlich nicht. Ich … ich würde doch nie Leute *belauschen*!«

Jemima betrachtet mich eingehend.

»Erzähl mir doch nichts. Natürlich hast du. Du hast irgendwas gehört. Komm schon, Emma. Was war das?«

Ich denke an den Abend zurück. Wie ich auf der Bank saß und den pinkfarbenen Cocktail trank. Ein Lüftchen weht mir ins Gesicht, ich höre Jack und Sven mit gedämpfter Stimme sprechen …

»Es war nicht viel«, sage ich widerstrebend. »Ich habe nur gehört, wie er gesagt hat, er müsse etwas transferieren … und Plan B … und irgendwas sei sehr dringend …«

»Was denn transferieren?«, sagt Lissy misstrauisch. »Geld?«

»Keine Ahnung. Und dann haben sie was von wieder nach Glasgow fliegen gesagt.«

Jemima ist außer sich.

»Emma, das glaube ich ja wohl nicht. Das hast du die ganze Zeit über gewusst? Dahinter muss doch irgendein Skandal stecken. Wenn wir nur etwas mehr wüssten.« Sie schnauft frustriert. »Du hattest nicht zufällig ein Diktiergerät oder so dabei?«

»Natürlich nicht!«, sage ich und lache ein bisschen. »Es war ein Date! Hast *du* bei Dates etwa ein Diktier …« Ich verstumme ungläubig, als ich ihren Gesichtsausdruck bemerke. »Jemima. Nee, oder?«

»Nicht *immer*«, verteidigt sie sich achselzuckend. »Nur wenn ich denke, dass es noch mal nützlich … Egal. Ist ja nicht wichtig. Wichtig ist, dass du Informationen hast, Emma. Du hast Macht. Du findest raus, worum es da geht – und dann stellst du ihn bloß. Dann kann Jack Harper mal sehen, wer der Boss ist! Dann hast du deine Rache.«

Ich starre in ihr entschlossenes Gesicht, und einen Moment lang brodelt ein echtes, mächtiges Hochgefühl in mir. Ich könnte es Jack heimzahlen. Das würde es ihm mal so richtig zeigen. Dann würde es ihm Leid tun! Er würde merken, dass ich nicht Nichts und Niemand bin. *Das* hätte er dann davon.

»Und …« Ich lecke mir die Lippen. »Wie soll ich das anstellen?«

»Erst versuchen wir selbst, so viel wie möglich herauszubekommen«, sagt Jemima. »Und dann habe ich Verbindungen zu einigen … Leuten, die einem bei der Suche nach Informationen behilflich sind.« Sie zwinkert mir zu. »Diskret.«

»Privatdetektive?«, sagt Lissy ungläubig. »Ist das dein Ernst?«

»Und dann machen wir es publik! Mummy hat Kontakte zu *allen* Zeitungen …«

Mein Herz hämmert. Bin ich wirklich bereit, so was zu tun? Will ich mich wirklich an Jack rächen?

»Ein guter Ausgangspunkt sind Mülleimer«, fügt Jemima kennerhaft an. »Man kann *alles* Mögliche finden, wenn man sich nur den Müll von jemandem anguckt.«

Ganz plötzlich gewinnt mein gesunder Menschenverstand wieder die Oberhand.

»Mülleimer?«, sage ich entsetzt. »Ich durchsuche doch keine Mülleimer! Und überhaupt mache ich das Ganze nicht, Punkt. Bescheuerte Idee.«

»Stell dich doch nicht so an, Emma!«, sagt Jemima scharf und wirft das Haar zurück. »Wie willst du denn sonst sein Geheimnis herausbekommen?«

»Vielleicht *will* ich sein Geheimnis ja gar nicht herausbekommen«, gebe ich ein bisschen stolz zurück. »Vielleicht interessiert mich das gar nicht.«

Ich wickle mich noch fester in die Chenille-Decke und starre traurig meine Zehen an.

Jack hat also ein großes Geheimnis, das er nicht mit mir teilen kann. Na gut. Soll er es für sich behalten. Ich werde mich nicht dadurch erniedrigen, dass ich es ausbuddele. Ich werde bestimmt nicht in Mülleimern wühlen. Mir ist auch egal, was es ist. Er ist mir egal.

»Ich will das Ganze einfach vergessen«, sage ich mit verschlossenem Gesicht. »Ich will woanders weitermachen.«

»Nein, willst du nicht!«, gibt Jemima zurück. »Sei doch nicht blöd, Emma. Das ist deine große Chance, dich zu rächen. Wir werden ihn *dermaßen* blamieren.«

So engagiert habe ich Jemima in meinem ganzen Leben noch nicht erlebt. Sie greift nach ihrer Tasche und holt einen winzigen lila Smythson-Notizblock und einen Tiffany-Stift heraus. »Also, was haben wir? Glasgow ... Plan B ... Transfer ...«

»Die Panther Corporation hat aber keine Niederlassungen in Schottland, oder?«, sagt Lissy gedankenverloren.

Ich drehe mich um und starre sie ungläubig an. Sie kritzelt auf einen Block Kästchenpapier, mit genau dem vertieften Gesichtsausdruck, mit dem sie sonst ihre beknackten Rätsel löst. Ich sehe die Wörter »Glasgow«, »Transfer« und »Plan B« und eine Ecke, in der sie die Buchstaben des Wortes »Schottland« durcheinander gewürfelt und versucht hat, ein neues Wort daraus zu bilden.

Um Himmels willen.

»Lissy, was machst du denn da?«

»Ich … spiele nur so herum«, sagt sie und errötet. »Ich könnte ein paar Sachen im Internet nachgucken, nur so interessehalber.«

»Verdammt, jetzt hört aber mal auf, alle beide!«, sage ich. »Wenn Jack mir sein Geheimnis nicht erzählen will … dann will ich es auch gar nicht wissen.«

Plötzlich bin ich total erschöpft von diesem Tag. Wie gerädert. Jacks mysteriöses Geheimleben interessiert mich nicht. Ich will einfach nicht mehr darüber nachdenken. Ich möchte ausgiebig heiß baden und dann ins Bett gehen und vergessen, dass er mir überhaupt begegnet ist.

23

Nur kann ich das natürlich nicht.

Ich kann Jack nicht vergessen. Ich kann unseren Streit nicht vergessen.

Sein Gesicht taucht immer wieder vor meinem geistigen Auge auf. Wie er mich im Sonnenlicht angestarrt hat, mit ganz zerknittertem Gesicht. Wie er die Glücks-Erika gekauft hat.

Ich liege im Bett, mit klopfendem Herzen, und gehe es immer und immer wieder durch. Und spüre immer wieder denselben Schmerz. Dieselbe Enttäuschung.

Ich habe ihm alles über mich erzählt. *Alles.* Und er erzählt mir nicht mal ein …

Egal. Egal.

Macht mir doch nichts.

Ich denke einfach nicht mehr an ihn. Er kann tun und lassen, was er will. Soll er seine blöden Geheimnisse doch für sich behalten.

Viel Glück. Das war's. Er ist aus meinem Kopf.

Und Tschüss.

Einen Moment lang starre ich an die dunkle Decke.

Was hat er überhaupt damit gemeint? *Ist das so schlimm, wenn die Leute die Wahrheit über dich wissen?*

Der hat gut reden. Der hat *echt* gut reden. Mr. Mystery. Mr. Heikel und Kompliziert.

Das hätte ich sagen sollen. Ich hätte sagen sollen …

Nein. Hör auf, darüber nachzudenken. Hör auf, an ihn zu denken. Es ist vorbei.

Als ich am nächsten Morgen in die Küche komme, um mir einen Tee zu kochen, bin ich wild entschlossen. Von jetzt an werde ich nicht mal mehr an Jack *denken*. Finito. Fin. The End.

»Okay. Ich habe drei Theorien.« Lissy tritt atemlos im Schlafanzug und mit dem Karopapier-Block in der Hand an die Küchentür.

»Bitte?« Verschlafen sehe ich auf.

»Jacks großes Geheimnis. Ich habe drei Theorien.«

»Nur drei?«, sagt Jemima, die in ihrem weißen Morgenmantel hinter Lissy aufgetaucht ist und das Smythson-Notizbuch dabeihat. »Ich habe acht!«

»*Acht*?« Lissy sieht sie beleidigt an.

»Ich will überhaupt keine Theorien hören«, sage ich. »Hört mal zu, alle beide, das Ganze hat mir ziemlich wehgetan. Könnt ihr das vielleicht einfach akzeptieren und damit aufhören?«

Sie sehen mich beide einen Moment lang verdutzt an, dann wenden sie sich einander zu.

»*Acht*?«, sagt Lissy noch einmal. »Wie bist du denn auf acht Theorien gekommen?«

»War babyleicht. Aber deine sind bestimmt auch gut«, sagt Jemima freundlich. »Fang du doch an!«

»Okay«, sagt Lissy etwas verärgert und räuspert sich. »Erstens: Er will die ganze Panther Corporation nach Schottland verlegen. Er war da, um die Lage zu eruieren, und wollte nicht, dass du Gerüchte streust. Zweitens: Er ist in irgendeine Betrugsgeschichte verwickelt …«

»Was?« Ich starre sie an. »Warum sagst du so was?«

»Ich habe mal nachgeguckt, welche Wirtschaftsprüfer die letzen Panther-Bücher geprüft haben, und die waren in letzter Zeit in einige größere Skandale verwickelt. Was natürlich nichts *beweist*, aber wenn er sich so zwielichtig verhält und von Transfers spricht …« Sie zieht eine Grimasse, und ich starre verstört zurück.

Jack ein Betrüger? Nein. Das kann nicht sein. Kann nicht.

Nicht, dass es mir etwas ausmachen würde, so oder so.

»Also ich finde das beides ziemlich unwahrscheinlich«, sagt Jemima mit hochgezogenen Augenbrauen.

»Und was ist dann deine Theorie?«, sagt Lissy verärgert.

»Plastische Chirurgie natürlich!«, sagt sie triumphierend. »Er lässt sich liften, und das soll keiner wissen, deswegen war er zum Ausheilen in Schottland. *Und* ich weiß, was das B in Plan B bedeutet.«

»Was?«, frage ich misstrauisch.

»Botox!«, sagt Jemima schwungvoll. »Deswegen ist er von

eurem Date abgehauen. Um seine kleinen Fältchen glätten zu lassen. Der Arzt hatte plötzlich noch einen Termin frei, sein Freund hat es ihm gesagt ...«

Von welchem Planeten kommt Jemima?

»Jack würde sich doch kein Botox spritzen lassen!«, sage ich. »Oder sich liften lassen!«

»Das weißt du doch gar nicht!« Sie sieht mich wissend an. »Vergleich mal ein aktuelles Foto von ihm mit einem älteren, ich wette, da siehst du den Unterschied ...«

»Okay, Miss Marple«, sagt Lissy und verdreht die Augen. »Was sind die anderen sieben Theorien?«

»Mal sehen ...« Jemima blättert in ihrem Notizblock. »Okay, die hier ist ganz gut: Er ist in der Mafia.« Sie macht eine Kunstpause. »Sein Vater wurde erschossen, und er plant, die Familienoberhäupter der ganzen anderen Familien zu ermorden.«

»Jemima, das ist *Der Pate*«, sagt Lissy.

»Oh.« Sie wirkt verlegen. »Ich hatte schon den Eindruck, dass mir das bekannt vorkommt.« Sie streicht es durch. »Aber hier ist noch eine. Er hat einen autistischen Bruder ...«

»*Rain Man*.«

»Oh. Mist.« Sie zieht eine Grimasse und sieht wieder auf ihre Liste. »Dann ist es vielleicht auch nicht das ... oder das ...« Sie streicht immer mehr Einträge durch. »Okay. Aber eine habe ich noch.« Sie hebt den Kopf. »Er hat eine andere Frau.«

Das versetzt mir einen Stich. Eine andere. Darauf war ich noch gar nicht gekommen.

»Das war auch meine letzte Theorie«, sagt Lissy entschuldigend. »Eine andere Frau.«

»Ihr glaubt *beide*, es wäre eine andere Frau?« Ich sehe von einem Gesicht in das andere. »Aber ... aber warum?«

Plötzlich fühle ich mich ganz klein. Und dumm. Hat Jack nur mit mir gespielt? War ich *noch* naiver, als ich dachte?

»Es klingt einfach nach einer plausiblen Erklärung«, sagt Jemima achselzuckend. »Er hat eine Affäre mit einer Frau in Schottland. Er hat sie heimlich besucht, als er dich kennen lernte. Sie ruft ihn dauernd an, vielleicht haben sie sich gestritten, dann kam sie unerwartet nach London, deswegen musste er von eurem Date abhauen.«

Lissy betrachtet mein schmerzverzerrtes Gesicht.

»Aber vielleicht will er auch den Firmensitz verlegen«, sagt sie ermutigend. »Oder er ist ein Betrüger.«

»Na ja, ist mir ja egal, *was* es ist«, sage ich mit brennenden Wangen. »Ist ja seine Sache. Er kann ja machen, was er will.«

Ich nehme mir Milch aus dem Kühlschrank und knalle mit zitternden Fingern die Tür zu. Heikel und kompliziert. Ist das der Code für »Ich bin mit jemand anders zusammen«?

Ach was. Soll er doch eine andere haben. Mir doch egal.

»Es ist auch *deine* Sache!«, sagt Jemima. »Wenn du dich rächen willst …«

Ach du liebes bisschen.

»Ich *will* mich aber nicht rächen, okay?«, sage ich und drehe mich zu ihr um. »Das ist krank. Ich will … meine Wunden lecken und weitermachen.«

»Ja, und soll ich dir ein anderes Wort für *sich rächen* verraten?«, gibt sie zurück, als würde sie ein Kaninchen aus dem Hut zaubern. »Die Sache abschließen!«

»Jemima, sich rächen und etwas abschließen ist nicht ganz das Gleiche«, sagt Lissy.

»In meinem Wörterbuch schon.« Sie wirft mir einen strengen Blick zu. »Emma, du bist meine Freundin, und ich erlaube dir nicht, dich einfach zurückzulehnen und dich von irgendeinem Mistkerl schlecht behandeln zu lassen. Dafür muss er zahlen. Dafür muss er bluten!«

Ich starre Jemima an und habe ein ungutes Gefühl.

»Jemima, du wirst in dieser Sache *nichts* unternehmen.«

»Natürlich werde ich das«, sagt sie. »Ich kann doch nicht tatenlos zusehen, wie du leidest. Wir Frauen müssen doch zusammenhalten, Emma!«

O mein Gott. Ich stelle mir vor, wie Jemima sich im pinkfarbenen Gucci-Kostüm durch Jacks Müll wühlt. Oder mit einer Nagelfeile sein Auto zerkratzt.

»Jemima ... du tust gar nichts«, sage ich alarmiert. »Bitte. Ich möchte das nicht.«

»Das *glaubst* du. Aber später wirst du mir dankbar sein ...«

»Nein, werde ich nicht! Jemima, versprich mir, dass du keine Dummheiten machst!«

Sie presst demonstrativ die Lippen zusammen.

»Versprich es!«

»Okay«, sagt Jemima schließlich und verdreht die Augen »Versprochen.«

»Sie kreuzt die Finger hinter dem Rücken«, bemerkt Lissy.

»*Was?*« Ungläubig starre ich Jemima an. »Versprich es richtig! Schwör auf etwas, was du wirklich liebst!«

»O Gott«, schmollt Jemima. »Na gut, du hast gewonnen. Ich schwöre bei meiner Ponyfell-Tasche von Miu Miu, dass ich nichts unternehme. Aber du machst da einen großen Fehler.«

Sie schlendert aus dem Zimmer, und ich sehe ihr unruhig hinterher.

»Die Frau ist total geistesgestört«, sagt Lissy und lässt sich auf einen Stuhl sinken. »Warum haben wir sie bloß hier einziehen lassen?« Sie trinkt einen Schluck Tee. »Ach ja, ich weiß. Weil ihr Vater uns die Miete für ein Jahr im Voraus gezahlt hat ...« Sie bemerkt meinen Blick. »Alles klar?«

»Sie wird Jack doch nichts tun, oder?«

»Natürlich nicht«, beruhigt Lissy mich. »Sie hat doch nur eine große Klappe. Sie trifft wahrscheinlich gleich eine ihrer bekloppten Freundinnen und vergisst das Ganze.«

»Du hast Recht.« Ich schüttle mich ein bisschen. »Du hast

Recht.« Ich nehme meine Tasse und sehe sie ein paar Sekunden lang schweigend an. »Lissy, glaubst du wirklich, Jacks Geheimnis ist eine andere Frau?«

Lissy öffnet den Mund.

»Na ja, ist mir auch egal«, füge ich trotzig hinzu, bevor sie antworten kann. »Ist mir egal, was es ist.«

»Klar«, sagt Lissy und lächelt mich verständnisvoll an.

Als ich im Büro ankomme, sieht Artemis mit blitzenden Augen von der Arbeit auf.

»Morgen, Emma!« Sie grinst Catherine an. »Irgendwelche schlauen Bücher gelesen in letzter Zeit?«

Oh, ha ha-di-ha. Ganz schön witzig. Alle anderen haben keine Lust mehr, mich aufzuziehen. Nur Artemis findet es immer noch urkomisch.

»Habe ich tatsächlich, Artemis«, sage ich strahlend und ziehe die Jacke aus. »Ich habe neulich ein richtig tolles Buch gelesen, es heißt ›Was man gegen eine komplett bescheuerte Kollegin tun kann, die in der Nase bohrt, wenn sie sich unbeobachtet fühlt‹.«

Es gibt brüllendes Gelächter im Büro, und Artemis wird dunkelrot.

»Tue ich nicht!«, faucht sie.

»Habe ich auch nicht behauptet«, antworte ich unschuldig und schalte schwungvoll den Computer an.

»Fertig für das Meeting, Artemis?«, fragt Paul, der mit der Aktentasche und einer Zeitschrift in der Hand aus seinem Büro gekommen ist. »Ach, übrigens, Nick«, fügt er bedrohlich hinzu, »bevor ich gehe, könnten Sie mir sagen, was zum Teufel Sie bewogen hat, eine Couponanzeige für Panther-Riegel in die –«, er guckt auf die Titelseite »– *Bowling Monthly* zu setzen? Ich nehme doch an, dass Sie das waren, es ist ja Ihr Produkt.«

Mir sackt das Herz in die Hose, und ich hebe den Kopf.

Scheiße. Oberscheiße. Ich hatte nicht gedacht, dass Paul das mitkriegen würde.

Nick spießt mich mit einem Blick auf, und ich gucke gequält zurück.

»Na ja«, beginnt er aufsässig. »Ja, Paul. Der Panther-Riegel ist mein Produkt. Es ist aber so ...«

O Gott. Ich kann ihn nicht die Schuld auf sich nehmen lassen.

»Paul«, sage ich mit zitternder Stimme und hebe die Hand halb hoch. »Ehrlich gesagt war ...«

»Ich wollte Ihnen nämlich sagen«, Paul grinst Nick an, »dass das eine verdammt gute Idee war! Ich habe gerade die Zahlen hereinbekommen, und wenn man die jämmerliche Auflage bedenkt ... sind sie außerordentlich!«

Ich starre ihn erstaunt an. Die Anzeige hat gewirkt?

»Echt?«, sagt Nick in dem offensichtlichen Bemühen, nicht allzu erstaunt zu wirken. »Ich meine – ist doch toll!«

»Wie zur *Hölle* sind Sie denn auf die Idee gekommen, einen Teenager-Riegel in einem Blatt für alte Knacker zu annoncieren?«

»Na ja!« Nick richtet seine Manschettenknöpfe und vermeidet es, in meine Richtung zu gucken. »Es war natürlich ein *kleines* Risiko. Aber ich hatte das Gefühl, dass es Zeit wäre ... ein paar Versuchsballons steigen zu lassen ... ein Experiment mit neuen demographischen ...«

Moment mal. *Was* sagt er da?

»Nun, das Experiment ist geglückt.« Paul sieht Nick anerkennend an. »Und interessanterweise passt das zu einer neuen skandinavischen Marktstudie, die wir gerade bekommen haben. Vielleicht kommen Sie nachher noch mal zu mir, damit wir das besprechen können ...«

»Gerne!«, sagt Nick geschmeichelt. »Wie viel Uhr?«

Nein! Wie kann er das machen? So ein *Mistkerl*.

»Moment!« Zu meinem eigenen Erstaunen springe ich wütend auf. »Moment mal! Das war *meine* Idee!«

»Was?« Paul runzelt die Stirn.

»Die Anzeige in der *Bowling Monthly*. Das war meine Idee. Nicht *wahr*, Nick?« Ich sehe ihn direkt an.

»Vielleicht haben wir mal darüber gesprochen«, sagt er und weicht meinem Blick aus. »Ich erinnere mich nicht mehr genau. Aber weißt du, Emma, du musst noch lernen, dass es im Marketing immer um Teamwork geht …«

»Spiel dich doch nicht so auf! Das war kein Teamwork. Es war komplett meine Idee. Ich habe das für meinen Grandpa gemacht!«

Mist. Das hätte mir eigentlich nicht herausrutschen sollen.

»Erst Ihre Eltern. Jetzt Ihr Grandpa«, sagt Paul und wendet sich mir zu. »Sagen Sie, Emma, ist im Moment Bringen-Sie-Ihre-ganze-Familie-mit-zur-Arbeit-Woche?«

»Nein! Es ist nur …«, fange ich an, mir wird unter seinem Blick ein bisschen heiß. »Sie haben gesagt, dass Sie den Panther-Riegel kippen wollen, und da … da dachte ich, er und seine Freunde könnten ein bisschen Geld sparen und sich noch mal damit versorgen. Ich habe ja schon bei dem großen Meeting versucht, es Ihnen zu sagen, mein Großvater liebt Panther-Riegel! Und alle seine Freunde auch. Wenn Sie mich fragen, sollten Sie das Marketing auf *sie* ausrichten, nicht auf Teenager.«

Schweigen. Paul ist erstaunt.

»Wissen Sie, in Skandinavien kommen sie zu dem gleichen Schluss«, sagt er. »Das ist genau das, was die neue Studie ergeben hat.«

»Oh«, sage ich. »Ach … na also.«

»Und warum mögen ältere Leute den Panther-Riegel so, Emma? Wissen Sie das auch?« Er klingt ehrlich fasziniert.

»Natürlich weiß ich das.«

»Sie haben halt das Geld«, wirft Nick weise ein. »Demographische Verschiebungen im Rentenalter verursachen …«

»Nein, das ist es nicht!«, sage ich ungeduldig. »Es ist, weil … weil …« O Gott, Grandpa bringt mich um. »Es ist, weil … er ihnen nicht die dritten Zähne zieht.«

Das verschlägt allen die Sprache. Dann wirft Paul den Kopf zurück und bricht in schallendes Gelächter aus. »Dritte Zähne«, sagt er und wischt sich die Tränen aus den Augen. »Das ist einfach genial, Emma. Dritte Zähne!«

Er gluckst wieder, und ich starre ihn mit hämmerndem Kopf an. Ich habe ein ganz seltsames Gefühl. Als ob sich in mir etwas aufbaut, als wenn ich drauf und dran wäre …

»Werde ich jetzt befördert?«

»Was?« Paul sieht auf.

Habe ich das gerade wirklich gesagt? Laut?

»Werde ich jetzt befördert?« Meine Stimme zittert ein bisschen, aber ich bleibe fest. »Sie haben gesagt, ich müsse mir meine eigenen Chancen schaffen, dann würde ich auch befördert. Das haben Sie gesagt. Und jetzt habe ich doch was geschafft, oder?«

Paul sieht mich einige Augenblicke lang an, blinzelt und sagt gar nichts.

»Wissen Sie was, Emma Corrigan«, sagt er schließlich. »Sie sind einer der … der *erstaunlichsten* Menschen, die ich je kennen gelernt habe.«

»Heißt das Ja?«, beharre ich.

Im ganzen Büro herrscht Stille. Alle warten darauf, was er sagt.

»Ach, zum Teufel«, sagt er und verdreht die Augen. »Von mir aus! Sie werden befördert. War das alles?«

»Nein«, höre ich mich sagen, mit noch wilder klopfendem Herzen. »Da ist noch etwas. Paul, mir ist Ihre Weltmeisterschaftstasse kaputtgegangen.«

»Was?« Er ist geplättet.

»Es tut mir wirklich Leid. Ich besorge Ihnen eine neue.« Ich sehe mich im stillen, gaffenden Büro um. »Und ich war es auch, die neulich den Kopierer verstopft hat. Eigentlich sogar … immer. Und dieser Hintern …« Ich gehe zwischen den gespannten Gesichtern hindurch zur Pinnwand und reiße den fotokopierten Hintern im String herunter, »… das ist meiner, und ich will ihn da nicht mehr sehen.« Ich wirble herum. »Und, Artemis, mit deiner Grünlilie …«

»Was?«, fragt sie misstrauisch.

Ich starre sie an, mit ihrem Burberry-Regenmantel und der Designerbrille und diesem selbstgerechten Ich-bin-was-Besseres-als-du-Gesicht.

Okay, nicht, dass es jetzt mit mir durchgeht.

»Ich … ich habe keine Ahnung, was damit los ist.« Ich lächle sie an. »Viel Spaß im Meeting.«

Den Rest des Tages bin ich richtig gut drauf. Irgendwie schockiert und gut drauf, alles gleichzeitig. Ich kann es noch gar nicht glauben, dass ich befördert werde. Ich werde tatsächlich Marketing Executive!

Aber es ist nicht nur das. Ich weiß auch nicht genau, was mit mir los ist. Ich fühle mich wie ein neuer Mensch. Und wenn ich Pauls Tasse kaputtgemacht habe? Na und? Und wenn jeder weiß, wie viel ich wiege? Na und? Tschüss, alte, bescheuerte Emma, die ihre Oxfam-Tüten unter dem Tisch versteckt. Hallo neue, zuversichtliche Emma, die sie stolz an den Stuhl hängt.

Ich habe Mum und Dad angerufen, um ihnen zu erzählen, dass ich befördert werde, und sie waren ganz beeindruckt! Sie haben sofort gesagt, dass sie nach London kommen und mich zum Feiern ausführen wollen. Und dann habe ich mich ganz lange und nett mit Mum über Jack unterhalten. Sie sagte, manche Beziehungen würden ewig halten, und andere eben nur ein paar Tage, und so sei das Leben eben. Dann hat sie mir von einem Typen in Paris erzählt, mit dem sie eine sensationelle Achtundvierzig-Stunden-Affäre hatte. Sie sagte, solche körperlichen Freuden hätte sie sonst noch nie erlebt, und sie wusste, dass es nicht halten würde, aber dadurch sei es nur noch überwältigender gewesen.

Dann hat sie hinzugefügt, dass ich das Dad gegenüber lieber nicht erwähnen sollte.

Hammer. Ich bin ziemlich schockiert. Ich dachte immer, Mum und Dad … jedenfalls hätte ich nicht gedacht …

Na ja. Da kann man mal sehen.

Aber sie hat Recht. Manche Beziehungen sind eben kurz. Das mit Jack und mir sollte offensichtlich nirgendwohin führen. Und eigentlich habe ich meinen Frieden damit gemacht. Ich bin schon ziemlich darüber hinweg. Mein Herz hatte heute nur einmal einen kurzen Aussetzer, als ich dachte, ich hätte ihn auf dem Gang gesehen, und selbst davon habe ich mich ziemlich schnell erholt.

Heute fängt ein neues Leben an. Ehrlich gesagt, ich rechne damit, dass ich heute Abend bei Lissys Tanzvorstellung jemanden kennen lerne. Einen richtig großen, schnittigen Rechtsanwalt. Genau. Und dann kommt er mich in seinem spektakulären Sportwagen von der Arbeit abholen. Und ich hüpfe glücklich die Stufen hinunter, werfe das Haar zurück und sehe Jack nicht mal *an*, der mit finsterer Miene an seinem Bürofenster steht …

Nein. Nein. Jack ist vorbei. Ich bin über ihn hinweg. Da muss ich dran denken.

Vielleicht schreibe ich es mir auf die Hand.

24

Lissys Aufführung findet in einem Theater in Bloomsbury statt, vor dessen Eingang ein kleiner Kiesplatz ist, und als ich ankomme, drängen sich dort bereits jede Menge telefonierende Juristen in teuren Anzügen.

»… Mandantin die Vertragsbedingungen nicht akzeptiert …«

»… Berücksichtigung von Paragraph vier, Komma, ungeachtet des …«

Niemand macht Anstalten hineinzugehen, also begebe ich mich hinter die Bühne, um Lissy die Blumen zu bringen, die ich ihr mitgebracht habe. (Eigentlich wollte ich sie am Ende auf die Bühne werfen, aber es sind Rosen, und ich fürchte, sie könnten ihr Laufmaschen in die Strumpfhose reißen.)

Als ich die schäbigen Gänge entlanggehe, ertönt Musik aus der Anlage und mich streifen Leute in glitzernden Kostümen. Ein Mann mit blauen Federn im Haar dehnt sich an der Wand das Bein und spricht dabei mit jemandem in der Garderobe. »Da musste ich diesem *Idioten* von Staatsanwalt erklären, dass der Präzedenzfall von 1983, Miller gegen Davy, eindeutig …« Plötzlich unterbricht er sich. »Mist. Ich habe die ersten Schritte vergessen.« Er wird bleich. »Ich erinnere mich an gar nichts mehr. Ich fange mit dem Jeté an – und dann?« Er sieht mich an, als erwarte er eine Antwort von mir.

»Äh … eine Pirouette?«, versuche ich, eile unbeholfen weiter und falle fast über ein Mädchen im Spagat. Dann entdecke ich Lissy, die in einer der Garderoben auf einem Hocker sitzt. Sie ist stark geschminkt, ihre Augen wirken riesig und glitzern, und auch sie hat blaue Federn im Haar.

»O mein Gott, Lissy!«, sage ich und bleibe in der Tür stehen. »Du siehst toll aus! Was für ein wunderbares …«

»Ich kann das nicht.«

»Was?«

»Ich kann das nicht!«, wiederholt sie verzweifelt und zieht den Bademantel enger um sich herum. »Ich erinnere mich an gar nichts mehr. Totaler Blackout!«

»Das glauben alle«, sage ich ermutigend. »Da draußen war gerade ein Typ, der hat genau das Gleiche gesagt …«

»Nein. Ich erinnere mich *wirklich* an nichts.« Lissy starrt mich mit weit aufgerissenen Augen an. »Meine Beine fühlen sich an wie Watte, ich kann kaum atmen …« Sie nimmt einen Rouge-Pinsel, sieht ihn düster an und legt ihn wieder hin. »Warum habe ich überhaupt zugesagt? Warum?«

»Ähm … weil es Spaß macht?«

»Spaß?« Ihre Stimme wird schrill. »Du meinst, das macht *Spaß*? O Gott.« Plötzlich ändert sich ihr Gesichtsausdruck, sie bricht ab und stürmt durch eine Tür. Im nächsten Moment höre ich sie würgen.

Also, irgendwas stimmt doch hier nicht. Ich dachte, tanzen sei *gesund*.

Sie erscheint wieder in der Tür, blass und zitternd, und ich sehe sie besorgt an.

»Liss, geht's wieder?«

»Ich kann das nicht«, sagt sie. »Ich kann nicht.« Sie scheint plötzlich einen Entschluss gefasst zu haben. »Okay, ich gehe jetzt nach Hause.« Sie sucht ihre Klamotten zusammen. »Sag ihnen, dass ich plötzlich krank geworden bin, es war ein Notfall …«

»Du kannst nicht nach Hause gehen!«, sage ich entsetzt und versuche, ihr die Sachen abzunehmen. »Lissy, es wird prima laufen! Ich meine, denk doch mal nach. Wie oft musst du in großen Gerichtssälen vor Unmengen von Leuten richtig lange Reden halten, und wenn du es vermasselst, kommen Unschuldige ins Gefängnis?«

Lissy sieht mich an, als wäre ich nicht ganz dicht.

»Ja, aber das ist doch *einfach*!«

»Na ja …« Ich suche verzweifelt nach Worten. »Also, wenn du jetzt kneifst, wirst du es ewig bereuen. Du wirst dir immer Vorwürfe machen und dir wünschen, du hättest durchgehalten.«

Sie schweigt. Ich kann unter den Federn und dem ganzen Zeug praktisch sehen, wie ihr Gehirn arbeitet.

»Du hast Recht«, sagt sie schließlich. »Okay. Ich mach's. Aber ich will nicht, dass du zuguckst. Du sollst … nur nachher da sein. Nein, doch nicht. Geh einfach weg. Bleib einfach weg.«

»Okay«, sage ich zögernd. »Wenn du wirklich willst, dass ich gehe …«

»Nein!« Sie wirbelt herum. »Du darfst nicht gehen! Ich habe es mir anders überlegt. Ich brauche dich hier!«

»Okay«, sage ich, noch zögerlicher, als ein Lautsprecher in der Wand verkündet: »Noch fünfzehn Minuten!«

»Ich gehe dann mal«, sage ich. »Damit du noch Zeit zum Aufwärmen hast.«

»Emma.« Lissy packt mich am Arm und fixiert mich mit einem intensiven Blick. Sie hält mich so fest, dass es wehtut. »Emma, wenn ich so was jemals wieder machen möchte, dann halt mich davon ab. Egal, was ich sage. Versprich mir, dass du mich davon abhältst.«

»Versprochen«, sage ich hastig. »Versprochen.«

Ach du Scheiße. So habe ich Lissy ja in meinem ganzen Leben noch nicht erlebt. Als ich wieder auf den Vorplatz gehe, der sich inzwischen mit noch mehr gut gekleideten Leuten gefüllt hat, bin ich selbst schon ganz aufgeregt. Sie sah aus, als könnte sie nicht mal aufstehen, geschweige denn tanzen.

Bitte lass sie es nicht vermasseln. Bitte.

341

In einer Horrorvision sehe ich Lissy auf der Bühne stehen, wie ein verschrecktes Kaninchen, und sich nicht an ihre Schritte erinnern. Und das Publikum starrt sie einfach nur an. Schon der Gedanke daran dreht mir den Magen um.

Okay. Das lasse ich nicht zu. Wenn irgendwas schief geht, sorge ich für eine Störung. Ich täusche einen Herzinfarkt vor. Genau. Ich breche auf dem Boden zusammen, alle sehen mich einige Sekunden lang an, aber die Aufführung geht natürlich weiter, wir sind schließlich Briten, und bis sich alle wieder der Bühne zuwenden, sind Lissy ihre Schritte wieder eingefallen.

Und wenn sie mich ins Krankenhaus bringen oder so, sage ich einfach: »Aber ich hatte so schreckliche Schmerzen in der Brust!« Man wird nicht beweisen können, dass ich die nicht hatte.

Und selbst *wenn* sie es beweisen können, mit irgendeinem Spezialgerät, dann sage ich einfach …

»Emma.«

»Was?«, sage ich abwesend. Und dann setzt mein Herzschlag aus.

Drei Meter vor mir steht Jack. Er trägt seine übliche Uniform, Jeans und Pulli, und sticht damit aus der Anzug tragenden Juristenmeute meilenweit heraus. Als ich in seine dunklen Augen sehe, ist der ganze Schmerz wieder da.

Gar nicht reagieren, sage ich mir schnell. Ende Gelände. Neues Leben.

»Was machst du denn hier?«, frage ich mit einem kleinen Interessiert-mich-eigentlich-gar-nicht-Achselzucken.

»Ich habe den Flyer auf deinem Schreibtisch gefunden.« Er hält einen Zettel hoch und sieht mich unverwandt an. »Emma, ich möchte wirklich gerne mit dir sprechen.«

Es versetzt mir einen Stich. Glaubt er, er kann einfach hier auftauchen und ich lasse alles stehen und liegen, um mit ihm zu sprechen? Vielleicht bin ich ja beschäftigt! Vielleicht habe ich längst jemand anderen. Hat er daran schon gedacht?

»Ehrlich gesagt … ich bin mit jemandem zusammen hier«, sage ich in höflichem, leicht mitleidigem Ton.

»Echt?«

»Ja. Echt. Also …« Ich zucke mit den Schultern und warte darauf, dass er weggeht. Tut er aber nicht.

»Mit wem denn?«, fragt er.

Okay, das hätte er jetzt nicht fragen dürfen. Einen Moment lang weiß ich nicht, was ich tun soll.

»Äh … mit ihm«, sage ich schließlich und zeige auf einen großen Kerl in Hemdsärmeln, der mit dem Rücken zu uns in der Ecke des Hofs steht. »Ich gehe wohl besser wieder zu ihm.«

Hocherhobenen Hauptes mache ich auf dem Absatz kehrt und gehe auf den hemdsärmeligen Typen zu. Ich kann ihn ja einfach nach der Uhrzeit fragen und ihn irgendwie in ein Gespräch verwickeln, bis Jack weg ist. (Und vielleicht ein- oder zweimal hell auflachen, damit er sieht, wie prächtig wir uns amüsieren.)

Als ich nur noch ein paar Schritte von ihm entfernt bin, dreht er sich um, in ein Handy-Gespräch vertieft.

»Hi!«, strahle ich ihn an, aber er hört mich nicht mal. Er wirft mir einen ausdruckslosen Blick zu und verschwindet, immer noch sprechend, in der Menge.

Ich stehe ganz allein in der Ecke.

Mist.

Nach schätzungsweise mehreren Ewigkeiten drehe ich mich so unbefangen wie möglich um.

Jack steht immer noch da und guckt.

Ich starre ihn wütend an, mein ganzer Körper pulsiert vor Scham. Wenn er mich auslacht …

Aber er lacht nicht.

»Emma …« Er kommt auf mich zu, bis er mit entwaffnendem Blick direkt vor mir steht. »Was du gesagt hast. Ich habe darüber nachgedacht. Ich hätte mich dir mehr anvertrauen sollen. Ich hätte dich nicht so ausschließen dürfen.«

Zuerst bin ich nur überrascht, dann empfinde ich aber auch verletzten Stolz. Will er sich mir denn jetzt anvertrauen, oder was? Nun, vielleicht ist es jetzt zu spät. Vielleicht interessiert mich das jetzt nicht mehr.

»Du musst dich mir nicht anvertrauen. Deine Sachen sind deine Sachen, Jack.« Ich lächle ihn distanziert an. »Sie haben mit mir nichts zu tun. Und wahrscheinlich würde ich sie sowieso nicht verstehen, wenn man bedenkt, wie kompliziert sie sind und wie zurückgeblieben ich bin …«

Bestimmt drehe ich mich um und gehe über den Kies.

»Ich bin dir wenigstens eine Erklärung schuldig«, folgt mir Jacks Stimme.

»Du bist mir überhaupt nichts schuldig!« Ich hebe stolz das Kinn an. »Es ist vorbei, Jack. Und wir können ebenso gut beide … Aua! Lass mich los!«

Jack hat nach meinem Arm gegriffen und dreht mich jetzt zu sich herum.

»Ich bin aus einem bestimmten Grund hergekommen, Emma«, sagt er feierlich. »Ich bin gekommen, um dir zu erzählen, was ich in Schottland gemacht habe.«

Ich bekomme einen riesengroßen Schrecken, den ich zu verbergen versuche.

»Es interessiert mich nicht, was du in Schottland gemacht hast!«, bringe ich heraus. Ich entwinde ihm den Arm und marschiere weg, so gut ich durch das Dickicht der telefonierenden Anwälte vorankomme.

»Emma, ich möchte es dir aber erzählen.« Er kommt mir nach. »Ich möchte es dir wirklich erzählen.«

»Aber vielleicht möchte ich es nicht hören!«, entgegne ich

patzig und drehe mich so schwungvoll auf dem Kies um, dass einige Steinchen herumfliegen.

Wir stehen uns gegenüber wie bei einem Duell. Mein Brustkorb hebt und senkt sich schnell.

Natürlich will ich es hören.

Er weiß, dass ich es hören will.

»Gut, dann schieß los«, sage ich schließlich und zucke grollend mit den Schultern. »Wenn du unbedingt willst, erzähl es mir halt.«

Jack führt mich schweigend an ein ruhiges Fleckchen abseits der Menge. Während wir gehen, bricht mein gespielter Stolz zusammen. Tatsächlich wird mir ein bisschen unbehaglich. Beziehungsweise, ich habe Angst.

Will ich sein Geheimnis wirklich wissen?

Was, wenn es eine Betrugssache ist, wie Lissy meinte? Was, wenn er etwas ausgefressen hat und mich da reinziehen will?

Was, wenn er eine richtig peinliche Operation hatte und ich aus Versehen lachen muss?

Was, wenn es eine andere Frau *ist* und er mir jetzt erzählen will, dass er heiratet oder so?

Es versetzt mir einen Stich, den ich bekämpfe. Nun, wenn es das ist … bleibe ich einfach cool, als hätte ich es die ganze Zeit gewusst. Ich gebe einfach vor, *ich* hätte auch noch einen Liebhaber. Genau. Ich lächle ihn einfach ironisch an und sage: »Ach, weißt du, Jack, ich hatte doch nicht angenommen, dass das mit uns exklusiv ist …«

»Okay.« Jack wendet sich mir zu und ich beschließe eilig, ihn anzuzeigen, falls er einen Mord begangen hat, Versprechen hin oder her.

»Also dann.« Er atmet tief ein. »Ich habe in Schottland jemanden besucht.«

Mein Herz plumpst eine Etage tiefer.

»Eine Frau«, sage ich, bevor ich mich bremsen kann.

»Nein, keine Frau!« Sein Gesichtsausdruck verändert sich. »Hast du das gedacht? Dass ich fremdgehe?«

»Ich … wusste nicht, was ich denken soll.«

»Emma, ich habe keine andere Frau. Ich war bei …« Er zögert. »Nennen wir es … Familie.«

In meinem Kopf dreht sich alles.

Familie?

O mein Gott, Jemima hatte Recht, ich habe mich mit einem Mafioso eingelassen.

Okay. Keine Panik. Ich komme da noch raus. Ich kann ins Zeugenschutzprogramm gehen. Ich könnte mich Megan nennen.

Nein, Chloe. Chloe de Souza.

»Genauer gesagt … ein Kind.«

Ein Kind? Er hat ein Kind?

»Sie heißt Alice.« Er lächelt ein bisschen. »Sie ist vier Jahre alt.«

Er hat eine Frau und eine ganze Familie, von der ich nichts weiß, und das ist sein Geheimnis. Hätte ich mir ja denken können.

»Du …« Ich feuchte mir die trockenen Lippen an. »Du hast ein Kind?«

»Nein, ich habe kein Kind.« Jack starrt einige Sekunden lang zu Boden. »Pete hatte ein Kind. Er hatte eine Tochter. Alice ist Pete Laidlers Tochter.«

»Aber … aber …« Ich starre ihn verwirrt an. »Aber … ich wusste gar nicht, dass Pete Laidler ein Kind hatte.«

»Das weiß niemand.« Er sieht mich lange an. »Darum geht es ja.«

Das ist vollkommen und überhaupt nicht das, was ich erwartet hatte.

Ein Kind. Pete Laidlers geheimes Kind.

»Aber … wie kann es sein, dass niemand davon weiß?«, frage ich blöde. Wir haben uns noch weiter von der Menge entfernt und sitzen jetzt auf einer Bank unter einem Baum. »Das wäre doch bestimmt aufgefallen.«

»Pete war ein großartiger Mensch.« Jack seufzt. »Aber Verpflichtungen waren nicht gerade seine Stärke. Als Marie – die Mutter von Alice – feststellte, dass sie schwanger ist, waren sie schon nicht mehr zusammen. Marie ist ein stolzer, zurückhaltender Mensch. Sie war fest entschlossen, alles allein zu schaffen. Pete hat sie finanziell unterstützt – aber für das Kind hat er sich nicht interessiert. Er hat niemandem erzählt, dass er Vater war.«

»Selbst dir nicht?« Ich starre ihn an. »Du wusstest nicht, dass er ein Kind hatte?«

»Ich habe es erst nach seinem Tod erfahren.« Sein Gesicht verschließt sich ein bisschen. »Ich habe Pete sehr gemocht. Aber das kann ich ihm nur schwer verzeihen. Ein paar Monate nach seinem Tod tauchte plötzlich Marie mit dem Baby auf.« Jack atmet scharf aus. »Na ja. Du kannst dir ja denken, wie wir uns alle vorkamen. Schockiert wäre untertrieben. Marie wollte aber auf keinen Fall, dass es irgendwer erfährt. Sie will Alice als ganz normales Kind großziehen, nicht als Pete Laidlers uneheliches Baby. Nicht als Erbin eines riesigen Vermögens.«

Mir wird ganz schwindelig. Eine Vierjährige, die Pete Laidlers Anteil an der Panther Corporation bekommt. Alter Schwede.

»Hat sie alles geerbt?«, frage ich zögernd.

»Nicht alles, nein. Aber viel. Petes Familie war mehr als großzügig. Und deswegen hält Marie sie von der Öffentlichkeit fern.« Er breitet die Hände aus. »Ich weiß, dass wir sie nicht ewig davor bewahren können. Früher oder später wird es durchsickern. Aber wenn es herauskommt, dreht die Presse durch. Alice wird ganz oben auf der Liste der Reichen stehen ... die anderen Kinder werden es ihr nicht leicht machen ... sie wird einfach nicht mehr normal leben können. Manche Kinder können damit umgehen. Aber Alice ... sie ist nicht so. Sie hat Asthma, und sie ist so zerbrechlich.«

Während er spricht, fallen mir die Zeitungsartikel nach Pete Laidlers Tod wieder ein. Sein Bild war auf jeder einzelnen Titelseite.

»Ich versuche viel zu sehr, dieses Kind zu schützen.« Jack lächelt reumütig. »Ich weiß. Das sagt selbst Marie. Aber ... sie ist mir so wichtig.« Er starrt einen Moment lang ins Leere. »Sie ist alles, was wir noch von Pete haben.«

Ich sehe ihn an und bin plötzlich gerührt.

»Und darum ging es auch in den Anrufen?«, frage ich zaghaft. »Musstest du deswegen neulich abends so plötzlich verschwinden?«

Jack seufzt. »Die beiden hatten vor ein paar Tagen einen Verkehrsunfall. Es war nicht so schlimm. Aber ... nach Petes Unfall sind wir besonders empfindlich. Wir wollten einfach sichergehen, dass sie richtig behandelt werden.«

»Klar«, ich zucke ein bisschen zusammen. »Das verstehe ich.«

Wir schweigen eine Weile. Ich versuche, all die Puzzleteile zusammenzusetzen. Mir ein Bild zu machen.

»Was ich nicht verstehe«, sage ich, »warum sollte ich es geheim halten, dass du in Schottland warst? Da hätte doch keiner was mit anfangen können.«

Jack verdreht reuig die Augen.

»Das war total bescheuert von mir. Ich hatte ein paar Leuten gesagt, dass ich an dem Tag nach Paris fliege, nur als Vorsichtsmaßnahme. Keiner wusste etwas von meinem Ausflug nach Schottland. Ich dachte, niemand würde es merken. Und dann komme ich ins Büro ... und da sitzt du.«

»Und da ist dir das Herz in die Hose gerutscht.«

»Nicht direkt.« Er sieht mir in die Augen. »Es wusste nicht recht, in welche Richtung es sich bewegen sollte.«

Ich spüre, wie sich plötzlich meine Wangen färben, und räuspere mich befangen.

»Und … äh …«, sage ich und sehe weg. »Deswegen hast du …«

»Ich wollte nur nicht, dass du plötzlich verlauten lässt, ›Hey, er war gar nicht in Paris, er war in Schottland!‹, und damit die Gerüchteküche anheizt.« Jack schüttelt den Kopf. »Du würdest dich wundern, was die Leute für alberne Theorien aufstellen, wenn sie nichts Besseres zu tun haben. Das habe ich doch alles schon gehört. Ich plane, die Firma zu verkaufen … ich bin schwul … ich bin in der Mafia …«

»Äh … echt?«, sage ich und streiche mir eine Haarsträhne glatt. »Herrje. Wie blöd!«

Ein paar Mädchen schlendern in der Nähe vorbei, und wir schweigen eine Weile.

»Emma, es tut mir Leid, dass ich dir das nicht vorher sagen konnte«, sagt Jack mit gedämpfter Stimme. »Ich wusste, dass es dich verletzt. Ich wusste, dass du das Gefühl hattest, ich schließe dich aus. Aber … es ist einfach nichts, was man einfach so erzählt.«

»Nein!«, sage ich sofort. »Natürlich konntest du das nicht. Es war dumm von mir.«

Ich streiche unbeholfen mit dem Fuß im Kies herum und bin etwas betreten. Ich hätte mir doch denken können, dass es etwas Wichtiges ist. Als er sagte, es sei kompliziert und heikel, war das die Wahrheit.

»Nur eine Hand voll Leute weiß davon.« Jack sieht mich ernst an. »Einige wenige, besondere, vertrauenswürdige Leute.«

In seinem Blick liegt etwas, das mir die Kehle zuschnürt. Ich sehe ihn an und spüre, wie mir das Blut ins Gesicht steigt.

»Kommen Sie rein?«, ruft eine helle Stimme. Wir zucken zusammen und sehen eine Frau in schwarzen Jeans auf uns zukommen. »Die Aufführung fängt gleich an!«, sagt sie strahlend.

Ich komme mir vor, als hätte sie mich mit einer Ohrfeige aus einem Traum geweckt.

»Ich ... ich muss rein und Lissy tanzen sehen«, sage ich benommen.

»Klar. Na ja, dann lasse ich dich mal allein. Das war auch schon alles, was ich sagen wollte.« Jack steht langsam auf und dreht sich dann noch mal um. »Nur eins noch.« Er sieht mich einen Moment lang schweigend an. »Emma, ich weiß, dass die letzten Tage nicht leicht für dich waren. Du warst die ganze Zeit über ein Musterbeispiel an Diskretion und ich ... nicht. Und dafür wollte ich mich entschuldigen. Noch einmal.«

»Das ... ist schon okay«, bringe ich heraus.

Jack dreht sich wieder um, ich sehe ihn langsam über den Kies weggehen und bin hin- und hergerissen.

Er ist extra hergekommen, um mir sein Geheimnis zu verraten. Sein großes, kostbares Geheimnis.

Das hätte er nicht zu tun brauchen.

O Gott. O Gott ...

»Warte mal!«, höre ich mich rufen, und Jack dreht sich sofort um. »Willst du ... willst du nicht mitkommen?« Und ich freue mich, als sein Gesicht sich zu einem Lächeln verzieht.

Als wir zusammen über den Kies knirschen, nehme ich all meinen Mut zusammen.

»Jack, ich muss dir auch etwas sagen. Über ... was du gerade gesagt hast. Ich weiß, dass ich neulich gesagt habe, du hättest mein Leben zerstört.«

»Ich erinnere mich dunkel«, sagt Jack ironisch.

»Na ja, das war *möglicherweise* nicht ganz richtig.« Ich räuspere mich beschämt. »Ehrlich gesagt … das war falsch.« Ich sehe ihn offen an. »Jack, du hast nicht mein Leben zerstört.«

»Nicht?«, sagt Jack. »Hab ich noch einen Versuch?«

Ohne es zu wollen, muss ich kichern.

»Nein!«

»Nein? Ist das dein letztes Wort?«

Als er mich ansieht, liegt eine größere Frage in seinem Blick, und ich schwanke zwischen Hoffnung und Angst. Einen langen Moment sagen wir nichts. Ich atme ziemlich schnell.

Plötzlich fällt Jacks Blick interessiert auf meine Hand. »Ich bin über Jack hinweg«, liest er laut.

Scheiße.

Mein ganzes Gesicht wird feuerrot.

Ich schreibe mir nie wieder etwas auf die Hand. Nie wieder.

»Das ist nur …«, ich räuspere mich schon wieder. »Das war nur so eine Kritzelei … es sollte nicht heißen …«

Das schrille Klingeln meines Handys unterbricht mich. Gott sei Dank. Wer auch immer das ist, ich bin ihm dankbar. Hastig ziehe ich das Telefon hervor und drücke die grüne Taste.

»Emma, du wirst mir ewig dankbar sein!«, ertönt Jemimas durchdringende Stimme.

»Was?« Ich starre das Telefon an.

»Ich habe alles für dich arrangiert!«, triumphiert sie. »Ich weiß, ich bin ein Superstar, und du wüsstest gar nicht, was du ohne mich tätest …«

»*Was*?« Ich bin alarmiert. »Jemima, wovon sprichst du?«

»Von deiner Rache an Jack Harper, Dummchen! Du hast ja nur rumgesessen wie eine Memme, deswegen habe ich das in die Hand genommen.«

Einen Augenblick lang bin ich gelähmt.

»Äh, Jack … entschuldige mich eine Minute.« Ich lächle ihn

strahlend an. »Ich muss eben ... diesen Anruf hier annehmen.«

Auf wackligen Beinen eile ich in die Ecke des Hofs, reichlich außer Hörweite.

»Jemima, du hast mir versprochen, nichts zu unternehmen!«, zische ich. »Du hast es bei deiner Miu-Miu-Ponyfell-Tasche geschworen, erinnerst du dich?«

»Ich *habe* überhaupt keine Miu-Miu-Ponyfell-Tasche!«, kräht sie triumphierend. »Ich habe nur eine *Fendi*-Ponyfell-Tasche!«

Sie ist verrückt. Komplett durchgeknallt.

»Jemima, was hast du getan?«, frage ich entsetzt. »Sag mir, was du getan hast.«

Mein Herz hämmert vor Angst. Hoffentlich hat sie nicht sein Auto zerkratzt. Bitte nicht.

»Auge um Auge, Emma! Dieser Mann hat dich so verraten, und wir tun jetzt das Gleiche mit ihm. Ich sitze hier mit einem sehr netten Herrn namens Mick. Er ist Journalist, er schreibt für die *Daily World* ...«

Mir gefriert das Blut.

»Ein Schmierenjournalist?«, bringe ich schließlich heraus. »Jemima, bist du *krank*?«

»Sei doch nicht so kleingeistig und provinziell«, gibt Jemima tadelnd zurück. »Emma, Klatschreporter sind unsere *Freunde*! Sie sind wie Privatdetektive ... nur kostenlos! Mick hat schon viel für Mummy gearbeitet. Er kann hervorragend Dinge herausfinden. Und er ist *sehr* interessiert an Jack Harpers kleinem Geheimnis. Ich habe ihm alles erzählt, was wir wissen, aber er möchte gerne noch mit dir sprechen.«

Mir wird ganz schwach. Das kann ja wohl nicht wahr sein.

»Jemima, hör mir mal zu«, sage ich schnell, mit gedämpfter Stimme, als wollte ich eine Irre überreden, vom Dach zu klettern. »Ich will Jacks Geheimnis nicht herausbekommen, okay?

Ich will das einfach vergessen. Du musst diesen Typen zurück-pfeifen.«

»Mache ich nicht!«, sagt sie wie eine bockige Sechsjährige. »Emma, lass dich doch nicht so hängen! Man darf sich von Männern nicht schlecht behandeln lassen und es ihnen dann nicht heimzahlen! Man muss es ihnen zeigen. Mummy sagt immer …« Plötzlich höre ich Reifen quietschen. »Ups! Kleiner Unfall. Ich rufe nachher noch mal an.«

Die Leitung wird unterbrochen.

Ich bin wie betäubt vor Entsetzen.

Wie wild hämmere ich ihre Nummer ein, aber es wird so-fort auf die Mailbox umgeschaltet.

»Jemima«, sage ich sofort nach dem Piepton. »Jemima, du musst ihn stoppen! Du musst …« Ich breche abrupt ab, als Jack bei mir auftaucht und mich herzlich anlächelt.

»Es geht gleich los«, sagt er und sieht mich neugierig an. »Ist alles in Ordnung?«

»Wunderbar«, sage ich mit belegter Stimme und stecke das Telefon ein. »Alles … bestens.«

25

Als ich in den Zuschauerraum gehe, bin ich vor lauter Panik ganz benommen.

Was habe ich getan? Was habe ich getan?

Ich habe einer moralisch verkommenen, rachsüchtigen, Prada tragenden Durchgeknallten Jacks Geheimnis erzählt. Etwas, das ihm wichtiger ist als alles andere.

Okay. Beruhige dich, sage ich mir zum tausendsten Mal. Sie weiß eigentlich gar nichts. Dieser Journalist wird wahrschein-lich gar nichts herausbekommen. Ich meine, welche Fakten kennt er denn?

Aber wenn doch? Was, wenn er zufällig über die Wahrheit stolpert? Und Jack erfährt, dass ich es war, die ihm die Richtung gewiesen hat?

Schon der Gedanke macht mich krank. Mir dreht sich der Magen um. *Warum* habe ich Jemima gegenüber Schottland erwähnt? *Warum?*

Neuer Vorsatz: Ich werde nie wieder irgendein Geheimnis ausplaudern. Nie, nie, nie. Selbst wenn es unwichtig erscheint. Selbst wenn ich wütend bin.

Am besten ... ich rede überhaupt nicht mehr, Punkt. Reden macht doch immer nur Ärger. Wenn ich in dem blöden Flieger einfach die Klappe gehalten hätte, säße ich jetzt nicht so in der Patsche.

Ich werde nie mehr ein Wort sagen. Ich werde ein schweigendes Rätsel sein. Wenn mich jemand etwas fragt, nicke ich nur oder kritzle kryptische Kommentare auf Zettel. Die Leute werden sie mitnehmen und darüber brüten und die verborgene Bedeutung darin suchen ...

»Ist das Lissy?«, fragt Jack und zeigt auf einen Namen im Programm, und ich zucke vor Schreck zusammen. Ich folge seinem Blick und nicke schweigend, mit fest zusammengepressten Lippen.

»Kennst du sonst noch jemanden in der Show?«, fragt er.

Achselzuckend signalisiere ich »wer weiß?«.

»Und ... wie lange hat Lissy geprobt?«

Ich zögere, dann hebe ich drei Finger.

»Drei?« Jack sieht mich durchdringend und verunsichert an. »Drei was?«

Ich mache eine Geste, die »Monate« bedeuten soll. Dann noch mal. Jack wirkt völlig verwirrt.

»Emma, stimmt irgendwas nicht?«

Ich taste in meiner Tasche nach einem Stift – aber ich habe keinen.

Okay, vergessen wir das mit dem Nichtsprechen.

»Ungefähr drei Monate«, sage ich laut.

»Aha.« Jack nickt und wendet sich wieder dem Programm zu. Sein Gesicht ist entspannt und nichtsahnend, und ich fühle mich wieder schrecklich schuldig.

Vielleicht sollte ich es ihm einfach sagen.

Nein. Kann ich nicht. Geht nicht. Wie sollte ich das denn auch ausdrücken? »Übrigens, Jack. Weißt du noch, dein wirklich wichtiges Geheimnis, das ich bewahren sollte? Rat mal, was ich damit …«

Ich muss Schadensbegrenzung betreiben. Wie in diesen Militärfilmen, wo einer, der zu viel weiß, einfach kaltgemacht wird. Aber wie schalte ich Jemima aus? Ich habe einen wahnsinnig gewordenen, menschlichen Marschflugkörper in Gang gesetzt, der jetzt in London herumrast und wild entschlossen ist, so viel Schaden wie möglich anzurichten. Ich will ihn zurückrufen, aber der Knopf funktioniert nicht mehr.

Okay. Denken wir mal vernünftig. Es gibt keinen Grund zur Panik. Heute Abend passiert gar nichts mehr. Ich versuche einfach weiter, sie anzurufen, und sobald ich durchkomme, erkläre ich ihr in sehr einfachen Worten, dass sie diesen Typen zurückpfeifen muss, und ich ihr anderenfalls die Beine breche.

Ein dunkler, aufdringlicher Trommelschlag dröhnt durch die Lautsprecher, und ich zucke vor Schreck zusammen. Ich bin so von Sinnen, dass ich völlig vergessen hatte, warum wir hier sind. Im Zuschauersaal wird es jetzt ganz dunkel, und das Publikum um uns herum wird ruhig und aufmerksam. Der Trommelschlag wird lauter, aber auf der Bühne geschieht nichts; sie ist immer noch stockduster.

Die Trommel dröhnt immer lauter, und ich bin jetzt richtig gespannt. Es ist ein bisschen gespenstisch. Wann fangen sie denn an zu tanzen? Wann geht der Vorhang hoch? Wann wollen sie …

Bumm! Das Publikum schnappt nach Luft, als schlagartig blendendes Licht den Zuschauerraum erhellt und mich fast blind macht. Wummernde Musik erfüllt den Raum, und auf der Bühne springt und wirbelt plötzlich eine einzelne Figur in einem schwarzen Glitzerkostüm herum. Wer auch immer das ist, er ist sensationell. Ich blinzle benommen ins Licht und versuche, etwas zu erkennen. Ich kann kaum sehen, ob es ein Mann oder eine Frau oder …

Ach du lieber Gott. Es ist Lissy.

Ich bin vor Schreck wie am Stuhl festgeklebt. Alles andere ist aus meinem Kopf verschwunden. Ich kann die Augen nicht von Lissy wenden.

Ich hatte ja keine Ahnung, dass sie so was kann. Keine Ahnung! Also, wir haben früher zusammen ein bisschen Ballett gemacht. Und ein bisschen gesteppt. Aber wir haben doch nie … ich habe nie … Wie kann ich sie seit über zwanzig Jahren kennen und keine Ahnung haben, dass sie tanzen kann?

Sie hat gerade mit einem maskierten Tänzer zusammen, wahrscheinlich mit Jean-Paul, einen fantastischen langsamen, kraftvollen Tanz dargeboten, und jetzt springt sie und dreht sich mit einem langen Band herum, das ganze Publikum starrt sie gebannt an, und sie wirkt umwerfend. So glücklich hat sie schon seit Monaten nicht mehr ausgesehen. Ich bin *so* stolz auf sie.

Zu meinem Schrecken habe ich plötzlich Tränen in den Augen. Und meine Nase läuft. Ich habe nicht mal ein Taschentuch. Wie peinlich.

Okay. Ich muss mich zusammenreißen, sonst wird das wieder wie damals, als ich mit meinem Patenkind Amy in dem Disneyfilm *Tarzan* war, und als das Licht wieder anging, schlief sie tief und fest und ich war in Tränen aufgelöst und wurde von einer Bande Vierjähriger mit versteinerten Mienen angestarrt.

Jemand berührt mich an der Hand. Ich sehe auf, und Jack bietet mir ein Taschentuch an. Als ich es annehme, schließen sich seine Finger kurz um meine.

Als die Aufführung zu Ende ist, bin ich völlig hin und weg. Lissy verbeugt sich tief, und Jack und ich applaudieren wie wild und grinsen uns an.

»Erzähl bloß keinem, dass ich geheult habe«, sage ich über den Applaus hinweg.

»Tue ich nicht«, sagt Jack und lächelt mich reuig an. »Versprochen.«

Der Vorhang fällt zum letzten Mal, die Leute stehen auf und greifen nach ihren Jacken und Taschen. Und als langsam wieder alles normal wird, ebbt mein Hochgefühl ab, und die Angst kehrt zurück. Ich muss noch einmal versuchen, Jemima zu erreichen.

Am Ausgang strömen die Leute über den Hof zu einem erleuchteten Raum auf der anderen Seite.

»Lissy hat gesagt, wir sehen uns auf der Party«, sage ich zu Jack. »Also, äh … geh doch schon mal vor. Ich muss noch schnell telefonieren.«

»Ist alles in Ordnung?«, sagt Jack und sieht mich forschend an. »Du wirkst so fahrig.«

»Alles in Ordnung!«, sage ich. »Nur aufgeregt!« Ich strahle ihn an, so überzeugend ich es schaffe, dann warte ich, bis er sicher außer Hörweite ist. Dann wähle ich sofort Jemimas Nummer. Und werde prompt auf die Mailbox umgeleitet.

Ich wähle noch mal. Wieder die Mailbox.

Vor Verzweiflung würde ich am liebsten laut schreien. Wo ist sie? Was macht sie? Wie kann ich sie ausschalten, wenn ich nicht weiß, wo sie ist?

Ich stehe vollkommen still da und versuche, die aufkommende Panik zu bekämpfen und mir etwas einfallen zu lassen.

Okay. Ich gehe einfach auf die Party, verhalte mich ganz normal, versuche weiter, sie zu erreichen, und wenn alle Stricke reißen, bleibt mir nichts anderes übrig als abzuwarten. Sonst kann ich nichts tun. Es wird schon gut gehen. Bestimmt.

Die Party ist riesig und ausgelassen und laut. Alle Tänzer sind da, immer noch kostümiert, und das gesamte Publikum, und eine ganze Reihe Leute, die offensichtlich erst jetzt gekommen sind. Kellner gehen mit Getränken herum, das Geplapper ist erstaunlich laut. Als ich hineingehe, sehe ich kein bekanntes Gesicht. Ich nehme mir ein Glas Wein und schiebe mich in die Menge, wo ich lauter Gesprächsfetzen aufschnappe.

»… wunderschöne Kostüme …«

»… die Zeit zum Proben nehmen?«

»… Richter war *vollkommen* unnachgiebig …«

Plötzlich entdecke ich Lissy, von einer Menge gut aussehender Juristen-Typen belagert, von denen einer unverhohlen ihre Beine anstarrt.

»Lissy!«, kreische ich. Sie dreht sich um, und ich drücke sie ganz fest. »Ich wusste ja gar nicht, dass du so toll tanzen kannst! Das war fantastisch!«

»Ach, Quatsch. War es nicht«, sagt sie sofort und zieht ein typisches Lissy-Gesicht. »Ich bin völlig durcheinander gekommen, als …«

»Stopp!«, unterbreche ich sie. »Lissy, es war ganz hervorragend. *Du* warst hervorragend.«

»Aber ich war total schlecht im …«

»Sag *nicht*, dass du schlecht warst!«, schreie ich sie regelrecht an. »Du warst fantastisch. Sag es. *Sag* es, Lissy.«

»Na ja … okay.« Ihr Gesicht verzieht sich widerstrebend zu einem Lächeln. »Okay. Ich war … fantastisch!« Sie lacht freudig erregt. »Emma, so gut habe ich mich in meinem ganzen Leben noch nicht gefühlt! Und stell dir vor, wir planen schon, nächstes Jahr auf Tournee zu gehen!«

»Aber …« Ich starre sie an. »Du hast doch gesagt, dass du so was nie wieder machst, nie, und wenn du noch mal davon anfängst, sollte ich dich abhalten.«

»Ach, das war doch bloß Lampenfieber«, tut sie es mit einer Handbewegung ab. Dann senkt sie die Stimme. »Ich habe übrigens Jack gesehen.« Sie sieht mich wissbegierig an. »Was geht denn da ab?«

Mein Herz macht einen riesigen Hüpfer. Soll ich ihr von Jemima erzählen?

Nein. Sie würde sich nur aufregen. Und im Moment können wir ohnehin nichts machen.

»Jack ist gekommen, um mit mir zu sprechen.« Ich zögere. »Um … mir sein Geheimnis anzuvertrauen.«

»Machst du Witze?« Lissy schnappt nach Luft, die Hand am Mund. »Und, was ist es?«

»Kann ich dir nicht sagen.«

»Kannst du mir nicht *sagen*?« Lissy starrt mich ungläubig an. »Nach alldem willst du es mir nicht mal *erzählen*?«

»Lissy, es geht wirklich nicht.« Ich ziehe ein gequältes Gesicht. »Es ist … kompliziert.«

Herrje, ich klinge schon wie Jack.

»Na ja, gut«, sagt Lissy ein bisschen grantig. »Ich kann wohl auch weiterleben, ohne es zu wissen. Und … seid ihr beiden jetzt wieder zusammen?«

»Keine Ahnung«, sage ich und erröte. »Vielleicht.«

»Lissy! Das war wunderbar!« Ein paar Frauen in Hosenanzügen tauchen bei ihr auf. Ich lächle Lissy an und entferne mich ein Stückchen, als sie sie begrüßt.

Jack ist nirgends zu sehen. Ob ich es noch mal bei Jemima versuche?

Verstohlen ziehe ich mein Handy hervor und stecke es schnell wieder ein, als hinter mir eine Stimme »Emma!« ruft.

Ich sehe mich um und zucke überrascht zusammen. Da steht Connor, im Anzug, ein Glas Wein in der Hand, das Haar glänzend und blond im Scheinwerferlicht. Er trägt eine neue Krawatte, registriere ich sofort. Große gelbe Tupfen auf blauem Grund. Sie gefällt mir nicht.

»Connor! Was machst du denn hier?«, frage ich erstaunt.

»Lissy hat mir einen Flyer geschickt«, antwortet er, ein bisschen rechtfertigend. »Ich habe Lissy immer gemocht. Da dachte ich, ich schaue einfach vorbei. Und schön, dass ich dich hier treffe«, fügt er befangen hinzu. »Ich würde gern mal mit dir reden, wenn's geht.« Er zieht mich zur Tür, weg von der Menge, und ich folge ihm etwas nervös. Ich habe seit Jacks Fernsehauftritt nicht richtig mit Connor gesprochen. Was daran liegen könnte, dass ich immer schnell in die andere Richtung gegangen bin, wenn ich ihn nur von fern gesehen habe.

»Ja?«, sage ich und wende mich ihm zu. »Worüber willst du denn reden?«

»Emma.« Connor räuspert sich, als wollte er eine förmliche Rede halten. »Ich habe das Gefühl, dass du in unserer Beziehung … nicht immer ganz ehrlich zu mir warst.«

Das könnte die Untertreibung des Jahres sein.

»Da hast du Recht«, gebe ich betreten zu. »O Gott, Connor, es tut mir wirklich sehr, sehr Leid, wie das alles gelaufen ist …«

Er winkt mit einer würdevollen Geste ab.

»Schon gut. Schnee von gestern. Aber ich wäre dir dankbar, wenn du jetzt ganz ehrlich wärst.«

»Absolut«, sage ich und nicke ernst. »Natürlich.«

»Ich bin kürzlich … eine neue Beziehung eingegangen«, sagt er ein bisschen steif.

»Wow!«, sage ich überrascht. »Wie schön! Connor, das freut mich wirklich für dich. Wie heißt sie?«

»Sie heißt Francesca.«

»Und wo hast du sie …«

»Ich wollte dich etwas zum Sex fragen«, fällt Connor mir in großer Verlegenheit ins Wort.

»Oh! Ach so.« Ich bin ein bisschen erschrocken, was ich mit Hilfe eines Schlucks Wein überspiele. »Natürlich!«

»Warst du auf dem … Gebiet ehrlich zu mir?«

»Äh … was meinst du?«, sage ich locker, um Zeit zu schinden.

»Warst du im Bett ehrlich?« Er wird knallrot im Gesicht. »Oder hast du es vorgetäuscht?«

Oh, nein. Denkt er das?

»Connor, ich habe dir nie einen Orgasmus vorgespielt«, sage ich mit gedämpfter Stimme. »Hand aufs Herz. Das habe ich nie gemacht.«

»Na ja … okay.« Er reibt sich unbeholfen die Nase. »Und hast du mir sonst irgendwas vorgespielt?«

Ich sehe ihn verunsichert an. »Ich weiß nicht, worauf du hinaus …«

»Gab es irgendwelche …«, er räuspert sich, »… bestimmte Techniken, die ich angewendet habe, und du hast nur so getan, als würde es dir gefallen?«

O Gott. *Bitte* frag doch so was nicht.

»Weißt du, ich … erinnere mich gar nicht mehr so genau!«, weiche ich aus. »Überhaupt, ich muss dann mal los …«

»Emma, sag es mir!«, sagt er plötzlich leidenschaftlich. »Ich stehe am Anfang einer neuen Beziehung. Es ist doch nur fair, dass ich die Chance bekomme … aus Fehlern in der Vergangenheit zu lernen.«

Ich starre in sein glänzendes Gesicht und fühle mich plötzlich sehr schuldig. Er hat Recht. Ich sollte ehrlich sein. Ich sollte jetzt endlich ehrlich zu ihm sein.

»Okay«, sage ich schließlich und rücke näher an ihn heran.

»Erinnerst du dich, was du immer mit der Zunge gemacht hast?« Ich spreche noch leiser. »Dieses ... *Rüberglitschen*? Also, da hätte ich manchmal fast bei ... lachen müssen. Also, wenn ich dir einen Tipp für deine neue Freundin geben darf, würde ich dir raten, das nicht ...«

Ich verstumme, als ich seinen Gesichtsausdruck bemerke.

Scheiße. Er hat es schon getan.

»Francesca meint ...«, sagt Connor mit einer Stimme, die so steif ist wie ein Brett, »Francesca hat gesagt, dass es sie total anmacht.«

»Na, dann tut es das bestimmt auch!«, mache ich eine verzweifelte Kehrtwendung. »Jede Frau reagiert anders. Jeder Körper reagiert anders ... jeder mag ... etwas anderes.«

Connor starrt mich konsterniert an.

»Sie hat auch gesagt, sie mag Jazz.«

»Na, dann ist das bestimmt auch so! Viele Leute mögen Jazz *wirklich*!«

»Sie hat außerdem gesagt, sie findet es toll, dass ich jede einzelne Zeile von Woody Allen zitieren kann.« Er reibt sich das gerötete Gesicht. »Hat sie da *gelogen*?«

»Nein, bestimmt nicht ...«, winde ich mich hilflos.

»Emma ...« Er starrt mich völlig verunsichert an. »Haben *alle* Frauen Geheimnisse?«

O nein. Habe ich für alle Zeiten Connors Vertrauen in die Frauen zerstört?

»Nein!«, rufe ich. »Natürlich nicht! Ehrlich, Connor, das bin *bestimmt* nur ich.«

Mir ersterben die Worte auf den Lippen, als ich am Eingang zum Theater einen vertraut wirkenden blonden Haarschopf erspähe. Mir bleibt das Herz stehen.

Das kann doch nicht ... Das ist nicht ...

»Connor, ich muss gehen«, sage ich und eile auf den Eingang zu.

»Sie hat gesagt, sie trägt Größe achtunddreißig!«, ruft Connor mir hilflos hinterher. »Was bedeutet das? Welche Größe soll ich kaufen?«

»Vierzig!«, rufe ich über die Schulter zurück.

Sie ist es. Jemima. Im Foyer. Was macht sie hier?

Die Tür geht wieder auf, und ich falle vor Schreck fast in Ohnmacht. Sie hat einen Typen dabei. In Jeans, mit kurz geschnittenem Haar und irrem Blick. Er hat eine Kamera um die Schulter hängen und sieht sich interessiert um.

Nein.

Das kann sie nicht getan haben.

»Emma«, dringt mir eine Stimme ans Ohr.

»Jack!« Ich wirble herum, und er lächelt mich an, die dunklen Augen voller Zuneigung.

»Geht's dir gut?«, fragt er und berührt sacht meine Nase.

»Prima!«, sage ich ein bisschen schrill. »Alles wunderbar!«

Ich muss jetzt irgendwie die Situation retten. Ich muss.

»Jack – würdest du mir ein Glas Wasser holen?«, höre ich mich sagen. »Ich warte hier. Mir ist ein bisschen schwindelig.«

Jack wirkt besorgt.

»Ich habe mir doch gedacht, dass irgendwas nicht stimmt. Ich bringe dich nach Hause. Ich rufe den Wagen.«

»Nein. Es … geht schon. Ich möchte gerne noch bleiben. Hol mir einfach ein Wasser. Bitte«, füge ich hinzu.

Sobald er weg ist, rase ich ins Foyer, vor lauter Hektik fliege ich fast hin.

»Emma!« Jemima sieht strahlend auf. »Wunderbar! Ich wollte dich gerade suchen. Also, das ist Mick, er möchte dir ein paar Fragen stellen. Wir dachten, vielleicht können wir das in dem kleinen Zimmer hier machen.« Sie geht in ein kleines, leeres Büro neben dem Foyer.

»Nein!«, sage ich und packe sie am Arm. »Jemima, ihr müsst gehen. Sofort. Haut ab!«

»Ich gehe nirgendwohin!« Jemima entreißt mir den Arm und verdreht die Augen Richtung Mick, der die Bürotür hinter mir schließt. »Ich habe Ihnen ja gesagt, dass sie in dieser Angelegenheit ein bisschen zickig ist.«

»Mick Collins.« Mick drückt mir seine Visitenkarte in die Hand. »Ich freue mich, Sie kennen zu lernen, Emma. Sie brauchen sich doch überhaupt keine Sorgen zu machen, oder?« Er lächelt mich beruhigend an, als sei er den Umgang mit hysterischen Frauen gewohnt, die ihm sagen, er solle abhauen. Ist er wahrscheinlich auch. »Wir setzen uns einfach in Ruhe zusammen, unterhalten uns ein bisschen …«

Er kaut beim Sprechen Kaugummi, und als der Pfefferminzgeruch zu mir dringt, muss ich mich fast übergeben.

»Hören Sie, das war alles ein Missverständnis«, sage ich und zwinge mich, höflich zu bleiben. »Ich fürchte, es gibt gar keine Story.«

»Na, das sehen wir ja dann, ja?«, sagt Mick freundlich lächelnd. »Sie erzählen mir, was alles passiert ist …«

»Nein! Es gibt nichts zu erzählen.« Ich wende mich Jemima zu. »Ich habe dir doch gesagt, dass ich nicht will, dass du irgendwas unternimmst. Du hast es mir versprochen!«

»Emma, du bist echt eine Memme.« Sie sieht Mick verärgert an. »Verstehen Sie jetzt, warum ich die Initiative ergreifen musste? Ich habe Ihnen ja erzählt, wie beschissen Jack Harper sich ihr gegenüber verhalten hat. Das muss man ihm heimzahlen.«

»Unbedingt«, sagt Mick und legt den Kopf auf die Seite, als würde er mich vermessen. »Sehr hübsch«, sagt er zu Jemima. »Wissen Sie was, wir könnten ein Begleitinterview machen. Meine heiße Affäre mit dem Oberboss. Da können Sie richtig Geld mit machen«, fügt er an mich gerichtet hinzu.

»*Nein!*«, sage ich entsetzt.

»Emma, jetzt zier dich doch nicht so!«, faucht Jemima. »Du

willst es doch eigentlich auch. Das könnte dir eine völlig neue Karriere eröffnen!«

»Ich will überhaupt keine neue Karriere!«

»Solltest du aber! *Weißt* du nicht, was Monica Lewinsky im Jahr verdient?«

»Du bist doch krank«, sage ich ungläubig. »Du bist total krank, pervers …«

»Emma, ich tue das doch nur für dich.«

»Tust du nicht!«, schreie ich mit feuerrotem Gesicht. »Ich … vielleicht versöhne ich mich wieder mit Jack!«

Es entsteht eine halbe Minute Schweigen. Ich starre sie mit angehaltenem Atem an. Dann ist es plötzlich, als ob der Killer-Roboter wieder anspringt und noch wilder um sich ballert.

»Dann erst *recht!*«, sagt Jemima. »Dann hält ihn das schön auf Trab. Da weiß er gleich, wer der Boss ist. Machen Sie weiter, Mick.«

»Interview mit Emma Corrigan. Dienstag, 15. Juli, 21.40 Uhr.« Ich sehe auf und werde starr vor Schreck. Mick hat einen kleinen Kassettenrekorder hervorgezaubert, den er mir vor die Nase hält.

»Sie haben Jack Harper im Flugzeug kennen gelernt. Können Sie uns nochmals sagen, von wo nach wo dieser Flug ging?« Er lächelt mich an. »Sprechen Sie ganz natürlich, wie mit einer Freundin am Telefon.«

»Hören Sie auf!«, schreie ich. »Hauen Sie ab! Gehen Sie!«

»Emma, werd endlich erwachsen«, sagt Jemima ungeduldig. »Mick wird dieses Geheimnis sowieso herausbekommen, ob du ihm hilfst oder nicht, also kannst du genauso gut …« Sie unterbricht sich, als der Türknauf erst klappert und sich dann herumdreht. Um mich herum verschwimmt alles.

Bitte, lass das nicht – bitte –

Als die Tür langsam aufgeht, kann ich nicht atmen. Ich kann mich nicht rühren.

In meinem ganzen Leben habe ich noch nicht so eine Angst gehabt.

»Emma?«, sagt Jack und kommt herein, zwei Gläser Wasser in der Hand. »Geht es dir besser? Ich habe stilles und kohlensäurehaltiges Wasser mitgebracht, weil ich nicht wusste …«

Er verstummt, und sein Blick wandert verwirrt über Jemima und Mick. Fassungslos nimmt er mir Micks Karte aus der Hand. Dann fällt sein Blick auf den laufenden Kassettenrekorder, und seine Gesichtszüge entgleisen.

»Dann mach ich mich mal vom Acker«, sagt Mick und zieht, zu Jemima gewandt, die Augenbrauen hoch. Er lässt den Rekorder in die Tasche gleiten, nimmt seinen Rucksack und schleicht aus dem Zimmer. Einige Augenblicke lang sagt niemand etwas. Ich höre nur das Hämmern in meinem Kopf.

»Wer war das denn?«, fragt Jack schließlich. »Ein Journalist?«

Aus seinen Augen ist jegliches Leuchten gewichen. Er sieht aus, als hätte ihm gerade jemand den Garten zertrampelt.

»Ich … Jack …«, sage ich heiser. »Es ist nicht … es ist nicht …«

»Warum …« Er reibt sich die Braue, als versuche er, die Situation zu verstehen. »Warum hast du mit einem Journalisten gesprochen?«

»Was *glauben* Sie denn, warum sie mit einem Journalisten gesprochen hat?«, mischt Jemima sich stolz ein.

»Was?« Jacks Blick richtet sich voll Abscheu auf sie.

»Sie halten sich wohl für den großen Super-Milliardär! Sie glauben wohl, Sie könnten kleine Leute einfach ausnutzen. Sie glauben, Sie können andererleuts intimste Geheimnisse ausplaudern und sie zutiefst demütigen und damit kommen Sie durch. Ha, kommen Sie aber nicht!«

Sie geht ein paar Schritte auf ihn zu, verschränkt die Arme und hebt befriedigt das Kinn. »Emma hat die ganze Zeit auf eine Gelegenheit gewartet, sich zu rächen, und jetzt hat sie sie bekommen! Das *war* ein Journalist, falls es Sie interessiert. Und er ist an Ihrem Fall dran. Und wenn Sie Ihr kleines schottisches Geheimnis dann in allen Zeitungen lesen können, dann wissen *Sie* vielleicht mal, wie es sich anfühlt, betrogen worden zu sein! Und dann tut es Ihnen vielleicht Leid. Sag es ihm, Emma! Sag es ihm!«

Aber ich bin gelähmt.

In dem Moment, als sie das Wort schottisch aussprach, veränderte sich Jacks Gesicht. Irgendwie ging eine Klappe runter. Er war vollkommen verschreckt. Er sah mich direkt an, und ich bemerkte den wachsenden Unglauben in seinen Augen.

»Sie haben wohl gedacht, Sie kennen Emma, aber das tun Sie nicht«, fährt Jemima begeistert fort, wie eine Katze, die ihre Beute zerfetzt. »Sie haben sie unterschätzt, Jack Harper. Sie haben unterschätzt, wozu sie fähig ist.«

Halt die Klappe!, schreie ich innerlich. *Das ist nicht wahr! Jack, ich würde nie, ich würde niemals …*

Aber in meinem Körper will sich gar nichts bewegen. Ich kann nicht mal schlucken. Ich bin wie festgenagelt, starre ihn hilflos an und weiß, dass mein Gesicht schuldbewusst wirkt.

Jack macht den Mund auf und schließt ihn wieder. Dann macht er auf dem Absatz kehrt, öffnet die Tür und geht.

Einen Moment lang ist es still in dem kleinen Raum.

»Gut!«, sagt Jemima und klatscht triumphierend in die Hände. »Dem habe ich's gegeben!«

Damit hat sie den Bann gebrochen. Plötzlich kann ich mich wieder bewegen. Ich kann wieder atmen.

»Du …« Ich zittere so, dass ich fast nicht sprechen kann. »Du blöde … blöde … rücksichtslose … Schlampe!«

Die Tür fliegt auf, und Lissy erscheint mit weit aufgerissenen Augen.

»Was ist denn bitteschön hier los?«, fragt sie nachdrücklich.

»Ich habe Jack gerade herausstürmen sehen. Er sah ziemlich sauer aus!«

»Sie hat einen Journalisten hier angeschleppt!«, sage ich wütend und zeige auf Jemima. »Einen beschissenen Schmierenjournalisten. Und Jack hat uns hier zusammen gefunden, und jetzt denkt er ... weiß der Geier, was er denkt ...«

»Du bescheuerte Kuh!« Lissy haut Jemima eine runter. »Was sollte das denn?«

»Au! Ich habe Emma geholfen, es ihrem Feind heimzuzahlen.«

»Er ist nicht mein *Feind*, du dämliche ...« Ich bin den Tränen nah. »Lissy ... was soll ich jetzt tun? Was?«

»Los«, sagt sie und sieht mich bang an. »Du kannst ihn noch erwischen. Lauf.«

Ich rase zur Tür hinaus und über den Hof, mit heftig bebendem Brustkorb und brennenden Lungen. Als ich zur Straße komme, schaue ich panisch nach rechts und links. Dann sehe ich ihn, ein Stück weiter die Straße runter.

»Jack, warte!«

Er marschiert weiter, das Handy am Ohr, und als er mich hört, dreht er sich mit angespanntem Gesichtsausdruck um.

»Deswegen hat Schottland dich so interessiert.«

»Nein!«, sage ich entsetzt. »Nein! Hör zu, Jack, das wissen die gar nicht. Sie wissen überhaupt nichts, das verspreche ich dir. Ich habe ihnen nichts über ...« Ich unterbreche mich. »Jemima weiß nur, dass du dort warst. Sonst nichts. Sie hat nur geblufft. Ich habe nichts erzählt.«

Jack antwortet nicht. Er sieht mich lange an, dann läuft er weiter.

»Es war Jemima, sie hat diesen Journalisten angerufen, nicht ich!«, schreie ich verzweifelt und renne ihm hinterher. »Ich habe versucht, sie zu aufzuhalten ... Jack, du kennst mich doch! Du *weißt* doch, dass ich dir so was nie antun würde! Ja, ich habe Jemima erzählt, dass du in Schottland warst. Ich war verletzt, und ich war sauer, und da … ist es mir rausgerutscht. Das war ein Fehler. Aber … aber du hast auch einen Fehler gemacht, und ich habe dir verziehen.«

Er sieht mich nicht mal an. Er gibt mir nicht mal eine Chance. Sein silbernes Auto kommt herangefahren und er öffnet die Tür.

Ich gerate in Panik.

»Jack, ich war das nicht«, sage ich verzweifelt. »Ich war's nicht. Glaub mir das doch. Ich habe doch nicht deswegen nach Schottland gefragt! Ich wollte doch … dein Geheimnis nicht *verkaufen*!« Mir laufen Tränen übers Gesicht, und ich wische sie grob weg. »So ein großes Geheimnis wollte ich nicht mal *wissen*. Ich wollte doch nur deine kleinen Geheimnisse kennen! Deine kleinen, dummen Geheimnisse! Ich wollte dich doch nur kennen … wie du mich kennst.«

Aber er dreht sich nicht mal um. Die Autotür schließt sich mit einem schweren Klonk, und der Wagen fährt die Straße hinunter. Und ich bleibe auf dem Gehweg stehen, mutterseelenallein.

26

Eine Weile lang kann ich mich nicht bewegen. Ich stehe da, benommen, den Wind im Gesicht, und starre auf den Punkt am Ende der Straße, an dem Jacks Auto verschwunden ist. Ich höre immer noch seine Stimme. Ich sehe immer noch sein Gesicht. Wie er mich angesehen hat, als würde er mich nach all dem überhaupt nicht kennen.

Wieder durchläuft mich der Schmerz, und ich schließe die Augen, weil ich es kaum ertrage. Wenn ich doch nur die Uhr zurückdrehen könnte ... wenn ich doch bloß energischer gewesen wäre ... wenn ich Jemima und ihren Spießgesellen gleich rausgeschmissen hätte ... wenn ich nur schneller den Mund aufgemacht hätte, als Jack auftauchte ...

Habe ich aber nicht. Und jetzt ist es zu spät.

Eine Gruppe Partygäste kommt vom Hof auf den Gehweg, sie lachen und diskutieren die Taxiverteilung.

»Ist alles in Ordnung?«, fragt mich jemand neugierig und ich zucke zusammen.

»Ja«, sage ich, »danke.« Ich sehe noch einmal in die Richtung, in die Jacks Auto verschwunden ist, dann zwinge ich mich umzukehren und langsam zur Party zurückzugehen.

Ich finde Lissy und Jemima immer noch in dem kleinen Büro, wo Jemima sich verschreckt unter Lissys Attacken duckt.

»... selbstsüchtige, unreife kleine Schlampe! Du machst mich ganz krank, weißt du das?«

Ich habe mal jemanden sagen hören, Lissy sei vor Gericht ein Rottweiler, und konnte das gar nicht glauben. Aber jetzt, wie sie da mit vor Wut blitzenden Augen auf und ab marschiert, bekomme ich selbst Angst.

»Emma, sag ihr, sie soll aufhören!«, bettelt Jemima. »Sie soll aufhören mich anzuschreien.«

»Und ... was ist passiert?« Lissy sieht mich mit hoffnungsvollem Gesicht an. Ich schüttele stumm den Kopf.

»Ist er ...«

»Er ist weg.« Ich schlucke. »Ich will eigentlich nicht darüber reden.«

»Ach, Emma.« Sie beißt sich auf die Lippe.

»Nicht«, sage ich mit zittriger Stimme. »Sonst muss ich heulen.« Ich lehne mich an die Wand, atme ein paarmal tief ein und versuche, mich zu beruhigen. »Wo ist ihr Kumpel hin?«, frage ich schließlich und deute mit dem Daumen auf Jemima.

»Rausgeflogen«, sagt Lissy befriedigt. »Er hat versucht, Richter Hugh Morris in Strumpfhosen zu fotografieren, da hat ihn eine Gruppe Anwälte umzingelt und an die Luft gesetzt.«

»Jemima, jetzt hör mir mal gut zu.« Ich zwinge mich, ihrem reuelosen, blauäugigen Blick standzuhalten. »Du darfst ihn nicht noch mehr herausfinden lassen. Du *darfst nicht*.«

»Schon okay«, sagt sie eingeschnappt. »Ich habe schon mit ihm gesprochen. Er wird es nicht weiter verfolgen.«

»Woher willst du das wissen?«

»Er wird nichts tun, was Mummy ärgert. Er hat ein ziemlich lukratives Arrangement mit ihr.«

Ich werfe Lissy einen »Können wir ihr vertrauen?«-Blick zu, und sie zuckt zweifelnd mit den Achseln.

»Jemima, ich warne dich.« Ich gehe zur Tür und drehe mich mit strengem Gesicht wieder um. »Wenn irgendwas davon an die Öffentlichkeit dringt – *irgendetwas* –, dann werde ich es publik machen, dass du schnarchst.«

»Ich schnarche nicht!«, sagt Jemima scharf.

»Doch, tust du«, sagt Lissy. »Wenn du zu viel getrunken hast, sogar volle Lautstärke. *Und* wir sagen allen, dass du den Donna-Karan-Mantel im billigen Lagerverkauf erstanden hast.«

Jemima schnappt schockiert nach Luft.

»Habe ich nicht!«, sagt sie mit schamesrotem Gesicht.

»Doch, hast du. Ich habe die Tüte gesehen«, falle ich ein. »*Und* wir erzählen herum, dass du einmal Suppe mit Coupons bestellt hast, statt mit Croutons!«

Jemima schlägt die Hand vor den Mund.

»… und dass deine Perlen Zuchtperlen sind, keine echten …«

»… und dass du für deine Dinnerpartys nie selbst kochst …«

»… und dass das Foto von dir mit Prince William gefälscht ist …«

»… und wir erzählen jedem einzelnen Kerl, mit dem du jemals ausgehst, dass du ausschließlich hinter einem Diamanten am Finger her bist!«, schließe ich ab und sehe Lissy dankbar an.

»Okay!«, sagt Jemima, fast in Tränen aufgelöst. »Okay! Ich verspreche, dass ich die ganze Sache vergesse. Versprochen. Nur erzählt bitte niemandem etwas von dem Lagerverkauf. Bitte. Kann ich jetzt gehen?« Sie sieht Lissy flehentlich an.

»Ja, du kannst jetzt gehen«, sagt Lissy verächtlich, und Jemima flitzt hinaus. Als die Tür hinter ihr zu ist, starre ich Lissy an.

»Ist das Foto von ihr und Prince William wirklich gefälscht?«

»Ja! Habe ich dir das nicht erzählt? Ich habe mal etwas für sie an ihrem Computer erledigt und habe die Datei aus Versehen geöffnet – und da war das Bild. Sie hat einfach ihren Kopf auf den Körper einer anderen Frau kopiert!«

Ich muss ein bisschen kichern.

»Die Frau ist unfassbar.«

Ich sinke auf einen Stuhl, fühle mich plötzlich schwach, und wir schweigen einen Moment lang. Von fern ertönt brüllendes Gelächter von der Party, jemand geht an der Bürotür vorbei und spricht über Probleme in der Rechtsprechung als *solcher* …

»Hat er dir nicht mal zugehört?«, fragt Lissy schließlich.

»Nein. Er ist einfach weggefahren.«

»Ist das nicht ein bisschen heftig? Ich meine, er hat *alle* deine Geheimnisse ausgeplaudert. Und du hast nur eins von seinen …«

»Das verstehst du nicht.« Ich starre auf den gelbbraunen Büroteppich. »Was Jack mir erzählt hat, ist nicht einfach irgendwas. Es ist ihm wirklich wichtig. Er ist extra hergekommen, um es mir zu erzählen. Um mir zu zeigen, dass er mir in dieser Sache vertraut.« Ich schlucke hart. »Und im nächsten Moment entdeckt er, wie ich es einem Journalisten erzähle.«

»Aber das hast du doch gar nicht!«, sagt Lissy loyal. »Emma, das ist doch nicht deine Schuld!«

»Doch!« Mir steigen Tränen in die Augen. »Wenn ich einfach den Mund gehalten hätte, wenn ich Jemima gar nicht erst irgendwas erzählt hätte …«

»Sie hätte ihn so oder so erwischt«, sagt Lissy. »Er würde dich jetzt wegen eines zerkratzten Autos verklagen. Oder wegen verstümmelter Genitalien.«

Ich lache unsicher.

Die Tür springt auf, und der gefiederte Typ, den ich hinter der Bühne gesehen habe, schaut herein. »Lissy! Da bist du ja. Es gibt Essen. Sieht ziemlich lecker aus.«

»Okay«, sagt sie. »Danke, Collin. Ich komme gleich.«

Er geht, und Lissy dreht sich zu mir um.

»Möchtest du was essen?«

»Ich hab keinen Hunger. Aber geh ruhig«, füge ich hinzu. »Du musst ja halb verhungert sein nach deinem Auftritt.«

»Ich habe schon ziemlichen Kohldampf«, gibt sie zu. Dann sieht sie mich besorgt an. »Aber was machst du jetzt?«

»Ich … gehe einfach nach Hause«, sage ich und versuche, so fröhlich wie möglich zu lächeln. »Mach dir keine Sorgen, Lissy. Ich komme schon klar.«

Und ich habe auch vor, nach Hause zu fahren. Aber als ich herauskomme, bringe ich es nicht fertig. Ich stehe unter Spannung wie eine Sprungfeder. Ich kann nicht auf der Party bleiben und Smalltalk machen – aber ich könnte jetzt auch nicht die vier schweigenden Wände meines Zimmers ertragen. Noch nicht.

Stattdessen gehe ich wieder in den Theatersaal. Die Tür ist nicht verschlossen, und ich gehe direkt hinein. Ich suche mir in der Dunkelheit den Weg zu einem Platz in der Mitte und setze mich erschöpft auf einen der plüschigen lila Sitze.

Als ich die schweigende Schwärze der leeren Bühne anstarre, rinnen mir zwei Tränen aus den Augen. Langsam laufen sie mir das Gesicht hinunter. Ich kann es gar nicht fassen, dass ich es so gründlich versiebt habe. Ich kann nicht glauben, dass Jack wirklich denkt, ich … dass er denkt, ich würde …

Ich sehe immer wieder den Schrecken in seinem Gesicht. Ich erlebe immer wieder diesen machtlosen Moment, diese Unfähigkeit zu sprechen, mich zu erklären.

Wenn ich doch einfach zurückspulen könnte …

Plötzlich quietscht etwas. Langsam öffnet sich die Tür.

Ich schaue angestrengt durch das Dämmerlicht und sehe eine Person in den Zuschauerraum kommen und stehen bleiben. Ohne dass ich es will, fängt mein Herz in unerträglicher Hoffnung an zu klopfen.

Es ist Jack. Es muss Jack sein. Er sucht mich.

Er schweigt lange und quälend. Ich bin starr vor Angst. Warum sagt er nichts? Warum spricht er nicht?

Will er mich bestrafen? Soll ich mich noch einmal entschuldigen? O Gott, was für eine Quälerei. Sag einfach irgendwas, bitte ich stumm. Sag einfach *irgendwas*.

»Oh, Francesca …«

»Connor …«

Was? Ich gucke noch einmal, genauer jetzt, und bin völlig enttäuscht. Ich bin so bescheuert. Es ist nicht Jack. Es ist auch nicht eine Person, es sind zwei. Es ist Connor, und offensichtlich seine neue Freundin – und sie knutschen.

Ich sacke elend auf meinem Sitz zusammen und versuche, meine Ohren zu schließen. Aber es funktioniert nicht, ich höre alles.

»Magst du das?«, höre ich Connor murmeln.

»Mmmm …«

»Gefällt es dir wirklich?«

»Natürlich! Frag doch nicht immer so!«

»Tut mir Leid«, sagt Connor, dann herrscht wieder Schweigen, bis auf das gelegentliche »Mmmm«.

»Und gefällt dir *das*?«, lässt sich plötzlich wieder seine Stimme vernehmen.

»Ja, das habe ich dir doch schon gesagt.«

»Francesca, sei ehrlich, okay?« Connors Stimme wird vor Aufregung höher. »Weil, wenn das nein heißt, dann …«

»Es heißt aber nicht nein! Connor, was hast du für ein Problem?«

»Mein Problem ist, ich glaube dir nicht.«

»Du *glaubst* mir nicht?« Sie klingt wütend. »Warum zum Teufel glaubst du mir nicht?«

Plötzlich bin ich voller Reue. Das ist alles meine Schuld. Ich habe nicht nur meine eigene Beziehung kaputtgemacht, sondern ihre auch noch. Ich muss etwas tun. Ich muss versuchen, Brücken zu bauen.

Ich räuspere mich. »Äh … Entschuldigung.«

»Wer ist das denn?«, sagt Francesca scharf. »Ist da jemand?«

»Ich bin's. Emma. Connors Exfreundin.«

Eine Reihe Lichter geht an, und ich sehe eine Frau mit rotem Haar, die mich, die Hand auf dem Lichtschalter, streitlustig ansieht.

»Was zum Teufel machst du denn hier? Spionierst du uns nach?«

»Nein!«, sage ich. »Tut mir Leid. Ich wollte nicht … ich habe versehentlich gehört …« Ich schlucke. »Es ist so, Connor macht es nicht absichtlich kompliziert. Er will nur, dass du ehrlich bist. Er will nur wissen, was du möchtest.« Ich setze mein verständnisvollstes, weiblichstes Gesicht auf. »Francesca … sag ihm, was du willst.«

Francesca starrt mich ungläubig an, dann sieht sie zu Connor.

»Sie soll sich verpissen.« Sie zeigt auf mich.

»Oh«, sage ich erstaunt. »Äh, okay. Tut mir Leid.«

»Und mach das Licht aus, wenn du gehst«, fügt Francesca hinzu und führt Connor den Gang hoch in den hinteren Teil des Zuschauerraums.

Wollen die da *vögeln*?

Okay, da will ich lieber wirklich nicht mehr hier sein.

Hastig schnappe ich mir meine Tasche und flitze die Sitzreihe entlang zum Ausgang. Ich schiebe mich durch die Doppeltür ins Foyer, mache unterwegs das Licht aus, und trete auf den Hof hinaus. Ich schließe die Tür hinter mir und sehe hoch.

Und erstarre.

Ich fasse es nicht. Da ist Jack.

Da ist Jack, und er kommt schnellen Schrittes und mit entschlossenem Gesicht über den Hof auf mich zu. Ich habe überhaupt keine Zeit nachzudenken oder mich vorzubereiten.

Mein Herz rast. Ich würde gern etwas sagen oder weinen oder … *irgendwas* tun, aber ich kann nicht.

Er erreicht mich auf dem knirschenden Kies, packt mich an den Schultern und sieht mich lange und intensiv an.

»Ich habe Angst im Dunkeln.«

»Was?«, stammle ich.

»Ich habe Angst im Dunkeln. Schon immer. Ich habe immer einen Baseballschläger unterm Bett, zur Vorsicht.«

Ich starre ihn völlig verwirrt an.

»Jack …«

»Ich mag keinen Kaviar.« Er sieht sich um. »Ich … mein Französisch ist mir peinlich.«

»Jack, was hast du …«

»Die Narbe auf meinem Handgelenk kommt daher, dass ich mit vierzehn einer Bierflasche den Hals abgebrochen habe. Als Kind habe ich meine Kaugummis immer unter Tante Francines Esstisch geklebt. Ich bin von einem Mädchen na-

376

mens Lisa Greenwood in der Scheune ihres Onkels entjungfert worden und habe sie hinterher gefragt, ob ich ihren BH behalten dürfte, um ihn meinen Freunden zu zeigen.«

Ich kann nicht anders, ich muss schnaubend lachen, aber Jack macht ungerührt weiter, seine Augen in meine versenkt.

»Ich habe die ganzen Krawatten, die ich immer von meiner Mutter zu Weihnachten bekomme, nie getragen. Ich wollte immer gerne ein paar Zentimeter größer sein. Ich … ich weiß nicht, was Co-Abhängigkeit ist. Ich träume immer mal wieder, dass ich Superman bin und vom Himmel falle. Manchmal sitze ich in irgendwelchen Sitzungen und denke ›Wer zum Teufel *sind* all diese Leute?‹.«

Er atmet tief ein und starrt mich an. Seine Augen sind dunkler denn je.

»Ich habe im Flugzeug eine Frau kennen gelernt. Und … daraufhin hat sich mein ganzes Leben verändert.«

Mein Blut gerät in Wallung. Meine Kehle ist zugeschnürt, und mir brummt der Kopf. Ich gebe mir alle Mühe, nicht zu weinen, aber mein Gesicht verzerrt sich von ganz alleine.

»Jack«, ich schlucke verzweifelt. »Ich habe nicht … ich habe wirklich nicht …«

»Ich weiß«, fällt er mir nickend ins Wort. »Ich weiß, dass du das nicht getan hast.«

»Ich würde doch nie …«

»Ich weiß, dass du das nicht tun würdest«, sagt er sanft. »Ich weiß.«

Und jetzt komme ich nicht mehr dagegen an, mir rinnen die Tränen der Erleichterung übers Gesicht. Er weiß es. Es ist okay.

»Also …«, ich wische mir das Gesicht ab und versuche, mich wieder unter Kontrolle zu bekommen. »Heißt das … bedeutet das … dass wir …« Ich kann es nicht aussprechen.

Wir schweigen unerträglich lange.

Wenn er nein sagt, weiß ich nicht, was ich tun soll.

»Na ja, vielleicht willst du dir mit der Entscheidung noch ein bisschen Zeit lassen«, sagt Jack schließlich und sieht mich mit unbewegtem Gesicht an. »Ich habe dir nämlich noch eine Menge mehr zu erzählen. Und nicht nur Schönes.«

Ich lache unsicher.

»Du musst mir gar nichts erzählen.«

»Oh, doch«, sagt Jack fest. »Ich denke doch. Wollen wir ein Stück gehen?« Er zeigt auf den Hof. »Es könnte nämlich eine Weile dauern.«

»Okay«, sage ich, immer noch mit etwas zitternder Stimme. Jack hält mir den Arm hin, und nach einem Moment hänge ich mich ein.

»Also … wo war ich?«, sagt er, als wir auf den Hof treten. »Ach ja. Also das darfst du wirklich *niemandem* erzählen.« Er beugt sich dicht zu mir und senkt die Stimme. »Ich mag keine Panther Cola. Ich trinke lieber Pepsi.«

»Nein!«, sage ich schockiert.

»Manchmal gieße ich sogar Pepsi in Panther-Flaschen *um* …«

»Nein!« Ich pruste los.

»Ehrlich. Ich habe ja gesagt, dass es nicht alles schön ist …«

Wir wandern langsam zusammen um den dunklen, leeren Hof herum. Die einzigen Geräusche sind unsere Schritte auf dem Kies und das Lüftchen in den Bäumen und Jacks trockene Stimme. Die mir alles erzählt.

27

Erstaunlich, wie sehr ich mich verändert habe. Ich bin wie ausgewechselt. Eine neue Emma. Viel offener als früher – und viel ehrlicher. Denn eins habe ich wirklich gelernt: wenn man zu

Freunden und Kollegen und zu seinen Lieben nicht ehrlich sein kann, was ist das dann für ein Leben?

Die *einzigen* Geheimnisse, die ich heute noch habe, sind winzig kleine Notwendigkeiten. Und selbst die gibt es kaum. Ich könnte sie wahrscheinlich an einer Hand abzählen. Also, ganz spontan fallen mir gerade diese hier ein:

1. Ich bin mir nicht sicher, wie ich Mums neue Strähnchen finden soll.
2. Dieser griechische Kuchen, den Lissy mir zum Geburtstag gebacken hat, war das Ekelhafteste, was ich je gegessen habe.
3. Ich habe mir für den Urlaub mit Mum und Dad Jemimas Ralph-Lauren-Badeanzug geliehen, und mir ist ein Träger gerissen.
4. Als ich neulich im Auto auf die Karte geguckt habe, hätte ich fast gefragt: »Was ist das eigentlich für ein großer Fluss, der da um London herumfließt?« Dann habe ich gemerkt, dass es der M25 ist.
5. Ich hatte letzte Woche einen ganz merkwürdigen Traum über Lissy und Sven.
6. Ich habe heimlich angefangen, Artemis' Grünlilie mit Flüssigdünger zu gießen.
7. Der Goldfisch Sammy hat sich irgendwie schon wieder verändert. Ganz eindeutig! Oder wo kommt die neue Flosse her?
8. Ich weiß, dass ich aufhören muss, völlig Fremden meine »Emma Corrigan, Marketing Executive«-Visitenkarte in die Hand zu drücken, aber ich komme einfach nicht dagegen an.
9. Ich habe keine Ahnung, was modernste Pro-Ceramide sind. (Ich weiß ja nicht einmal, was unmoderne Pro-Ceramide sind.)

10. Gestern Nacht, als Jack fragte, »Woran denkst du gerade?«, und ich sagte, »Ach, nichts«, da war das nicht ganz wahr. Ich habe mir Namen für unsere Kinder überlegt.

Aber es ist doch so, es ist ganz normal, das eine oder andere kleine Geheimnis vor seinem Freund zu haben.

Weiß doch jeder.

DANKSAGUNG

Ein großes Dankeschön an Mark Hedley, Jenny Bond, Rosie Andrews und Olivia Heywood für die vielen, vielen Tipps und Ratschläge.

Mein tiefer Dank gilt wie immer Linda Evans, Patrick Plonkington-Smythe, Araminta Whitley, Celia Hayley und meinen Jungs.

HELEN FIELDING

»Hinreißend! Was für ein herrlicher,
unglaublich witziger Roman! Man wischt sich
die Lachtränen aus den Augen!«
The Sunday Times

44392

GOLDMANN

AMELIE FRIED

»Ein Buch, das man nicht
aus der Hand legen kann!«
Die Welt

43865

GOLDMANN

GOLDMANN